LE COMPORTEMENT
ANIMAL

les animaux du monde entier

LE
COMPORTEMENT
ANIMAL

France Loisirs
123, boulevard de Grenelle, Paris

Éditeur : Neil Curtis
Rédacteur de projet : Graham
Bateman
Directeurs artistiques : Jerry
Burman, Chris Munday
Iconographie : Alison Renney

Dessins : Chris Munday
© Equinox (Oxford) Ltd, 1986
Tous droits réservés.
Dessins au trait et en couleurs
© Priscilla Barrett, 1986

Traduction : Christian Bounay
Édition du Club France Loisirs, Paris,
avec l'autorisation des éditions
EQUINOX (Oxford, GB)
© 1989 FRANCE LOISIRS

ISBN : 2.7242.4212.2
No ISSN : 0985.4495
No Éditeur : 14558

Photocomposition : P.F.C. - Dole

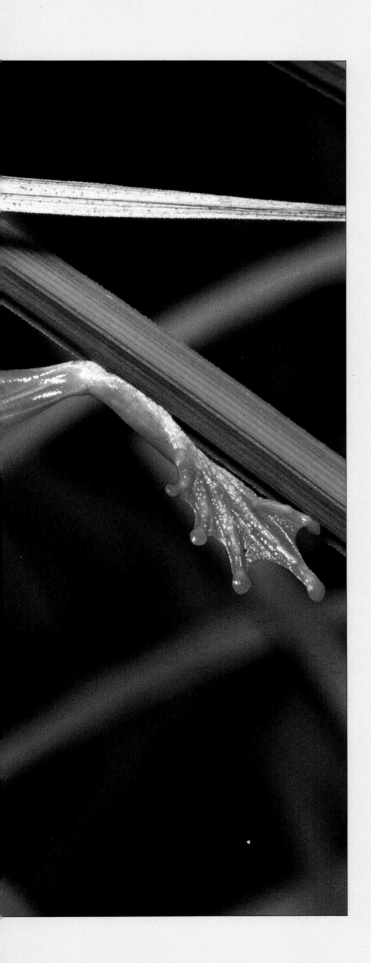

SOMMAIRE

PHOTOS

Page 1 : Un pinson des prés *(Passerculus sandwichensis)* qui chante.

Frontispice : Un macaque épouille son congénère.

Pages IV-V : Un combat entre deux rainettes mâles *(Hyla bipunctata)*.

Page VII : La parade menaçante d'une oie empereur *(Anser canagicus)* défendant son nid.

Page VIII-1 : Larves de tenthrède *(Croesus septentrionalis)* agglutinées sur le pourtour d'une feuille d'aune.

INTRODUCTION

Nous sommes tous, à certains égards, des spécialistes du comportement. Nous pouvons, par exemple, deviner si quelqu'un est de bonne ou mauvaise humeur à sa façon de marcher ou à une infime contraction des traits de son visage. De même, qui possède un chat ou un chien sait très vite interpréter les faits et gestes de l'animal. Il devine quand celui-ci veut être caressé ou quand, au contraire, il veut mordre ; quand il a faim ou quand il veut qu'on l'emmène promener. Mais on n'en sait rarement plus car il faut énormément de temps pour apprendre à interpréter de façon plus approfondie le comportement d'un animal. Ainsi, lorsque l'on regarde à la télévision un documentaire passionnant sur la vie des bêtes, il faut se souvenir que les cameramen auront peut-être passé des centaines d'heures à observer ces animaux avant de pouvoir fixer sur la pellicule des séquences dignes d'intérêt. De nombreux animaux passent en effet une bonne partie de leur temps à dormir ou à chercher tranquillement leur nourriture, dans une végétation souvent dense, ce qui rend l'observation très difficile. Pour pouvoir filmer ces activités, il faut donc énormément de patience, et pour approcher les animaux sans les déranger, une solide expérience doublée d'une extrême discrétion. Comprendre véritablement le comportement animal exige beaucoup de temps et d'efforts.

Le but du présent ouvrage est de donner un aperçu des grandes découvertes faites par les spécialistes de l'observation du comportement animal. Puisque le comportement des animaux est le produit de leur histoire, il y sera donc question d'histoire naturelle. Mais ce livre est aussi d'ordre scientifique, car la compréhension du comportement animal sous toutes ses facettes est une des branches de la biologie. Pour avoir quelque aperçu du pourquoi et du comment du comportement animal, il faut s'en remettre à des observations minutieuses et à des expériences entourées d'une grande rigueur scientifique, tant sur le terrain qu'en laboratoire. Ceux qui ont eu la chance de prendre part à ce genre d'entreprise savent à quel point c'est un domaine d'étude à la fois passionnant et fascinant. Au fil des ans, on découvre sans cesse de nouveaux aspects du comportement animal, et ces découvertes donnent alors naissance à des théories et des hypothèses parfois étonnantes... Les auteurs de ce livre espèrent faire partager à leurs lecteurs — amateurs férus d'histoire naturelle ou passionnés de biologie — leur curiosité et leur enthousiasme face à de telles découvertes.

Ce volume traite des différents aspects du comportement animal. L'introduction replace d'abord le sujet dans son contexte historique et présente les grandes questions qui se posent en matière d'étude du comportement. Les chapitres suivants, partant de l'étude du comportement de l'animal en tant qu'individu, se prolongent par une approche des structures sociales dans lesquelles vivent les animaux. Dans le premier grand chapitre qui traite des animaux en tant qu'individus, seront abordés, par exemple, les techniques utilisées par les animaux pour se procurer de la nourriture et pour éviter de se faire dévorer, les types d'abris qu'ils construisent, ainsi que les mécanismes d'orientation et de navigation leur permettant de retrouver leur chemin. Le second chapitre porte sur les relations entre les animaux et plus particulièrement, sur la façon dont ils communiquent entre eux lors de la parade nuptiale ou lors des rencontres agressives, qui sont, pour beaucoup d'animaux, les principaux modes de relation individuelle. Dans le troisième chapitre, nous étudierons comment le comportement est devenu ce qu'il est, ce qui nous conduira à étudier les origines évolutionnaires du comportement et son émergence au cours de l'existence individuelle de l'animal. Nous verrons également comment l'inné et l'acquis (ou l'apprentissage) se combinent pour aboutir au comportement tel que nous l'observons. Le dernier chapitre de ce livre est consacré au comportement social. Il nous permettra d'aborder les structures des sociétés animales, la façon dont les relations sociales se développent au sein de ces structures, leurs aspects culturels ainsi que divers cas intéressants d'associations entre espèces différentes. A la fin de ce livre, le lecteur trouvera un glossaire expliquant de façon succincte un certain nombre de termes parfois nouveaux pour lui.

Chaque chapitre du présent volume est composé de plusieurs articles portant sur les domaines clefs du comportement animal, et signés par des spécialistes de la question. Le corps du texte, qui fournit une vue d'ensemble du domaine étudié, sera complété par un encadré abordant plus en profondeur certains aspects du sujet. Si la compréhension ou l'importance de la question l'exigent, une double page lui sera consacrée.

Les spécialistes du comportement animal sont un peu comme les vrais amateurs d'histoire : ils adorent, généralement, raconter des anecdotes en évitant le jargon scientifique incompréhensible pour le néophyte.

Tout au long de ce livre, nous nous sommes donc efforcés de présenter au lecteur des textes faciles d'accès,

Hyènes tachetées chassant le gnou (voir pp. 28-29).

qui — malgré, ou à cause de cette simplicité — lui feront partager le plaisir de la découverte.

Les textes de ce livre sont accompagnés de magnifiques illustrations dues aux meilleurs artistes animaliers, ainsi que de nombreuses photographies, décrivant avec un réalisme saisissant les multiples aspects de la vie animale. La réalisation d'un tel livre exige à la fois un solide sens de l'organisation et la faculté d'anticiper ce que sera le livre, une fois terminé.

En ce domaine, tout le mérite revient à l'équipe des éditions Equinox et, plus particulièrement, au Dr Graham Bateman, éditeur d'histoire naturelle chez Equinox, qui a mené de bout en bout ce projet. Les autres membres de l'équipe rédactionnelle ont non seulement participé, chacun à son niveau, à la réalisation de cet ouvrage jusque dans ses moindres détails, mais ils ont également veillé à rendre ce livre passionnant et attrayant dans sa présentation. Il reste maintenant au lecteur à y prendre plaisir et à en tirer profit !

Peter J.B. Slater
Département de zoologie et de biologie marine
de l'Université de St Andrews

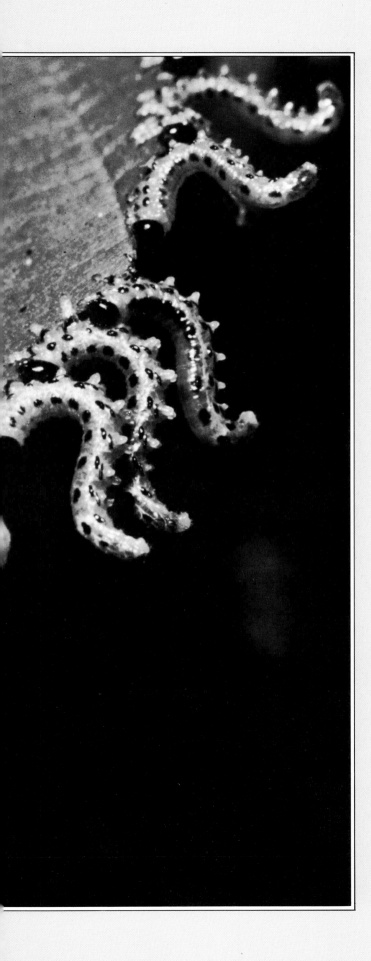

PRÉFACE

BEAUCOUP de jeunes et même de moins jeunes se passionnent pour la science-fiction. Les personnages mis en scène agissent le plus souvent dans l'espace, utilisant des véhicules et autres machines que les physiciens et les ingénieurs n'ont pas encore inventés.

Peu d'entre nous ne se doutent qu'il existe des êtres et des choses encore plus extraordinaires à notre porte, bien réels ceux-là. Il s'agit du monde vivant et plus particulièrement des animaux. Notre petite planète est le siège d'un phénomène unique : la vie, ensemble de processus qui permettent à des êtres de prospérer et de se multiplier en donnant naissance à des descendants semblables à eux-mêmes ou au contraire différents.

La vie est apparue sous une forme très primitive que certaines bactéries contemporaines permettent d'imaginer. Puis elle s'est compliquée, à mesure que le nombre de ses composants — les espèces — s'accroissait, surtout quand les végétaux ont recouvert une bonne partie de la terre et offert ainsi aux animaux, nourriture et abri. Les êtres vivants ont subi une évolution continue, plus ou moins rapide selon les époques géologiques ; allant des êtres les plus simples, bactéries et nombreux organismes marins, aux plus complexes, insectes et vertébrés — parmi lesquels les oiseaux, les mammifères et bien entendu l'homme — ont atteint des niveaux de perfectionnement inégalés.

Tous ces êtres, répartis en plusieurs millions d'espèces, forment un ensemble cohérent à la surface du globe, chacun d'entre eux dépendant des autres au sein de la mince enveloppe qui revêt la terre et ses éléments minéraux : la biosphère. La vie existe aussi bien au fond des fosses marines les plus profondes — comme des récentes plongées l'ont confirmé — que sur les plus hautes montagnes, aussi bien sur les glaces polaires qu'au cœur des forêts tropicales. La densité des espèces et de leurs populations varie simplement en fonction de la nature du climat et de la qualité de nourriture disponible.

Chaque espèce est adaptée à des conditions d'existence souvent très étroites, qu'il s'agisse de son mode de vie, de son alimentation, de sa reproduction et même de sa vie sociale. Toutes sont soumises aux mêmes lois et formées de la même matière. Aucune n'est cependant identique à une autre, aussi bien par sa forme que par son mode de vie.

C'est à un prodigieux voyage au milieu de ce monde fastueux que nous convient ces remarquables ouvrages. L'intérêt du texte le dispute à la beauté de l'illustration. On y voit comment la vie s'est diversifiée, comment les êtres vivants ont inventé des « outils » et des comportements souvent étonnants pour perpétuer leur race et se plier à toutes les circonstances. Ces livres sont à la fois un bestiaire et une suite coordonnée d'aventures passionnantes. Bien sûr, les faunes des pays chauds sont plus riches que la nôtre. Et pourtant, il reste des découvertes à faire dans la forêt ou le marais voisins, même dans notre jardin.

La nature vivante est cependant fragile. Bien des espèces ont déjà disparu par notre faute et des milieux naturels essentiels sont en régression avancée. Il nous faut donc protéger ce patrimoine indispensable à l'homme — irremplaçable —, car il résulte d'une évolution vieille de quelque quatre milliards d'années. Aucune technique issue du génie de l'homme ne parviendra jamais à le suppléer. En cela, ces ouvrages somptueux, destinés au zoologiste averti comme au simple amateur, sont aussi une suite de vibrants plaidoyers en faveur de la nature. Il est heureux qu'ils soient enfin diffusés parmi le public français comblant ainsi une lacune dans notre littérature.

Jean DORST
Membre de l'Institut

L'ÉTHOLOGIE
L'étude du comportement animal

Le comportement vu par les premiers naturalistes... La révolution darwinienne... Divergences entre les approches biologique et psychologique... Tinbergen et Pavlov... L'instinct contre l'apprentissage... Le comportement en regard de l'évolution... Les grands noms de l'éthologie... Le comportement chez les animaux domestiques... Le comportement humain : une branche du comportement animal...

DE tout temps, les hommes se sont intéressés au comportement des animaux qui les entouraient — par curiosité et pour des raisons pratiques. Les animaux influent à bien des égards sur la vie de l'homme : connaître leurs mœurs est donc le meilleur moyen de s'éviter quelques désagréments. Il y a quelques millions d'années quand l'homme chassait dans la savane africaine, il lui fallait savoir dépister le gibier, guetter ses moindres mouvements pour viser juste avec sa lance.

Étant par ailleurs très vulnérable, l'homme devait également connaître les mœurs des prédateurs susceptibles de l'attaquer et savoir repérer leurs tanières pour les tuer. Ce savoir acquis par nos lointains ancêtres devait se transmettre de génération en génération, et il se révéla certainement très précieux lorsque l'homme commença à mener une existence plus sédentaire et à domestiquer les animaux utiles à son alimentation, comme les moutons et les bovins, ainsi que les animaux qui pouvaient l'aider dans ses différentes tâches quotidiennes, comme les chevaux et les chiens. Mieux comprendre nos compagnons les animaux domestiques reste une des grandes tâches pour tous ceux qui étudient le comportement animal, car c'est ce qui permet de tirer de ces animaux le meilleur bénéfice tout en veillant à leur bonne santé. Parallèlement au grand essor de la médecine depuis un siècle, l'étude du comportement animal nous a permis d'expérimenter les effets de nombreux médicaments et d'enrichir considérablement nos connaissances dans le domaine des maladies mentales. Cette étude du comportement animal revêt, enfin, une importance toute particulière pour la protection des espèces. La richesse et la diversité des niches écologiques régressent en effet d'une façon alarmante du fait de l'exploitation par l'homme, et les espèces menacées sont sans cesse plus nombreuses. Seule une connaissance approfondie de l'écologie et du comportement de ces espèces permet d'assurer leur protection.

On voit donc qu'il est de plus en plus important pour l'homme d'enrichir ses connaissances dans le domaine du comportement animal. Pourtant, force est de constater que les études consacrées à ce sujet ne sont généralement guère abordables par le grand public car elles ont surtout été menées dans un désir d'accumulation frénétique du savoir, non pour réunir les connaissances nécessaires à la survie de l'homme et à la protection de sa santé. Cela dit, il est vrai que la nature exerce sur l'homme une réelle fascination et que, bien souvent, les mœurs passionnantes des animaux forcent notre curiosité. Où les hirondelles vont-elles se réfugier en hiver ? Pourquoi les abeilles butinent-elles sur certaines fleurs et délaissent-elles les autres ? Une abeille apprend-elle à reconnaître les fleurs bénéfiques à son espèce ? Ce genre de question n'a cessé de passionner les naturalistes au fil des siècles, et c'est pour y répondre que l'on continue, de nos jours, à étudier le comportement animal. Lentement mais sûrement, ces patientes études ont montré que le comportement animal est loin d'être une affaire de hasard et qu'il y a, au contraire, une explication à tout, comme, d'ailleurs, dans l'ensemble de la nature.

Il n'y a pas si longtemps encore, on ignorait tout des méthodes à mettre en œuvre pour étudier le comportement animal : faute de théories, il était impossible de confronter les résultats des observations réalisées. C'est ainsi qu'en son temps, le grand philosophe grec Aristote recueillit une masse considérable d'informations relatives au comportement animal, mais pour expliquer les phénomènes observés, il en était généralement réduit à de pures spéculations, qui le menèrent parfois à des conclusions totalement erronées. Cela n'empêche pas, néanmoins, que dans bien des domaines, Aristote fut largement en avance sur son temps.

Puis au XVIIIᵉ siècle, les naturalistes, à leur tour, se mirent à s'intéresser eux aussi aux mœurs du monde animal. Ce fut, notamment, le cas de Gilbert White, curé de campagne à Selborne (Angleterre). Notre prêtre observa avec une belle méticulosité maints aspects de l'histoire naturelle, mais dans bien des domaines, il se trouva dans l'impossibilité de vérifier ses hypothèses. Comme Aristote, il pensait par exemple que les hirondelles passaient l'hiver dans la vase, au fond des étangs. L'idée n'était pas complètement absurde, puisque avant d'entreprendre leur migration, les hirondelles se rassemblent devant des roselières. Il faut, de plus, ajouter que White était moins passionné par l'étude purement scientifique et abstraite que par l'observation et la description. En revanche, les esprits éclairés de l'époque ne pouvaient le suivre quand il affirmait, avec beaucoup d'autres il est vrai, que la nature était en fait telle que Dieu l'avait créée. De sérieuses énigmes restaient sans solution, comme l'existence des vestiges fossiles. L'époque était alors mûre pour la naissance d'une théorie de l'évolution. Deux hommes, Charles Darwin et Alfred Russell Wallace eurent la même idée, pratiquement en même temps. La biologie s'en trouvera révolutionnée, et avec elle, l'étude du comportement animal.

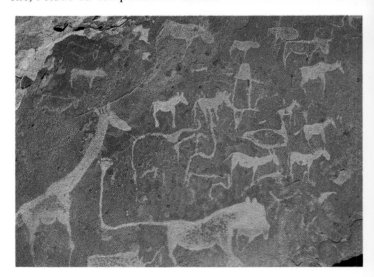

▲ **Comprendre la nature** fut vital pour l'homme primitif qui luttait pour sa survie. Sur cette photo, une fresque pariétale représente les animaux que chassaient les boschimans du Sud africain.

▶ **D'après Aristote,** les rouges-queues *(Phoenicurus phoenicurus)* (photo du haut), se métamorphosaient en rouges-gorges *(Erithacus rubecula)* (photo du bas), l'hiver venu, car ces deux oiseaux, se ressemblaient beaucoup et ne se montraient jamais à la même époque de l'année, là où vivait le philosophe.

L'influence de la révolution darwinienne sur le regard porté sur les animaux fut immense, mais pas tant, singulièrement, en raison de ce que Darwin écrivit lui-même sur le comportement. En dépit des multiples articles qu'il signa sur ce thème, l'impact de ses travaux fut d'ordre plus général et fondé sur deux points essentiels. Tout d'abord, Darwin apportait une théorie s'appliquant à tous les aspects ou presque de la vie sur terre, y compris dans le domaine comportemental. Une théorie, c'était exactement ce qu'il fallait pour transformer en véritable science l'étude du comportement animal, jusqu'alors cantonné dans l'histoire naturelle et l'observation des mœurs animales. Seconde influence, plus décisive encore, de la théorie de l'évolution : elle affirmait de façon catégorique que l'homme faisait partie intégrante de la nature — même s'il occupait le rameau le plus élevé de l'arbre de l'évolution. Avant Darwin, on pouvait s'en tenir, avec le philosophe Descartes, à l'idée d'une séparation entre la matière et l'esprit, ce dernier étant un attribut exclusif de l'intelligence humaine, les animaux étant, eux, uniquement guidés par leurs instincts. Après Darwin, impossible de se contenter d'une distinction aussi tranchée. On découvrait désormais que l'homme était un animal — même s'il restait un animal un peu à part —, et que son comportement était né d'un même processus d'évolution que celui de l'animal. L'idée selon laquelle l'étude des animaux permettrait à l'homme de mieux se connaître faisait

◀ **Les liens évolutionnaires révélés par le comportement.** De même que l'anatomie révèle les liens de parenté existant entre deux espèces, les caractéristiques comportementales des espèces étroitement apparentées sont souvent similaires. La plupart des échassiers ont par exemple tendance à se gratter la tête en ramenant leur patte par-dessous l'aile. Les pluviers et les huîtriers-pies, en revanche, baissent l'aile et avancent leur patte par-dessus. Cela prouve que l'huîtrier-pie *(Haematopus ostrelagus)* (**1**) est plus étroitement apparenté au pluvier qu'aux autres échassiers, comme la barge égocéphale, ou barge à queue noire *(Limosa limosa)* (**2**). Mais ce genre de similitude n'apparaît parfois qu'à travers un phénomène de convergence. Lorsqu'il boit, un oiseau remplit généralement d'eau son bec et sa bouche, puis il secoue la tête pour faire descendre l'eau dans son gosier, comme c'est le cas chez le chardonneret *(Carduelis carduelis)* (**3**). En ce domaine, les pigeons, comme le pigeon ramier *(Columba palumbus)* (**4**), font exception à la règle, car ils sont capables d'aspirer et d'avaler sans avoir à relever la tête, comme certaines petites fringilles australiennes.

◀ **L'énigme des fossiles.** Les premiers naturalistes, pour qui Dieu avait créé toute vie sur terre, eurent bien du mal à expliquer l'existence des fossiles, comme cette ammonite.

▶ **Un berceau de l'évolution** : l'île de Hood, dans les Galapagos.

désormais son chemin.

Depuis l'époque où Darwin publia son fameux *De l'origine des espèces par voie de sélection naturelle,* en 1859, l'étude du comportement animal a connu un essor considérable pour devenir une grande branche de la biologie — l'« éthologie ». Dans le monde entier, des chercheurs se consacrent à l'étude du comportement animal, et les principes fondamentaux de cette spécialité sont étudiés dans presque tous les cours de biologie et de psychologie même si leur approche respective est sensiblement différente. Les éthologistes à proprement parler ont généralement une formation de biologistes et ils s'occupent d'abord de la place du comportement dans la nature. Un éthologiste étudie souvent les animaux à l'état sauvage, veillant à les déranger le moins possible de façon à observer simplement comment leur comportement est adapté à leur mode de vie. Les psychologues, eux, s'intéressent au comportement de l'homme, et lorsqu'ils se penchent sur l'étude des animaux, cette étude reste confinée dans des domaines précis, comme l'observation de l'apprentissage chez les animaux. Ils utilisent, par exemple, des rats ou des pigeons placés dans des conditions de laboratoire — c'est-à-dire rigoureusement contrôlées, de façon à garantir une bonne fiabilité dans les résultats des expériences. Un psychologue s'intéresse moins aux différences entre les espèces qu'aux lois comportementales communes à toutes les espèces et donc applicables au comportement humain. Mais le résumé de ces deux approches est ici très simplifié, de même qu'il est assez caricatural de présenter l'éthologiste comme un chercheur guettant depuis sa cachette un animal en liberté, et le psychologue comme un chercheur de laboratoire recueillant les résultats d'expériences menées sur un animal enfermé dans une petite cage... L'écart entre ces deux spécialités, très marqué il y a quelques années, s'est en effet réduit. Bien souvent, le psychologue étudie les capacités d'apprentissage chez de nombreuses espèces dans un environnement plus ou moins naturel, et les éthologistes ont, pour leur part, découvert les bienfaits de l'expérience de laboratoire pour obtenir une réponse à certaines questions posées.

Un des grands éthologistes de notre siècle, Niko Tinbergen, résuma le problème en disant que les questions posées par les éthologistes en matière de comportement animal ont trait aux quatre domaines suivants : le développement du comportement, ses causes immédiates, son évolution et les fonctions qu'il sert. Deux de ces questions — les causes du comportement et son développement — recoupent amplement les domaines intéressant le psychologue. En recherchant les causes du comportement, on est amené à étudier les différentes sortes de stimuli produits par le monde extérieur et qui provoquent l'apparition d'actions déterminées. Le plastron rouge du rouge-gorge mâle suscite-t-il l'agressivité chez ses voisins ? Son chant attire-t-il les femelles ? On peut également tenter de mettre à jour les mécanismes internes qui sont les moteurs du comportement. Quels sont les organes sensoriels et les muscles mis à contribution ? Par quelle région du cerveau sont-ils activés ? Les substances chimiques, comme les hormones, ou encore, le taux de sucre dans le sang influent-ils sur ce comportement ? Ce sont autant de questions qui, dans la mesure où elles déterminent le comportement, intéressent depuis longtemps à la fois les psychologues et les éthologistes. De fait, l'explication du comportement devait dominer l'éthologie durant son grand essor, avant et après la Seconde Guerre mondiale. C'est à cette époque que Konrad Lorenz et Niko Tinbergen commencèrent leurs études en vue de l'élaboration d'une théorie globale du comportement, qui s'appuierait amplement sur ses causes.

Durant la première moitié du siècle, la grande divergence entre les éthologistes et les psychologues fut vraisemblablement la question du développement du comportement. Nombre de psychologues avaient été impressionnés par les travaux de Pavlov, le physiologiste soviétique qui avait découvert l'existence des réflexes conditionnés chez les chiens. Ces psychologues pensaient en effet que les mécanismes mis en évidence par Pavlov, pouvaient être à l'origine du développement de l'essentiel du comportement, sans que l'on eût à se soucier du patrimoine héréditaire. Dès lors, ces psychologues consacrèrent une grande partie de leurs recherches aux mécanismes d'apprentissage (cf. p. 98) chez les animaux — ce qui devait se solder par la création de l'école de psychologie dite « skinnérienne ». Mais l'approche des éthologistes se démarquait nettement de celle des psychologues. L'étude du développement du comportement les intéressait, en premier lieu, beaucoup moins que l'étude de ses causes. Nombre de schèmes comportementaux qu'ils étudièrent, comme la parade nuptiale ou les soins mutuels que se prodiguent les animaux, se révélèrent généralement plus ou moins identiques parmi les membres d'une même espèce. Pour les éthologistes, c'était la preuve que ces schèmes comportementaux étaient le fait d'un héritage génétique : ces schèmes apparaissaient d'emblée totalement formés, sans que soit nécessaire l'apport d'un processus de développement complexe. Ainsi, les psychologues mettaient l'accent sur l'apprentissage, et les éthologistes sur l'instinct, de sorte que leurs recherches ne pouvaient se rejoindre.

Mais les abondantes recherches menées des pionniers à nos jours montrent que le comportement fait intervenir aussi bien une part d'hérédité qu'une part d'apprentissage. Konrad Lorenz lui-même observa comment les oisillons appartenant à des espèces qui quittent le nid peu après l'éclosion apprennent à reconnaître leur mère — c'est ce qu'il appela l'« empreinte » —, puis il montra que l'on pouvait fausser l'ordre des choses si le premier être vivant que l'oisillon voyait à sa naissance n'était pas sa mère (une oie, par exemple), mais un distingué professeur... Une constante du comportement — le fait, pour un oison, de savoir reconnaître les membres de son espèce —, pouvait donc être modifiée : le jeune animal devait apprendre à quoi ressemblait sa mère.

Les recherches sur le développement du comportement ont désormais acquis une grande importance dans le domaine de l'éthologie. Elles ont permis de mettre en lumière l'ensemble des processus mis en œuvre à mesure que le jeune animal progresse vers sa maturation et que son comportement change. Dans certains domaines, une expérience très réduite lui suffit pour adapter son comportement. Dans d'autres, en revanche, une

solide « pratique », un apprentissage par essai et erreur, et l'imitation de ses frères d'espèce, peuvent être nécessaires. Les jeunes, surtout si les représentants de leur espèce vivent en groupes sociaux, doivent modifier leur comportement à chaque nouveau stade de leur croissance, depuis l'âge où ils sont dépendants de leur mère, jusqu'à l'âge adulte, et apprendre à chaque fois de nouveaux et nombreux schèmes de comportement. Si l'on considère la simplicité apparente d'un œuf fécondé, plus proche des amibes que des singes ou des humains, on ne peut que s'émerveiller de voir qu'au fil de son développement, les transformations seront telles que cet œuf donnera naissance à un animal social, doté d'une anatomie et d'un comportement fort complexes.

Les deux autres questions posées par Niko Tinbergen, propres à l'éthologie, sont de peu d'intérêt pour le psychologue, car elles relèvent en grande partie de la biologie. Ces deux questions concernent l'évolution et les fonctions du comportement. Il n'est pas facile d'étudier de façon directe l'évolution, car c'est un processus extrêmement lent : les scientifiques doivent généralement se borner à reconstituer la façon dont les choses ont pu se dérouler. Mais en ce qui concerne le comportement, il n'y a même pas de traces fossiles, et son évolution se perd irrémédiablement dans la nuit des temps. Dans quelques rares cas, néanmoins, il nous est possible d'avoir un aperçu des mœurs de certaines espèces, grâce aux empreintes conservées dans les boues desséchées datant des premiers âges du monde, ou grâce aux nids fossilisés d'animaux comme les oiseaux ou les termites. La reconstitution la plus fidèle qu'il soit possible de réaliser s'appuie généralement sur l'observation des similitudes entre des espèces apparentées : lorsque deux espèces présentent un schème de comportement analogue, cela signifie en principe que ce schème de comportement faisait partie du répertoire de leur ancêtre commun avant que ces deux espèces ne se séparent. Ce comportement est dit « homologue ». Toutefois, une certaine prudence s'impose, car il n'est pas rare que deux espèces soient amenées, par une convergence de l'évolution, à avoir un comportement similaire, en raison non d'une parenté commune, mais du fait que ces espèces se trouvent confrontées, dans la nature, à des problèmes semblables. Dans ce cas, il faut parler d'une analogie de comportement, et non d'une homologie. Certaines études dans ce domaine ont permis de reconstituer de façon très convaincante différents aspects de l'évolution du comportement, mais ce sont surtout les études sur les fonctions du comportement qui ont suscité, ces dernières années, l'engouement des chercheurs.

▶ **Les progrès de la connaissance.** Hier encore, on aurait pris ces deux lièvres pour des mâles. Mais les recherches les plus récentes montrent que mâles et femelles « boxent » ainsi l'un contre l'autre lors de la parade nuptiale.

Les grands noms de l'étude du comportement

Comme dans l'ensemble du domaine de la biologie, les travaux de **Charles R. Darwin** (1809-1882) (ci-dessous) devaient révolutionner les connaissances en matière de comportement animal. Avant Darwin, on considérait les animaux comme des créatures purement instinctives, que rien ne rapprochait de l'homme, cet être doué d'intelligence. La théorie de Darwin sur l'évolution, étayée en grande partie par les observations extrêmement fructueuses qu'il fit lors de son voyage autour du monde à bord du *Beagle*, permit au contraire d'expliquer comment les animaux s'étaient adaptés à leur environnement, et il fallut admettre que l'homme faisait partie

intégrante de la nature. Dans son ouvrage capital, *De l'origine des espèces,* Darwin consacre un chapitre au comportement, mais sa principale publication sur le sujet demeure *L'expression des émotions chez l'homme et chez les animaux* (1872) où il souligne les parallèles entre l'homme et l'animal.

Karl R. von Frisch (1886-1982) naquit à Vienne, mais il passa la plus grande partie de sa vie en Allemagne. Il s'est rendu célèbre par sa découverte du langage dansé chez les mellifères. Il fit par ailleurs d'importantes recherches sur l'ouïe et la perception des couleurs chez les poissons. La théorie de Frisch, selon laquelle les abeilles étaient capables de transmettre à leurs congénères des informations concernant la direction et la distance de la source de nourriture fut très controversée. Mais des recherches plus récentes, notamment celles de J.L. Gould, devaient démontrer clairement que les abeilles possèdent effectivement un système de communication sophistiqué.

Konrad Z. Lorenz (1903-) est un des fondateurs de

l'éthologie moderne. Dans les années 1930, il élabora une théorie du comportement animal dans laquelle il mettait en valeur les aspects héréditaires et une relative fixité. Pour étayer sa théorie, Lorenz effectua des travaux très approfondis sur le comportement des oiseaux. Ses ouvrages majeurs, *Il parlait avec les mammifères, les oiseaux et les poissons* (1949) et *Tous les chiens, tous les chats* (1950) reflètent sa profonde compréhension du monde animal. Plus controversé, son ouvrage *L'agression, une histoire naturelle du mal* (1969) fit forte impression car dans ce livre, Lorenz expliquait que l'agressivité est une pulsion que seules des activités inoffensives, comme le sport, peuvent canaliser.

I.P. Pavlov (1849-1936) (ci-dessus, à droite) était un physiologiste et psychologue soviétique, né dans la Russie tsariste. Il s'est rendu célèbre par son étude des réflexes conditionnés. Son expérience la plus fameuse consista à étudier la salivation chez les chiens quand on leur présente de la nourriture : cette expérience montre que si l'on fait sonner une cloche chaque fois que l'on

présente de la nourriture au chien, à la longue, celui-ci se met à saliver au seul son de la cloche, sans qu'on lui donne de nourriture. La réaction du chien lorsqu'on lui présente la nourriture est un réflexe ; celle déclenchée par le timbre de la cloche est également un réflexe, mais conditionné par le fait que l'animal a appris à associer le son de la cloche à de la nourriture. Pavlov comprit que l'élaboration de ce type d'association était une composante importante de l'apprentissage.

B.F. Skinner (1904-) est la figure de proue des partisans du « béhaviorisme » — cette branche de la psychologie, fondée aux États-Unis au début

Précisons d'emblée que les biologistes utilisent le mot « fonction » dans une acception particulière. Lorsqu'un biologiste s'interroge sur la fonction d'un schème de comportement chez l'animal, cela signifie qu'il s'intéresse aux raisons pour lesquelles la sélection naturelle a engendré cette fonction. Autrement dit, cela consiste à se demander en quoi cette fonction est bénéfique à l'animal dans sa survie ou dans le processus de la sélection naturelle.

Ce regain d'intérêt pour ce type d'approche du comportement s'explique par le fait que l'on a compris récemment seulement la portée réelle de la théorie de Darwin sur le comportement. Il y a une vingtaine d'années encore, les biologistes avaient tendance à expliquer qu'un animal adoptait un certain comportement parce que ce comportement était « bon » pour son espèce. Cette théorie apportait une réponse à de nombreuses questions. Elle expliquait par exemple l'aide que pouvaient s'apporter deux individus et le fait que leur comportement agressif se limitait généralement à des menaces — sans aller jusqu'au combat préjudiciable à l'un et à l'autre. Mais des recherches ultérieures devaient montrer que le comportement pour le bien de l'espèce n'était pas la seule caractéristique mise en évidence par la théorie de Darwin. L'animal qui connaît la meilleure réussite en termes d'évolution est celui dont le comportement est uniquement orienté vers son propre bien et celui de ses proches parents — de sorte qu'il transmet une plus grande partie de ses gènes à la génération suivante. La sélection naturelle agit sur les individus, non sur l'espèce : les schèmes de comportement qu'elle favorise sont ceux amenant les individus à produire une descendance plus nombreuse. L'entraide, chez les animaux, n'est donc pas le fait d'une générosité désintéressée : des études récentes ont montré que ce comportement intervenait parce que les deux partenaires étaient apparentés, ou parce qu'ils y avaient l'un et l'autre intérêt. Dans les deux cas, le fait d'aider autrui se révèle avantageux pour l'individu lorsqu'il s'agit de transmettre ses gènes.

L'étude du comportement sous cet angle — essayer de déterminer comment la sélection a fait les choses telles qu'elles sont, et comment chacune de ses facettes est adaptative pour l'individu — est devenue le fer de lance de l'éthologie. On appelle souvent « socio-biologie » ces recherches qui portent sur le comportement social des animaux.

Les éthologistes s'intéressent donc à quatre grands domaines : le développement du comportement ; ses causes ; son évolution ; et ses fonctions. Il existe entre eux une complémentarité, et chacune de ces questions peut être posée en regard de n'importe quel aspect du comportement.

Il ne faut jamais oublier que le comportement est apparu dans un environnement donné. Les abeilles se sont ainsi adaptées afin de pouvoir repérer le nectar durant une journée chaude et ensoleillée, les canards se sont adaptés pour barboter en eau peu profonde et y rechercher leurs aliments dans la vase, les lions pour se tapir dans les broussailles et fondre comme l'éclair sur la proie qui s'aventure dans les parages. Chacun de ces animaux a un comportement modelé par l'endroit où il vit et on ne peut vraiment le comprendre qu'en fonction de cet environnement. Pour bien appréhender les causes et le développement du comportement, il peut parfois se révéler nécessaire de procéder à des expériences de laboratoire, mais certains aspects du comportement chez les animaux en captivité peuvent nous sembler difficiles à interpréter. Il n'y a pas lieu de s'en étonner : l'évolution du comportement ne s'est pas faite dans une cage. Pour une étude véritablement scientifique du comportement, c'est donc dans la nature qu'il faut aller voir...

PJBS

du siècle, qui donne à l'apprentissage un rôle central. Skinner a en particulier étudié l'apprentissage par la gratification (ou « renforcement »). Les tenants de cette approche s'efforcent de faire ressortir les grandes lois de l'apprentissage à travers l'étude d'animaux — généralement des rats — auxquels on apprend à effectuer des tâches, comme celle qui consiste à appuyer sur un levier pour obtenir de la nourriture. Dans ce « conditionnement instrumental » ou « opérant », l'amplitude d'un schème de comportement donné, comme le fait d'appuyer sur un levier — l'« instrument » ou l'« opérateur » —, peut être augmentée ou diminuée suivant que l'on associe à l'acte une gratification ou une punition.

Niko Tinbergen (1907-) (ci-dessus, à droite), né en Hollande, émigra en Grande-Bretagne au lendemain de la Seconde Guerre mondiale. Une grande partie de ses études ont été menées dans la nature et sur un très vaste éventail d'espèces — des papillons et des guêpes fouisseuses, aux mouettes et

aux épinoches. Par le truchement d'expériences extrêmement simples et efficaces, il observa le comportement des animaux et parvint à en faire ressortir un grand nombre de mécanismes. Son ouvrage *L'Étude de l'instinct* (1951) qui fait le bilan de ses théories et celles de Konrad Lorenz, continue de faire autorité. En 1972, conjointement à Konrad Lorenz et Karl von Frisch, Tinbergen fut lauréat du prix Nobel de physiologie et de médecine pour sa contribution à la connaissance du comportement.

Les enseignements du comportement animal...

La biologie appliquée

En approfondissant ses connaissances dans le domaine du comportement animal, l'homme a tiré différents enseignements que l'on a commencé, depuis un passé récent, à appliquer aux animaux domestiques.

La compréhension du comportement animal a d'abord porté ses fruits dans le domaine du dépistage et de l'identification des maladies. La maladie se manifeste en effet en premier lieu par une altération du comportement normal. Un bon éleveur de bestiaux devine la maladie dès qu'une de ses bêtes se montre agitée, quand elle devrait être calme ; apathique, assoupie au lieu d'être bien réveillée et fort active ou quand elle reste à l'écart du troupeau.

Une bonne connaissance du comportement des animaux porteurs de maladies peut par ailleurs aider à mettre sur pied un plan pour enrayer le mal. On peut ainsi éliminer les femelles d'hylémyies en les attirant avec des pièges garnis d'huile de moutarde car ces insectes en sont friands. Éliminer les rats pose en revanche plus de problèmes, car ils se montrent extrêmement méfiants devant des aliments qu'ils ne connaissent pas. Les premiers jours, ils se contentent de les goûter, et, le cas échéant, ils sont prompts à associer un goût nouveau à une sensation désagréable (cf. p. 99).

Connaître les mœurs alimentaires des espèces sauvages ou agricoles utiles à l'homme permet éventuellement d'améliorer le rendement des terres. De nombreuses espèces agricoles sont en effet herbivores mais chacune choisit son pâturage selon ses propres règles. Les chevaux défèquent dans des endroits où ils évitent ensuite de revenir brouter ; les moutons préfèrent les herbes fines, les chèvres des espèces particulières. Les lagopèdes rouges d'Écosse se nourrissent principalement de jeunes pousses de bruyère, mais pour se mettre à l'abri, ils préfèrent les pousses plus vieilles et plus grandes. Une fois ces principes acquis, on peut optimaliser l'habitat en brûlant chaque année certaines zones de la bruyère habitées par les lagopèdes.

L'aptitude de certains animaux à l'apprentissage peut également être mis à profit. On leur apprendra à avoir, dans certaines circonstances, une réaction appropriée — enfoncer un bouton par exemple — et à chaque succès, l'animal obtiendra une gratification. Dans les grandes laiteries ultramodernes, un distributeur de nourriture contrôlé par ordinateur fournit aux bêtes d'élevage une nourriture concentrée. Grâce à une clé électronique équipant le collier de chaque vache, un système de détection identifie celle-ci lorsqu'elle s'approche du distributeur. L'ordinateur calcule alors la quantité de nourriture reçue par la vache au

Triste spectacle, que celui de ces cochons (en bas) derrière des barreaux... Bien sûr, tout le monde préfèrerait les voir gambader librement dans la nature (à gauche). Mais il y a un équilibre à respecter entre le bien-être de l'animal et la rentabilité. Cependant, des recherches approfondies sur le comportement ont révélé, ces dernières années, qu'un élevage « à la chaîne » n'est pas forcément nécessaire à l'obtention d'un bon rendement, et les techniques modernes d'élevage commencent à en tenir compte.

▶ Des cochons heureux dans une porcherie moderne, dont la structure tient compte des besoins naturels de l'animal. Une unité de quatre porcheries peut accueillir quatre truies avec leurs petits. La plupart du temps, tous les cochons peuvent accéder aux différents secteurs de l'unité. Lorsqu'une truie s'apprête à mettre bas (on dit « cochonner »), elle élit domicile dans un des secteurs prévus à cet effet, et elle y aménage une litière en se servant de la paille à sa disposition dans les râteliers. Une fois qu'elle a mis bas, on peut l'enfermer pendant quelques jours avec ses petits, jusqu'à ce qu'ils soient capables de se mouvoir. Ensuite, ceux-ci pourront gambader librement, en famille. L'architecture de la porcherie, ainsi que son aménagement intérieur permettent aux animaux de se comporter de façon naturelle. Par exemple, à l'approche de la nuit, la truie peut aménager une litière familiale, d'où elle pourra facilement repérer l'approche d'un danger. La porcherie comprend un secteur comportant de la tourbe et des morceaux d'écorce, que les cochons peuvent explorer avec leur groin et où ils peuvent se vautrer comme ils aiment à le faire.

Une porcherie comme celle-ci intègre différents aménagements modernes, destinés à améliorer le rendement. Par exemple, ayant mis bas, la truie peut être confinée pendant quelques jours derrière un rail spécial, qui lui évitera d'écraser accidentellement ses petits. De même, la disposition des mangeoires permet à tous les cochons de se nourrir simultanément sans qu'il y ait une concurrence entre eux.

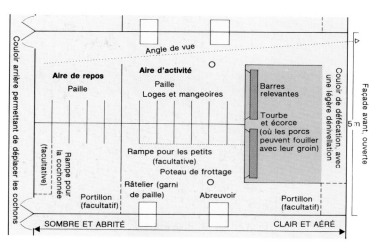

cours des dernières vingt-quatre heures, et il indique au distributeur la quantité que l'animal peut encore recevoir. La vache doit ainsi apprendre à s'approcher du distributeur d'une certaine façon et à espacer ses visites afin d'obtenir à chaque fois une ration satisfaisante. Des techniques de conditionnement opératrices sont également utilisées pour entraîner des animaux comme les chevaux et les chiens. Les chiens, en particulier, peuvent apprendre différentes tâches : guider les aveugles, garder les moutons, flairer la drogue ou les explosifs ; dépister, poursuivre et rapporter le gibier. Dans la plupart des cas, le maître se contente de caresser le chien pour le récompenser de ses efforts.

Une bonne connaissance des mœurs reproductrices des animaux a permis d'améliorer le rendement reproducteur des bêtes d'élevage. Chez les taureaux reproducteurs, la stimulation visuelle est déterminante pour l'excitation sexuelle. C'est ainsi que l'on a pu mettre au point une technique d'insémination artificielle faisant appel à des taureaux donneurs de sperme : stimulés comme il faut, ces taureaux peuvent monter des femelles non réceptives, et même des leurres de la taille et de la forme d'une femelle. Il suffit parfois de la mettre en présence de mâles pour maintenir une femelle en chaleur. On peut utiliser des béliers castrés pour les faire monter les femelles et chauffer celles-ci avant de remplacer ces mâles par des béliers étalons : de cette façon, l'agnelage sera rationalisé et l'on aura des portées d'agneaux du même âge.

Les systèmes d'élevage traditionnels ont connu une évolution assez lente, fondée en général sur le comportement des espèces concernées. Mais au cours des trente dernières années, avec l'essor rapide des techniques d'élevage industriel, le comportement naturel des animaux a peu à peu cédé la place au seul souci de rendement. Les illustrations les plus connues de ces techniques d'élevage sont les batteries de poulaillers dans lesquelles on élève les poules pondeuses, les box pour l'élevage des veaux, et les loges pour les truies pleines. Ces techniques ont provoqué l'apparition de nombreux problèmes comportementaux, comme l'agressivité, le cannibalisme et une extrême apathie. C'est pourquoi, à l'heure actuelle, on tend plutôt à recréer un environnement tenant compte des mœurs naturelles de ces animaux d'élevage. Entre autres innovations, il existe désormais des « cages d'évasion » pour les poules, ainsi que des enclos dans lesquels les cochons peuvent mener une vie plus sociale et plus naturelle, propre à leur espèce. C'est le même principe que celui appliqué dans les zoos : placés dans des conditions de captivité supportables, les animaux ne s'en portent que mieux et ils se comportent de façon naturelle sous les yeux du public venu là pour les voir.

IJHD

Le comportement chez l'homme

L'éthologie humaine

L'homme est un animal. Si l'on s'en réfère aux théories modernes de l'évolution, notre espèce, dont les ancêtres descendaient du singe, est apparue il y a seulement quelques millions d'années, au terme de diverses adaptations comportementales et physiologiques qui ont permis à l'homme de survivre dans son environnement. Toutefois, sachant qu'en si peu de temps l'homme a pu se doter de modes de vie et de schèmes de comportement très complexes, certains psychologues estiment difficile, voire impossible, de placer le comportement humain sur le même plan que le comportement des autres animaux. Sans compter qu'il est pour le moins difficile d'appliquer sur nous-mêmes des méthodes d'observation aussi objectives que celles avec lesquelles nous étudions les animaux.

Les éthologistes qui se consacraient à l'étude du comportement des animaux dans leur environnement naturel se sont dotés de méthodes et d'approches spécifiques, dont certaines ont pu, par la suite, être appliquées à l'homme, donnant naissance à un champ d'étude appelé l'« éthologie humaine ».

L'aspect majeur de l'approche éthologique appliquée au comportement humain est vraisemblablement l'observation du comportement dans des conditions de vie plus ou moins naturelles. Si le psychologue observe généralement les hommes ou les animaux en laboratoire, mettant en application la théorie dans des conditions scientifiquement contrôlées, l'éthologiste, en revanche, préfère observer les interactions sociales au sein des groupes humains placés dans leurs conditions de vie ordinaires — par exemple à la maison, dans un parc ou à l'hôpital —, se contentant de noter les types de comportement qui s'offrent à son observation.

Les observations montrent, par exemple, qu'il existe ce que l'on appelle un « attachement » entre les parents et leurs enfants. A partir de l'âge de six mois environ, lorsqu'il devient capable de se mouvoir de façon plus autonome, l'enfant cherche à communiquer avec la figure centrale de cet attachement (en principe, sa mère ou son père) : il tente de la suivre, proteste en cas de séparation, montre bruyamment sa satisfaction lorsqu'on revient le prendre dans ses bras. Les premiers temps, l'enfant peut également se montrer méfiant face aux adultes qu'il ne connaît pas. Ces liens d'attachement peuvent durer deux ou trois ans, et durant cette période, la figure centrale de l'attachement sert de base sûre à partir de laquelle l'enfant entreprendra son exploration du monde extérieur, puis à mesure que l'enfant grandit, la distance et la durée de ses explorations augmentent.

De nombreuses observations ont été effectuées chez les enfants d'âge préscolaire et scolaire. Certaines de ces observations consistaient à étudier les expressions faciales et les signaux non verbaux. Ainsi, un enfant présente différents types de sourires, dont chacun a une signification qui lui est propre et correspond à un état émotionnel donné. Parmi les sourires typiques, il y a le sourire « simple », qui intervient parfois lorsque l'enfant est seul ; le sourire « large », généralement associé au contact oculaire et qui exprime un contentement ; ou encore, le rire, lorsque l'enfant joue ou lutte au corps-à-corps avec ses petits camarades.

Ces jeux au corps-à-corps ont pu être décrits de façon détaillée. Vigoureux, plus fréquents chez les garçons que chez les filles, ces jeux ne sont guère appréciés des maîtres d'école et des parents, mais très prisés des enfants. L'agressivité, en revanche, se manifeste par des formes de comportement bien différentes : au lieu de rire, l'enfant a une mine renfrognée, et les coups qu'il inflige à un autre enfant sont plus brutaux, destinés à faire mal. Chez les jeunes enfants et les adolescents, on a pu observer que les conflits agressifs sont souvent prévisibles quand il existe au sein du groupe une hiérarchie de domination. Certains spécia-

listes de l'éthologie humaine rattachent la hiérarchie de domination à ce qu'ils appellent une « structure d'attention » : les enfants situés en haut de la hiérarchie sont observés de plus près par leurs camarades occupant un niveau inférieur de la hiérarchie.

L'approche naturaliste de l'éthologie humaine a donc permis d'enrichir nos connaissances du comportement humain, mais elle ne se limite pas à l'élaboration d'une simple méthode d'observation. Elle permet également de déterminer le rôle adaptatif, ou la valeur fonctionnelle d'un comportement, de vérifier si un comportement donné existe de façon universelle dans différentes cultures humaines, voire chez d'autres espèces que l'homme.

Prenons l'exemple des liens d'attachement parent-enfant. Ils constituent un système adaptatif, dans la mesure où ils assurent à l'enfant encore sans défense un environnement sûr. L'enfant sera à l'abri, nourri, protégé contre les dangers extérieurs, et le parent pourra faire son apprentissage. Les signaux faciaux indiquent l'état émotionnel et les intentions de l'enfant ; ses gestes témoignent tantôt d'un désir de domination, tantôt d'une soumission, évitant ainsi les risques d'un véritable affrontement. La valeur adaptative des combats au corps-à-corps est moins bien connue, mais il se pourrait que ces combats soient tout simple-

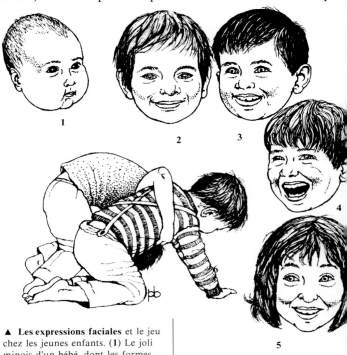

▲ **Les expressions faciales** et le jeu chez les jeunes enfants. **(1)** Le joli minois d'un bébé, dont les formes bien rondelettes ont sans doute pour rôle de susciter les soins maternels. **(2)** Un sourire simple. **(3)** Un sourire large. **(4)** Le rire. **(5)** Le clignotement des paupières. **(6)** Le jeu au corps-à-corps.

▶ **Que signifie un sourire ?** A coup sûr, celui-ci communique la joie autour de l'enfant...

ment une forme d'exercice physique. Or, ces types de comportement ont pu être observés dans de nombreuses sociétés humaines,
primitives ou modernes, pourtant très différentes les unes des
autres. Cela semble donc indiquer que ces types de comportement sont inhérents à l'espèce humaine, qui, en dépit des divergences culturelles, garde dans l'ensemble un comportement
sensiblement invariable.

D'autres concepts éthologiques, plus spécifiques, comme la
« stimulation par signes » et le « mécanisme inné de libération »
ont également été appliqués à l'homme. Il apparaît par exemple
que certaines formes d'expression faciale, propres aux tout
jeunes bébés et à certains jeunes animaux, ont pour effet de
déclencher chez les parents un comportement de maternage (voir
p. 88). De la même façon, certains stimuli déclenchent un
comportement agressif. Les psychologues, eux, considèrent qu'il
existe un certain nombre de pulsions spécifiques susceptibles de
se traduire en action par différents moyens.

Dans un passé récent, grâce aux études sur les animaux, la
biologie évolutionnaire a permis une approche théorique plus
sophistiquée et applicable au comportement humain. Mais cette
approche qui consiste à appliquer à l'homme les théories socio-
biologiques a suscité de vives controverses. Les sociobiologistes,
pour leur part, considèrent que l'on n'a pas affaire à des pulsions
déterminées et mises en œuvre par des voies stéréotypées, mais
que le comportement est généralement adapté de façon à optimi-
ser la « compétence globale » (le succès à la reproduction chez
l'individu et ses proches). La sociobiologie humaine devait
susciter un vif intérêt chez certains psychologues et anthropologues, pour qui cette approche peut permettre d'expliquer certains
schèmes de comportement chez l'homme — comme les relations
conjugales, le fait que l'homme évite généralement les accouplements consanguins, et, dans une certaine mesure, les conflits
entre les parents et leurs enfants. En revanche, pour d'autres
spécialistes des sciences sociales, l'impact sur le comportement
humain des universels d'origine biologique est tellement minime
que ces différentes formes de comportement ne trouvent leur
explication que dans les exigences culturelles propres à chaque
société.   PKS

Le comportement individuel de l'animal

Dans ce chapitre, nous étudierons les animaux en tant qu'individus et les problèmes auxquels ils se trouvent confrontés pour assurer leur survie. Pour presque tous les animaux, le premier des problèmes est de pouvoir se nourrir sans se faire dévorer par d'autres. C'est une règle simple, mais elle recouvre une diversité extrême : l'éventail des sortes d'aliments dont se nourrissent les différentes espèces d'animaux est très large, de même que celui des moyens mis en œuvre par ces animaux pour échapper aux visées agressives de leurs prédateurs. Ces prédateurs eux-mêmes ne sont qu'une composante de l'hostilité environnante. Il y en a beaucoup d'autres : des glaces polaires aux déserts tropicaux, la diversité des climats est extrême ; dans les régions équatoriales, le climat varie considérablement d'une saison à l'autre, etc. Beaucoup d'animaux construisent des abris de toutes sortes afin de se protéger des rigueurs du climat et si les conditions climatiques sont trop rudes, ils peuvent également migrer ou entrer en état d'hibernation. Il existe par ailleurs des adaptations, moins apparentes, qui se manifestent pendant un laps de temps plus bref : le cycle du sommeil et de la veille peut ainsi varier, afin de permettre à l'animal d'être plus efficace à tel moment du jour.

◀ **Pour ne pas se faire dévorer,** ce grillon des buissons *(Pycnopalpa bicordata)* ressemble à une feuille, poussant le déguisement jusqu'à posséder lui aussi des bords bruns.

LA RECHERCHE DE NOURRITURE

Les moules, les clams et les baleines — des animaux aquatiques qui se nourrissent par filtrage... Les animaux qui paissent... Chasser pour se nourrir... Choisir la source de nourriture la plus riche... Défendre un territoire contenant de la nourriture... Apprendre à choisir les aliments qui conviennent... Opter pour la nourriture la plus bénéfique... Les fourmis qui cultivent leur nourriture... Faire des réserves... Puiser sa nourriture sur les fleurs...

Tout habitat est un ensemble très riche, où se mêlent le vivant et l'inanimé, les sons, les odeurs et les couleurs. Certains éléments de cet environnement sont comestibles, mais la majeure partie ne l'est pas. Tout animal quel qu'il soit doit se procurer les nutriments, et donc les sources d'énergie, nécessaires à son métabolisme, sa croissance et sa reproduction. Pour certains animaux, trouver une nourriture qui leur convient parmi tous les éléments comestibles de leur environnement est une affaire très simple ; pour d'autres, en revanche, c'est un processus extrêmement organisé, faisant appel à l'apprentissage, à la mémoire et à la capacité de décision.

Les animaux aquatiques qui se nourrissent par filtrage sélectionnent leur nourriture d'une façon simple et directe. Ils prélèvent les particules nutritives amenées à leur proximité par le courant, ou ils filtrent l'eau après l'avoir avalée. Les moules, les clams et certaines espèces de baleines se nourrissent par filtrage de l'eau de mer.

La nourriture des ruminants, comme l'antilope, le bison et les bovins s'étend comme un tapis sous leurs pattes, et comme cette nourriture est souvent abondante, ces animaux n'ont guère de difficulté à se procurer leur pitance. Un ruminant absorbe d'importantes quantités de nourriture, qu'il digère avec lenteur — ce qui explique que ces animaux sont pratiquement toujours en train de manger ou de digérer. Leur rumen, ou panse, contient divers micro-organismes qui décomposent la cellulose (un composant important des tissus végétaux) des feuilles, des scions et des tiges qui constituent l'alimentation des ruminants. Quand on les observe, les bovins et autres herbivores semblent brouter tout ce qui se trouve à leur portée, mais en fait, ils sélectionnent leur nourriture et prennent diverses « décisions ». Il suffit d'étudier d'un peu plus près les pâturages pour constater que ces animaux ont une préférence pour certaines herbes : différentes espèces de végétaux sécrètent une forte concentration de tannins, d'alcaloïdes et autres substances destinées à repousser les animaux qui voudraient les manger. Par ailleurs, selon la qualité et la quantité de nourriture disponible à une époque donnée de

▲ **Arracher sa nourriture à la mer.**
Les tentacules de cette lime *(Lima scabra)* filtrent la nourriture dans l'eau.

◄ **Un repas en commun,** pour ce buffle et ces oiseaux. Pendant que ce buffle africain *(Synceros caffer)* pâture dans un marécage, des hérons garde-bœufs *(Bubulcus ibis)* chassent les insectes dérangés par l'animal, et des pique-bœufs (genre *Buphagus)* inspectent sa peau, en quête d'insectes dont ils se délecteront.

► **Un élevage naturel en miniature...** Ces fourmis *(Formica obtusopilosa)* recueillent la miellure d'une colonie d'aphis.

▼ **Goûter avec les pattes.** Les mouches à viande se servent des minuscules soies de leurs pattes pour analyser les caractéristiques chimiques de leur support. Ces soies chimiosensorielles se présentent sous quatre formes différentes.

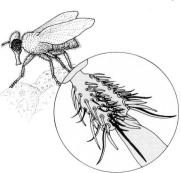

Des fourmis qui élèvent leur propre nourriture

Parmi la myriade d'adaptations que l'on rencontre dans le monde des insectes, une des plus passionnantes est celle qui consiste, pour certaines fourmis, à cultiver les champignons qui constitueront leur nourriture, et pour d'autres, à élever des insectes produisant une miellure, comme les aphis (voir ci-dessous).

On ignore si, dans l'évolution, la culture des champignons chez les fourmis eut pour origine le fait que telle ou telle espèce qui emmagasinait des graines et des végétaux faisait mal son ménage, ou bien si ces mœurs sont apparues chez des fourmis qui vivaient dans le bois en décomposition, où les champignons poussent naturellement. Toujours est-il que les fourmis modernes consacrent beaucoup de temps et d'énergie à recueillir les végétaux sur lesquels elles aménageront leurs champignonnières, à broyer avec leurs mandibules des morceaux de plantes qui serviront d'engrais, et à éliminer les champignons indésirables qui gênent la croissance de leurs champignons préférés. Les fourmis se nourrissent de ces champignons, et les représentantes de certaines espèces ne peuvent pas survivre sans cet aliment.

D'autres espèces de fourmis élèvent des aphis et des coccidés, qui se nourrissent de la sève des plantes et sécrètent une substance riche en hydrates de carbone, la miellure. Les fourmis frottent ces insectes pour leur faire exsuder leur miellure, puis elles recueillent le liquide et le rapportent à la colonie. Cette relation entre les fourmis et les aphis est mutuellement bénéfique. Il arrive que l'effectif de la colonie d'aphis, ainsi que la croissance et la maturation des jeunes aphis soient entièrement contrôlés par les fourmis qui les élèvent. La reine d'une colonie de fourmis peut aussi emporter entre ses mandibules un insecte produisant une miellure, lors de son vol nuptial, lorsqu'elle quitte sa colonie d'origine pour aller s'accoupler et fonder une nouvelle colonie.

l'année, un herbivore adapte la fréquence et l'amplitude du mouvement de son cou pendant le broutage, ainsi que le rythme avec lequel ses mâchoires sectionnent l'herbe.

Pour trouver leur nourriture, d'autres animaux doivent déployer beaucoup d'énergie, d'intelligence et parcourir des distances considérables. On estime qu'en hiver de petits oiseaux, comme la mésange noire ou le roitelet huppé, consacrent plus de 90 % de leur temps à la recherche de nourriture. Mais, on peut se demander comment ces oiseaux savent à l'avance où il leur faudra chercher leur nourriture et comment ils font la distinction entre ce qui est comestible et ce qui ne l'est pas.

Faire des réserves et consommer plus tard

Nul n'ignore que depuis le temps des pharaons, et sans doute avant, les hommes font des réserves de nourriture lorsque les récoltes sont particulièrement abondantes, en prévision des années de disette. Nombreuses sont les espèces d'animaux qui en font autant : pour manger lorsque la nourriture devient rare, ces animaux regagnent les caches où ils ont déposé leurs vivres. C'est le cas, notamment, des rongeurs et des carnivores, des geais et des mésanges chez les oiseaux et, bien sûr, d'insectes comme les mellifères. Ceci signifie à l'évidence que l'animal est prévoyant. Un animal gagne à cacher sa nourriture pour la rendre plus difficile à trouver : cet animal aura ainsi plus de chances de survivre et de se reproduire — la sélection naturelle est à l'œuvre...

Les petits mammifères, comme les mulots (**1**), les campagnols et les tamias rayés engrangent des céréales, des graines et autres aliments dans le « garde-manger » de leur terrier. Quant aux oiseaux, comme les geais, les casse-noix (**3**) et les mésanges à plastron, ils emmagasinent leur nourriture dans des milliers de petites caches contenant chacune seulement quelques bouts de nourriture et disséminées aux quatre coins du territoire. Les pics des glands (**2**) de l'Ouest nord-américain préparent des arbres morts qui leur serviront de garde-manger, en perçant dans le tronc et les branches des milliers de trous qu'ils rempliront de glands.

Un animal utilise-t-il toujours les réserves de nourriture qu'il a emmagasinées ? C'est ce que font les rongeurs, en tout cas, surtout au début du printemps, lorsque l'on trouve peu de nourriture dans la nature. Les oiseaux qui stockent leur nourriture retrouvent eux aussi leurs caches et en exploitent les réserves. En été et en automne, les casse-noix emmagasinent des aliments avec lesquels, au printemps suivant, ils se nourriront, eux et leurs progénitures.

Comment un animal qui engrange sa nourriture dans toutes sortes de caches s'y prend-il pour les retrouver ? On sait que les nonnettes cendrées, les mésanges à plastron, les casse-noix et les geais sont capables de mémoriser les endroits où ils ont caché leur nourriture. Non seulement ils se souviennent des endroits où ils ont stocké leurs aliments, mais certaines espèces peuvent également se remémorer les caches où elles ont déjà puisé, celles qu'elles ont trouvées vides, et quelle sorte de nourriture elles ont engrangée à tel ou tel endroit. Pareille mémoire peut certes sembler extraordinaire, mais elle s'inscrit en fait, dans la connaissance détaillée que beaucoup d'animaux ont de leur environnement.

▶ **Des animaux qui font leurs provisions.** (**1**) Un mulot *(Apodemus sylvaticus)*. (**2**) Un pic des glands *(Melanerpes formicivorus)*. (**3**) Un casse-noix *(Nucifraga caryocatactes)*.

Que ce soit le martin-pêcheur qui choisit son perchoir au-dessus d'un cours d'eau, ou le lion, posté à un point d'eau, le succès de la chasse dépend de l'endroit où l'animal cherche sa nourriture. Parmi le large éventail d'adaptations qui aident un animal à se procurer sa nourriture, figurent ses préférences en matière de lieu de chasse. Ainsi, la plupart des espèces de pics recherchent leur nourriture le long des branches et des troncs d'arbres, puis ils percent des trous pour extraire cette nourriture. Les colaptes dorés, ou pics dorés, d'Amérique du Nord et du Sud, ainsi que les piverts européens, sont en revanche adaptés pour puiser leur nourriture à terre.

Pour savoir où il lui faudra chercher sa nourriture, un animal doit faire des choix. Si une grive, dans un secteur riche en nourriture, par exemple un mûrier, voit cette réserve de nourriture diminuer (parce qu'elle a déjà avalé toutes les baies qui se trouvaient sur son passage), à partir de quel moment devra-t-elle renoncer et se mettre en quête d'un autre mûrier ? Les naturalistes ont essayé de répondre à cette question en s'appuyant sur des théories analogues à celles des économistes. Ils en ont déduit qu'une mésange charbonnière restera longtemps sur un même buisson s'il lui faut longtemps pour en trouver un autre aussi abondant. Et qu'un bourdon n'hésitera pas à laisser derrière lui une partie du nectar d'une fleur, si les fleurs riches en nectar abondent alentour.

Puiser sa nourriture dans un seul mûrier, par exemple, signifie bien souvent que celui-ci ne fournira plus de nourriture pendant quelque temps. Un animal doit, par conséquent, pouvoir se souvenir des endroits où il a trouvé récemment à manger, ce qui lui évitera d'y retourner inutilement. L'amakihi, un guit-guit d'Hawaii, est un oiseau qui vide de leur nectar un nombre considérable de fleurs et cet oiseau ne revient pas sur une fleur dont il a déjà extrait le nectar. Les bernaches, qui trouvent leur nourriture dans les grands marais salants néerlandais, rasent littéralement l'herbe dont elles se nourrissent. Mais quatre jours suffisent pour que celle-ci repousse et atteigne de nouveau la hauteur qui convient aux bernaches. Aussi, pendant ces quatre

1

jours, les bandes de bernaches évitent le secteur dont elles ont fait leur pâture ; elles y reviendront lorsque l'herbe aura repoussé.

Se procurer de la nourriture devient beaucoup plus facile dès lors qu'un animal est capable de défendre un territoire, interdisant aux autres membres de son espèce — sauf éventuellement les partenaires ou les jeunes progénitures —, de pénétrer sur ce territoire pour y chercher eux aussi leur nourriture. De nombreuses espèces d'oiseaux qui se nourrissent de nectar procèdent de cette façon. C'est en particulier le cas du souï-manga doré africain. Un souï-manga monopolise un territoire comportant en moyenne quelque mille six cents fleurs. Ce territoire peut être plus ou moins étendu, en fonction de la distance qui sépare ces fleurs. D'après les calculs des biologistes, ces mille six cents fleurs représentent à peu près le volume de nourriture absorbé quotidiennement par le souï-manga.

Un animal doit choisir avec soin ses aliments, car s'ils ne comportent pas les nutriments et les vitamines nécessaires, l'animal tombera malade. Si par ailleurs, l'animal ingurgite, pendant qu'il est malade, un aliment qui corrige la carence responsable de son mal, il aura, par la suite, une préférence pour cet aliment qui l'aura remis sur pattes. L'expérience a été faite sur des rats : pendant quelque temps on leur donne à manger des aliments dans lesquels manque la vitamine B1, puis on réintroduit cette vitamine dans leur nourriture. S'étant remis des effets de cette carence vitaminique, les rats préfèrent ensuite les aliments riches en vitamine B1.

Un mécanisme d'apprentissage produisant l'effet inverse de celui que l'on vient de décrire évite à beaucoup d'animaux d'absorber des aliments toxiques ou dangereux. Les larves et les adultes de certains insectes, comme les monarques (des papillons), comportent des substances chimiques toxiques. Les oiseaux qui se nourrissent de ces insectes associent l'aspect extérieur de l'insecte à la maladie déclenchée par l'absorption de cet insecte, bien que la maladie ne se manifeste pas nécessairement aussitôt après. L'« apprentissage aversif » évite à beaucoup d'animaux d'avaler des aliments toxiques ou dangereux (ce mécanisme protège également les animaux, dont un grand nombre d'espèces d'insectes, qui sécrètent ces substances chimiques défensives).

Certains animaux savent, pratiquement de naissance, choisir une nourriture sûre. Ainsi, tous les jeunes mammifères reçoivent du lait de leur mère. Ce lait comporte non seulement des graisses, des sucres et des protéines, mais également des saveurs produites par le régime alimentaire de la mère. Le lait de vache acquiert des saveurs caractéristiques dues au foin ou aux céréales dont cette

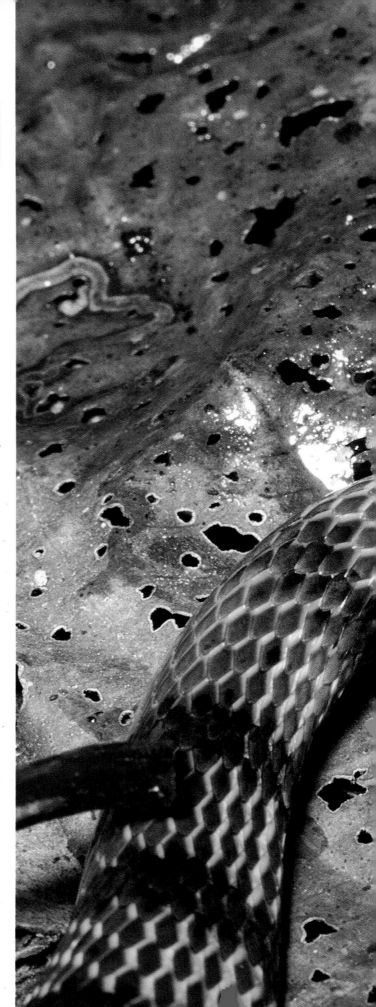

► **Un animal dit « macrophage »** est un animal qui dévore de grosses proies. Ce serpent « à ventre de feu » *(Leimadophis epinephalus)* répond manifestement à cette définition et ce, malgré les efforts de sa proie, un crapaud (du genre *Atelopus*, les atélopes), qui étire ses pattes pour l'empêcher de l'avaler.

vache s'est nourrie (et des saveurs désagréables si l'animal est allé pâturer dans les oignons). Les expériences montrent que les jeunes rongeurs sont capables de reconnaître d'après les saveurs présentes dans le lait les aliments ingurgités par leur mère. Le jeune rongeur a une préférence pour ces aliments dès la première fois qu'ils lui sont présentés, de sorte que les premiers aliments solides absorbés par le jeune sont généralement des aliments sûrs et nourrissants.

Le goût d'un aliment est souvent un bon indice pour savoir si cet aliment est bon ou pas. L'homme a recours à cette méthode, mais on la retrouve également chez des animaux plus primitifs. Ainsi, les mouches « goûtent » la nourriture avec les récepteurs chimiques de leurs pattes. Une mouche à viande possède seulement quelques types de récepteurs, qui lui permettent de goûter le sel, l'eau et le sucre. Si une mouche à viande se pose sur un aliment assez sucré pour stimuler une bonne partie des détecteurs de sucre de ses pattes, elle déploie sa trompe et commence à se nourrir. La mouche à viande se fonde sur la saveur sucrée de l'aliment pour apprécier sa valeur nutritive ; de plus, elle préfère nettement certains aliments à d'autres. Cet exemple montre par ailleurs que le goût d'un aliment n'est pas seulement une propriété de cet aliment, mais qu'il est également tributaire des récepteurs dont est pourvu l'animal. Dans l'univers des mouches à viande, beaucoup de choses n'ont pas de goût du tout, l'insecte étant dépourvu des récepteurs qui lui permettraient de détecter ces goûts.

La nourriture contient divers nutriments, mais elle se présente aussi sous différentes formes. Il existe, par exemple, des grosses et petites graines, de manipulation plus ou moins facile, et certaines doivent s'ouvrir pour que l'animal puisse les manger. Pour qu'une mésange noire, par exemple, ou un roitelet huppé, puisse obtenir le maximum de nourriture possible en un temps donné, il a intérêt à choisir les aliments les plus « rentables » — ceux qui fournissent le maximum de nourriture par rapport à l'effort nécessaire pour exploiter cette nourriture. On appelle quelquefois ce mécanisme le « fourragement optimum ». Cette théorie du fourragement optimum montre que les animaux ne choisissent pas leur nourriture en fonction de son abondance dans l'environnement, mais plutôt en fonction d'un rapport énergétique optimum pour le temps consacré à l'exploitation de cette nourriture. Si les aliments de haut rapport énergétique abondent, l'animal gagne à laisser de côté ceux ayant un moindre rendement. Les corneilles, qui ouvrent les buccins en les lâchant sur les rochers d'une plage, choisissent leur nourriture par cette méthode. Les grands buccins sont ceux qui contiennent le plus de nourriture et qui éclatent le plus facilement quand on les lâche de haut. En revanche, les petits buccins contiennent peu de nourriture, et il faut les faire tomber à plusieurs reprises pour qu'ils éclatent. Les buccins ayant le meilleur rendement sont donc les grands, et ce sont par conséquent les seuls que les corneilles emportent en l'air pour les lâcher, laissant de côté les plus petits.

Pour tout animal, il est essentiel de pouvoir se procurer sa nourriture. C'est pourquoi chaque espèce est pourvue d'un système sensoriel, ainsi que de mécanismes physiologiques, d'apprentissage et de décision qui assistent l'animal.

DFS

La récompense

Trouver sa nourriture sur les fleurs

Le monde vivant est un tissu riche et complexe de végétaux et d'animaux. Pour survivre, tous sont, à des degrés divers, tributaires les uns des autres ainsi que de leur environnement. Un animal doit d'abord pouvoir se procurer une nourriture suffisante : nombre d'espèces assurent leur subsistance en se nourrissant de plantes ou de substances, comme le nectar, que ces plantes sécrètent pour les attirer. En retour, les plantes en tirent un bénéfice, car les animaux, allant d'une fleur à une autre, transfèrent le pollen d'une plante à l'autre, assurant ainsi la fécondation des fleurs et la production des graines.

Au fil de leur évolution, les fleurs se sont dotées de deux moyens pour attirer les animaux et assurer la pollinisation. Le pollen est aux fleurs ce que le sperme est aux animaux : il sert à féconder. Pour les animaux pollinisateurs, ce pollen est une source riche en protéines, lipides, vitamines et minéraux, et souvent, ces animaux le recueillent en même temps que le nectar, la substance principale qui sert à attirer les pollinisateurs.

Constitué d'un mélange de sucres, le nectar est une source d'énergie très recherchée, en particulier des petites espèces très actives, qui ont besoin de reconstituer régulièrement leurs réserves énergétiques. Les abeilles et quelques espèces de guêpes sociales concentrent le nectar pour produire du miel qui sera stocké en prévision des époques de l'année où les fleurs manquent.

Certaines espèces, en particulier les oiseaux insectivores, utilisent le nectar pour se nourrir, mais elles doivent chercher ailleurs les protéines nécessaires à leur croissance et à la reproduction. D'autres espèces, en revanche, prennent ces protéines dans les fleurs, tout en y puisant les aliments qui satisfont leurs besoins énergétiques. Parmi les oiseaux qui exploitent le nectar comme source d'énergie, mentionnons le colibri (d'Amérique seulement), le souï-manga (d'Afrique et d'Asie), le guit-guit (d'Hawaii) et le méliphage (d'Australie). Les représentants de quelques autres espèces, comme les loriots, les zostérops (ou oiseaux à lunettes) et les perroquets, moins spécialisés pour se procurer leur nourriture sur les fleurs, se nourrissent occasionnellement de nectar. Au fil de leur évolution, de nombreuses espèces de chauves-souris d'Amérique et de l'Ancien Monde ont acquis la capacité de se nourrir sur les fleurs. Quelques espèces de plantes spécialement adaptées à la pollinisation par les chauves-souris produisent, en période de floraison, le plus gros volume de nectar jamais observé (jusqu'à 15 ml — soit environ 60 000 fois plus que dans bien des fleurs pollinisées par les abeilles).

Les abeilles sont tributaires des fleurs pour la totalité de leurs besoins alimentaires. Les adultes actifs tirent du nectar leur énergie nutritive, et les larves en pleine croissance obtiennent leurs protéines du pollen que les adultes recueillent pour elles. La plupart des autres espèces d'insectes nectarivores, en revanche, ne puisent pas dans le pollen les protéines nécessaires à leurs larves. Les papillons, par exemple, font leur croissance grâce aux protéines que les chenilles auront recueillies en absorbant des quantités importantes de feuilles.

Le nectar de certaines plantes contient des alcaloïdes toxiques. Ces poisons, tolérés par l'organisme des pollinisateurs habituels d'une plante, peuvent en revanche dissuader d'autres animaux, de sorte que cette plante gardera de quoi attirer les pollinisateurs.

La plupart des espèces de plantes possèdent des fleurs adaptées spécialement pour attirer une catégorie donnée de pollinisateurs. Dans le cas des petits pollinisateurs, la « récompense » est de faible volume, de sorte que les pollinisateurs ayant des besoins énergétiques importants seront écartés d'emblée. Pour les grands pollinisateurs, les fleurs offrent de belles récompenses, mais elles font souvent obstacle à leur accès. Cet accès peut se

◀ ▲ ▶ **Le nectar sucré** sécrété par de nombreuses fleurs est la récompense que reçoivent les animaux qui pollinisent ces fleurs. En haut à gauche, un bourdon mâle *(Bombus pennsylvanicus)* puise sa nourriture sur un chardon, dans le désert d'Arizona. A gauche, un grand souï-manga à double collier *(Nectarinia afra)* cherche sa nourriture dans une fleur de protée royale, en Afrique du Sud. Ci-dessus, un *Heliconius hecale* goûte des fleurs de lantanier, dans une forêt humide du Costa Rica.

▲ **Ce que voit un insecte.** Observée aux ultraviolets, cette fleur de malvacée présente des lignes sombres (canaux à nectar), qui guident un insecte vers le cœur de la fleur où se trouvent les réserves de nectar et de pollen. Contrairement à l'homme, les insectes détectent les rayons ultraviolets.

trouver limité par une structure complexe de la fleur, exigeant de l'animal une solide expérience du butinage et le contraignant à attendre l'époque de la floraison. C'est ainsi que les fleurs fréquentées par les chauves-souris et les papillons nocturnes s'ouvrent uniquement la nuit. Par ailleurs, certains groupes de pollinisateurs peuvent être attirés par des signaux particuliers. Les fleurs rouges, par exemple, se détachent nettement sur les feuillages verts, ce qui les rend visibles des oiseaux capables de distinguer les couleurs dans la zone du rouge, mais non des insectes car la plupart n'ont pas cette capacité. Beaucoup de fleurs pollinisées par les abeilles réfléchissent la lumière dans les ultraviolets, les mammifères et les oiseaux étant insensibles à ce rayonnement.

La pollinisation par les animaux (essentiellement les insectes) qui puisent leur nourriture dans les fleurs est vraisemblablement à l'origine du rayonnement « explosif » que connurent les plantes à fleurs environ cent millions d'années avant notre ère (au crétacé moyen) : auparavant, seul le vent les pollinisait. La plupart des plantes à fleurs possèdent désormais des fleurs riches en pollen, et les pollinisateurs les détectent par leurs couleurs vives et les parfums par lesquels elles se signalent.

BH

LES PRÉDATEURS

Qu'est-ce qu'un prédateur et qu'est-ce qu'une proie ?... Les techniques utilisées pour la capture des proies... La chasse chez le guépard... La chasse embusquée chez les poulpes et les coléoptères aquatiques... Les techniques pour tuer... Apprendre à chasser... La réussite des prédateurs à la chasse... Les lions, les chacals et les hyènes : des chasseurs qui coopèrent... Les moyens de défense contre les animaux nécrophages... Se nourrir de détritus... La détection des proies... Les plantes carnivores...

Par une belle journée, quelque part dans le nord-ouest des États-Unis, un épervier sillonne tranquillement les airs. Soudain, on le voit fondre à terre, enlever un petit campagnol et reprendre son essor. A quelques pas de là, un coyote, mammifère carnassier d'Amérique du Nord, voisin du loup et du chacal, guette, immobile, ses yeux perçants rivés sur quelque chose qui a attiré son attention. Brusquement, l'animal avance à pas furtifs puis il s'immobilise, flaire les environs en remuant doucement la tête, avant de fondre sur sa proie, plantant ses crocs dans sa nuque. Secouant vigoureusement la tête, le coyote poursuit son chemin, emportant dans sa gueule un jeune écureuil. Une vingtaine ou une trentaine de mètres plus loin, l'animal dévore sa proie.

L'animal qui, comme le coyote ou l'épervier, se nourrit essentiellement d'autres animaux est un « prédateur », et son gibier une « proie ». Certains prédateurs consacrent du temps et de l'énergie à repérer, capturer et dévorer leur proie. D'autres se contentent de tirer profit du produit de la chasse d'un autre animal, en dévorant les restes de la proie capturée par ce dernier. Il est, par ailleurs, des prédateurs qui tuent plus de proies qu'ils n'en ont besoin pour un seul repas. Ceux-là stockent dans une cache la nourriture inutilisée, ou l'abandonnent tout simplement sur place. Les renards communs cachent parfois leurs aliments en différents endroits, évitant ainsi que d'autres animaux ne viennent voler tout leur butin.

Il est important de souligner que les prédateurs ne sont pas simplement des animaux agressifs ou assoiffés de sang. Certes, dans l'interaction entre les prédateurs et les proies, il y a des gagnants et des perdants, mais les espèces qui sont les proies des prédateurs ont aussi besoin, pour assurer leur survie, d'un apport d'énergie qu'elles se procurent en dévorant d'autres organismes vivants. En règle générale, toutefois, les proies sont des animaux végétariens qui ne se nourrissent pas d'animaux vivants. Quant aux prédateurs carnivores, ils complètent également de végétaux et de fruits leur régime alimentaire. Les renards communs, par exemple, mangent souvent les pommes qui tombent des arbres à l'automne.

Pour chasser, capturer, tuer leurs proies, les prédateurs disposent de moyens extrêmement variés. Si nombre de prédateurs mettent à profit leur rapidité d'action, leur endurance et leur force pour capturer leurs proies, d'autres ont en revanche recours à des modes de comportement très spécialisés et adaptés à leurs proies. Les chauves-souris par exemple, utilisent, pour repérer leurs proies, le système d'écholocation qui leur permet de se diriger. Les torpilles, poissons de mer voisins de la raie, dévorent

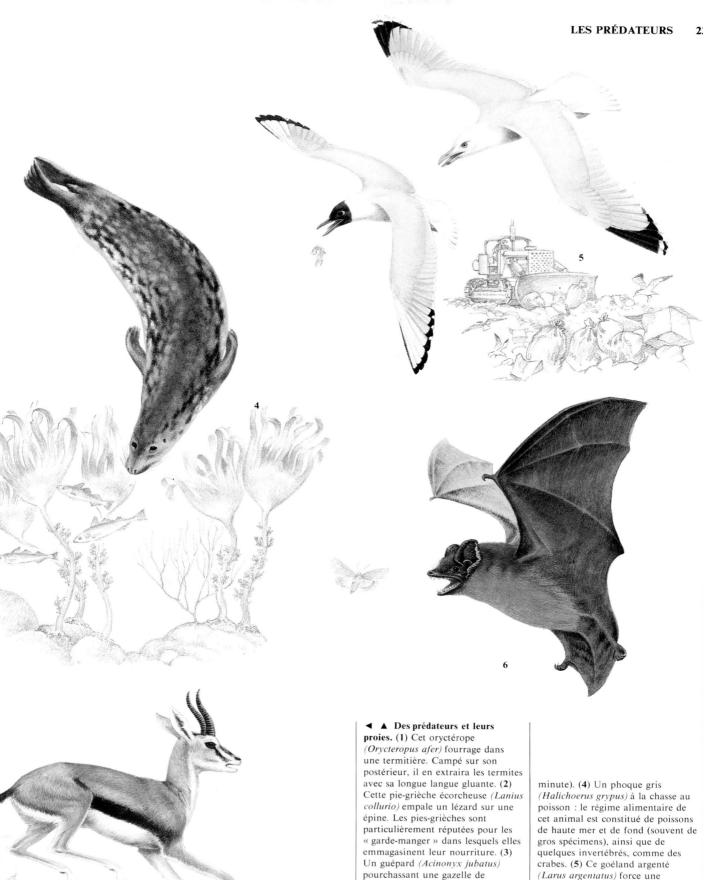

◄ ▲ **Des prédateurs et leurs proies.** (1) Cet oryctérope *(Orycteropus afer)* fourrage dans une termitière. Campé sur son postérieur, il en extraira les termites avec sa longue langue gluante. (2) Cette pie-grièche écorcheuse *(Lanius collurio)* empale un lézard sur une épine. Les pies-grièches sont particulièrement réputées pour les « garde-manger » dans lesquels elles emmagasinent leur nourriture. (3) Un guépard *(Acinonyx jubatus)* pourchassant une gazelle de Thomson *(Gazella thomsoni).* La chasse est fructueuse dans un cas sur deux et, en moyenne, elle se poursuit sur une distance de 170 m et dure environ 20 secondes (exceptionnellement jusqu'à une minute). (4) Un phoque gris *(Halichoerus grypus)* à la chasse au poisson : le régime alimentaire de cet animal est constitué de poissons de haute mer et de fond (souvent de gros spécimens), ainsi que de quelques invertébrés, comme des crabes. (5) Ce goéland argenté *(Larus argentatus)* force une mouette rieuse *(Larus ridibundus)* à lâcher la nourriture qu'elle a trouvée dans un dépôt d'ordures. (6) Cette noctule *(Nyctalus noctula)* fond sur sa proie, un insecte, qu'elle a détectée par l'émission d'ultrasons.

d'autres poissons qu'elles enveloppent avant de les paralyser par une décharge électrique. Les phoques des ports, quant à eux, disposent d'un système de « radar » qui leur permet de chercher leur nourriture dans les eaux troubles. Les pékans, ces petits mammifères carnivores qui vivent au Canada et le long de la frontière entre le Canada et les États-Unis, sont adaptés pour pouvoir chasser les porcs-épics armés d'une redoutable cuirasse d'épines. Assez gros pour pouvoir blesser sérieusement le porc-épic, mais assez petit et agile pour s'écarter d'un bond et éviter ainsi le dangereux coup de queue du porc-épic, le pékan attaque sa proie par sa face dépourvue d'épines.

Lorsqu'un prédateur rencontre une proie mobile et capable de se défendre, ce prédateur doit pouvoir opérer des choix dès que la chasse commence. La proie ayant été repérée et identifiée, le prédateur doit agir de façon appropriée, et il met à profit l'expérience acquise pour augmenter ses chances de succès.

Si une proie repérée à vue se trouve à la portée du prédateur, celui-ci peut se contenter de bondir sur elle en ayant toutes chances de la rattraper rapidement. Les guépards procèdent de cette façon pour capturer les gazelles de Thomson, de même que les carnivores qui chassent de petits rongeurs dans l'impossibilité de se réfugier dans un trou. Un guépard doit toujours s'approcher au plus près de sa proie avant de s'élancer à sa poursuite, car il manque d'endurance et ne parcourt généralement pas plus de 350 mètres à pleine vitesse. C'est pourquoi, ayant repéré sa proie à vue et de loin, par une odeur très faible ou un bruit à peine perceptible, il se rapproche d'abord furtivement de cette proie avant de fondre sur elle.

Chez beaucoup de prédateurs, le moindre mouvement, souvent à peine perceptible par l'homme, suffit à mettre l'animal aux aguets. En outre, la détection des proies est aidée par la constitution d'une « image de recherche » : des stimuli déterminés et associés par l'expérience à la présence d'une proie, déclenchent chez le prédateur un comportement spécifique. En principe, un prédateur tend plutôt à se rapprocher discrètement de sa proie

▲ **Un excellent tireur.** Ce caméléon de Jackson *(Chamaeleo jacksonii)* darde sa langue avec une précision fatale à la mouche qui se trouve en face.

▶ **Le piège...** Cette araignée, une orbitèle femelle *(Argiope lobata)* emballe sa proie, une sauterelle venue se prendre dans sa toile.

La détection des proies

Les animaux prédateurs qui chassent des proies capables de se mouvoir doivent pouvoir les détecter en dépensant le moins d'énergie possible, car plus l'animal consacre d'énergie à cette phase de la chasse, plus il éprouvera de difficultés à capturer sa proie. La plupart des prédateurs présentent différentes spécialisations qui leur permettent de détecter leurs proies à grande distance ou de les repérer avec plus de précision, certains possédant les deux qualités.

Bien souvent, comparés aux humains, les animaux prédateurs ont de meilleures aptitudes visuelles, auditives ou olfactives, et ils sont également plus sensibles aux variations de température, autant de qualités qu'il faut connaître pour étudier un animal. Quand il veut localiser sa proie, un

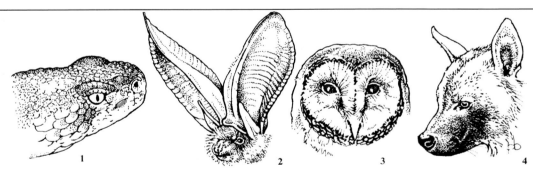

requin, par exemple, se fie aux signaux électriques émis par le système nerveux de celle-ci. Beaucoup de serpents sont capables de « flairer l'air » ou de détecter les ondes de chaleur. (**1**) Les trigonocéphales et les serpents à sonnettes peuvent détecter une élévation de la température ne dépassant pas 0,005 °C, grâce à leurs membranes sensibles à la chaleur, situées dans les fossettes, sous les yeux. Ce système permet à ces serpents de localiser une petite souris,

par exemple, qui passe à une quinzaine de centimètres de là. Beaucoup de chauves-souris (**2**) chassent de nuit grâce à leur système d'écholocation. Elles peuvent ainsi éviter les obstacles et repérer les petits insectes volants.

Les oiseaux et les mammifères présentent eux aussi des spécialisations sensorielles associées à leurs mœurs prédatrices. La plupart des oiseaux repèrent leurs proies à vue ou à l'ouïe mais certaines espèces, comme les

dindes et les vautours royaux, se repèrent également à l'odeur. Les renards communs, qui chassent de nuit, s'en remettent essentiellement aux sons, quant à l'effraie, ou chouette des clochers (**3**), même lorsqu'il fait nuit noire, le seul frémissement des feuilles provoqué par le passage d'une souris lui suffit pour repérer sa proie avec une précision remarquable.

La hyène brune (**4**) qui attend la nuit tombée pour dévorer ses charognes, se fie largement à son odorat.

avant de fondre sur elle lorsqu'elle est à sa portée : l'attaque et la poursuite auront ainsi plus de chances de réussir que si l'animal s'était élancé brusquement alors que la proie était encore trop éloignée. En procédant ainsi, le prédateur risquerait par ailleurs d'être facilement repéré : nombre de proies potentielles ont une bonne acuité et lorsqu'elles se sentent très vulnérables, par exemple lorsqu'elles se nourrissent, elles se montrent particulièrement vigilantes.

La phase préliminaire de la chasse exige souvent du prédateur du temps et de l'énergie. Au lieu de s'approcher furtivement de leurs proies, certaines espèces chassent par spéculation. D'autres se contentent d'attendre aux aguets ou de construire des pièges dans lesquels leurs proies viendront se prendre. Pour chasser, certains poulpes referment régulièrement la membrane de leurs tentacules sur les rochers ou les algues de mer. Puis ils palpent sous leur membrane pour voir si une proie se trouve prise au piège. Si ce n'est pas le cas, le poulpe passe simplement son chemin. Quant aux larves prédatrices du nécrophore aquatique, qui est piètre nageur, elles campent sur la végétation et se contentent d'attendre que des têtards passent à proximité pour les prendre au piège. D'autres animaux, comme les hyènes, les chiens sauvages africains, les lions, les vautours et les pies, évitent d'avoir à chasser, en se nourrissant de proies tuées par d'autres animaux et de charogne, ou en dénichant toutes sortes d'animaux morts. Mais ces prédateurs sont plus attirés par les animaux ayant succombé à une mort violente, en particulier ceux tués par d'autres prédateurs, que par les animaux morts de maladie ou de faim.

Pour capturer leurs proies, certains prédateurs imitent d'autres espèces inoffensives pour ces proies. C'est ce que l'on appelle le « mimétisme agressif ». C'est ainsi que la buse prédatrice à queue zonée sillonne les airs en compagnie des vautours d'Amérique du Nord. Les petits mammifères ne craignent pas les vautours, et ils ne cherchent pas à les éviter. La buse, elle, met à profit le fait qu'elle passe inaperçue parmi les vautours, pour quitter brusquement le groupe et fondre par surprise sur sa proie.

A partir du moment où un prédateur a capturé sa proie, il lui faut parfois encore bien du temps et de l'énergie pour immobiliser cette proie avant de la dévorer. Les coyotes, les renards et les chacals clouent au sol les petits mammifères avant de leur infliger une morsure fatale au niveau de la nuque. En mordant, le prédateur secoue violemment la tête, de façon à enfoncer ses crocs bien profond dans les chairs : la nuque se brise, les nerfs et les vaisseaux sanguins sont sectionnés, et la proie n'y survit pas.

Chez beaucoup d'espèces, les jeunes ont une préférence pour les mêmes aliments que ceux dont ils ont été nourris dans leurs premières semaines. Cette préférence pour une nourriture familière résulte d'un phénomène d'empreinte. Chez certaines espèces, les jeunes observent ce que mangent leurs parents ou d'autres adultes, apprenant ainsi à reconnaître tel ou tel type de proie à la vue, l'odeur ou le bruit. Ensuite, procédant par essai et erreur, le jeune apprend à capturer cette proie. Faute d'expérience, les jeunes font généralement une chasse moins fructueuse que les adultes, en particulier lorsqu'une technique particulière est nécessaire.

La chasse exige d'un animal beaucoup de temps et d'énergie. Un prédateur avisé s'efforce donc, dans la mesure du possible, de réduire le coût de la chasse en choisissant des proies qui ne risquent pas de lui échapper. Il choisit des proies jeunes, vieilles ou malades, plutôt que des individus sains, qui peuvent représenter une menace pour lui ou réduire ses chances de succès.

Les prédateurs ont du mal à concentrer leur attention sur un seul individu au sein d'un groupe de proies. C'est pourquoi les animaux qui vivent en groupes (bancs, hordes ou troupeaux), serrent les rangs quand ils ont repéré un prédateur. Les animaux trop visibles au sein du groupe seront en effet beaucoup plus visés par les prédateurs que leurs congénères plus discrets. Les oiseaux qui chassent autour des grandes zones industrielles, par exemple, s'attaquent plus aux papillons nocturnes de couleur sombre qui se posent sur des arbres de couleur claire et à ceux parés d'une livrée claire qui évoluent sur un fond sombre, qu'à ceux qui se confondent avec leur environnement. C'est pourquoi la sélection naturelle a fait en sorte que les espèces qui sont des proies en puissance soient le mieux camouflées possible.

Le taux de réussite à la chasse est, bien sûr, extrêmement variable, mais des estimations assez représentatives ont pu être établies. Une étude a ainsi montré que les coyotes chassant l'écureuil ont un taux de réussite de 41 %, mais de 19 % seulement lorsqu'ils chassent les campagnols.

Chez les mammifères prédateurs de la réserve du Serengeti, où les principales espèces de proies sont des ongulés comme les gazelles de Thomson, les impalas, les zèbres et les gnous, les taux de succès estimés varient de 37 à 70 % chez les guépards, autour de 5 % chez les léopards, de 15 à 30 % chez les lions, autour de 35 % chez les hyènes tachetées et 50 à 70 % chez les chiens sauvages. Une étude sur une bande d'une quinzaine de loups qui chassaient l'élan dans la réserve nationale d'Ile Royale (dans l'État américain du Michigan) a montré que sur 120 tentatives, six élans seulement, soit 5 %, furent tués. D'autres études montrent qu'à la chasse, la perche à large bouche connaît une réussite de quelque 94 %, les balbuzards pêcheurs emportent effectivement des poissons dans 80 à 96 % de leurs tentatives, mais les crécerelles américaines ne parviennent à tuer des rongeurs ou des insectes qu'une fois sur trois environ. Soulignons, car c'est important, que le prédateur a en fait intérêt à ne pas éliminer toute une population dans laquelle il trouve ses proies. Mais il ne va jamais jusque-là. Les rapports entre le prédateur et la proie ressemblent

▶ **Un chasseur nocturne très silencieux... Cette effraie** *(Tyto alba)* regagne son perchoir avec, dans son bec, sa proie — ici, un petit rongeur.

en effet à une course aux armements : dès qu'un prédateur acquiert une technique donnée pour tuer ses proies, l'évolution renforce les défenses de celles-ci contre le prédateur. La capture des proies n'est donc jamais facile.

Chez les prédateurs qui se nourrissent de proies plus grosses ou plus rapides qu'eux, la chasse s'effectue souvent par couples ou en groupes, de sorte que le taux de réussite augmente, les individus tirant profit de l'effort collectif. Lorsque deux ou plusieurs prédateurs, appartenant généralement à la même espèce, associent leurs efforts pour traquer leurs proies, on a affaire à une chasse dite « collective » ou « de groupe ». Lorsque chaque individu conforme son comportement à celui des autres membres du groupe, la chasse est dite « coopérative ». Les requins, les dauphins, les loups et autres animaux carnivores sociaux s'arrangent parfois pour rassembler en troupeau leurs proies potentielles. Le groupe se déploie sur un vaste périmètre, et les individus situés au centre de ce groupe de chasseurs se rapprochent plus lentement des proies que les individus situés aux deux extrémités. La proie se retrouve encerclée et il lui est pratiquement impossible de prendre la fuite. Quant aux bandes de loups, de lions et de chiens sauvages d'Afrique, elles peuvent également rabattre les proies vers leurs congénères embusqués. La chasse groupée n'est cependant pas toujours coopérative. Deux ou plusieurs individus peuvent en effet chercher à se procurer de la nourriture sans pour autant tenir compte des autres membres de la bande. Ainsi, certains hérons tendent à se regrouper pour se nourrir parce que la présence d'un de leurs congénères en train de se nourrir signifie qu'il y a un banc de poissons dans les environs ; mais une fois regroupés, les hérons ne s'entraident pas pour autant.

Les représentants de certaines espèces chassent tantôt en solitaires tantôt aux côtés d'autres membres de leur bande, passant facilement de l'une à l'autre technique, selon la proie à laquelle ils ont affaire. Lorsque des hyènes tachetées par exemple, chassent la gazelle de Thomson ou le gnou, elles s'y mettent généralement à deux ou trois. En revanche, lorsqu'elle chasse le zèbre, la bande de hyènes compte en moyenne 11 individus, ce chiffre atteignant parfois 27.

La relation entre le taux de réussite et le fait que la chasse s'effectue en groupe est indéniable. Ainsi, lorsqu'un lion chasse en solitaire la gazelle de Thomson, son taux de réussite est d'environ 15 % ; si les lions s'y mettent à deux ou à quatre, le taux de réussite se trouve plus que doublé, atteignant 32 %. On observe le même phénomène chez les lions qui chassent le gnou. Lorsqu'un couple de chacals dorés chasse la gazelle de Thomson, le taux de réussite fait plus que quadrupler (67 %), si on le compare au taux de réussite chez un chacal solitaire (16 %).

La chasse en bande est également profitable aux hyènes tachetées. Lorsqu'une hyène solitaire qui tente de s'emparer d'un jeune gnou se trouve attaquée par la mère de celui-ci, cette hyène ne parvient jamais à tuer sa proie. En revanche lorsque deux ou plusieurs hyènes sont attaquées par la mère du jeune gnou, elles parviennent tout de même à lui enlever sa progéniture. La femelle du gnou ne peut en effet affronter qu'une seule hyène à la fois :

◀ **Des tueurs qui coopèrent.** Une hyène tachetée *(Crocuta crocuta)* s'occupe de distraire une maman gnou, pendant que d'autres membres du clan chassent la proie la plus facile — le petit gnou. Ayant capturé leur proie, les hyènes se montrent particulièrement voraces : en moins d'un quart d'heure un groupe d'une petite quarantaine de hyènes ne laissera d'un zèbre que des os soigneusement nettoyés.

▼ **Gare aux ours...** Ces ours polaires *(Ursus maritimus)* cherchent leur nourriture dans un dépôt d'ordures, à Churchill, en Alaska. Ce genre de pillage est un problème de plus en plus sérieux pour les villes qui ont été aménagées à proximité des itinéraires de migration des ours polaires. Ces ours étant en effet les plus grands carnivores vivants, leur présence constitue un véritable danger pour l'homme.

Normalement, les ours polaires sont des animaux solitaires et chassent les phoques pour leur propre compte. Ils se rassemblent uniquement lorsqu'une source importante de nourriture, comme un dépôt d'ordures, se trouve concentrée au même endroit.

Se nourrir d'ordures

Les décharges publiques, où s'accumulent des quantités considérables d'ordures, constituent un réservoir de nourriture pour de nombreuses espèces d'animaux, dont des invertébrés, des rats, des chacals, des coyotes, des ours, des chats, des primates, et une foule d'oiseaux, en particulier plusieurs espèces de goélands.

Une étude a montré que plus de 15 000 oiseaux, représentant neuf espèces différentes, fréquentaient, dans l'État de Floride (États-Unis), une décharge publique dont le périmètre ne dépassait guère 150 m sur 200 m. Parmi ces oiseaux, on recensa environ 6 000 goélands à bec cerclé, 3 000 goélands atricilles, 3 000 hérons garde-bœufs, 150 vautours auras, 1 000 molothres et 1 000 étourneaux. Ces oiseaux étant extrêmement nombreux, il s'ensuivait une rude concurrence entre les différentes espèces. Les goélands argentés avaient le dessus sur toutes les autres espèces, et les hérons garde-bœufs s'assuraient la suprématie sur toutes les espèces sauf les goélands argentés. Lorsque des vautours venaient s'approvisionner dans la décharge, tous les autres oiseaux les évitaient. Sur une autre décharge publique, dans l'État du New Jersey, les goélands argentés volaient leur nourriture aux goélands atricilles, et ceux-ci battaient en retraite. Ce type de comportement est ce que l'on appelle le « parasitisme par prélèvement ».

Les décharges publiques sont une source de nourriture constamment renouvelée et disponible tout au long de l'année. Certains auteurs vont jusqu'à avancer que l'accroissement de la population de goélands argentés et l'expansion de leur aire de distribution sont liés aux décharges publiques.

Il faut également tenir compte de l'emplacement des décharges publiques. Ainsi, dans le cas d'une décharge aménagée à proximité d'un aéroport, la prolifération des oiseaux dans les environs constitue un grave danger pour la sécurité des avions il vaut donc mieux installer les décharges loin des aéroports et bien à l'écart des routes aériennes.

Le transport et la manutention des ordures influencent la concurrence entre goélands argentés et goélands atricilles. Ces derniers savent, par exemple, tirer profit du brassage des ordures par les bulldozers et prolifèrent plus vite que les goélands argentés.

---

pendant ce temps, sa progéniture est donc vulnérable aux attaques des autres hyènes. Autre exemple : une hyène solitaire connaît un taux de réussite d'environ 18 % lorsqu'elle chasse de jeunes gnous non défendus par leur mère, alors que deux hyènes auront un taux de réussite d'environ 32 %.

La vie en bande peut également faciliter considérablement la défense de la nourriture. Une étude effectuée dans le nord de l'État du Wyoming (États-Unis) a montré qu'une moyenne de 2,6 membres d'une bande de coyotes parvenaient à empêcher les membres d'autres bandes de coyotes de s'emparer de leurs réserves de charognes (des élans) ; en revanche, lorsque les réserves de nourriture étaient défendues par une bande de 1,3 membre de moyenne, l'ennemi parvenait à s'en emparer.

Cette étude des prédateurs a permis de montrer comment différentes espèces d'animaux satisfont à leurs besoins alimentaires, mais elle fait également apparaître les liens qui existent entre l'anatomie, la physiologie, l'écologie et le comportement. Rappelons, car c'est important, que les prédateurs chassent, non pour décharger leur agressivité, mais pour se nourrir et se procurer ainsi l'énergie nécessaire à leur survie. Comme l'homme, les animaux ont besoin de manger et beaucoup n'ont pour survivre d'autre moyen que de dévorer leurs proies.

MB

LA DÉFENSE CHEZ LES PROIES

Les couleurs assorties chez les perdrix et les araignées... Le contre-jour chez les cerfs et les poissons... Un simple camouflage chez les insectes... Les couleurs de mise en garde chez les guêpes... Le mimétisme — de Müller ou batésien... Les stratégies d'évitement... Les représailles... Chauves-souris et papillons nocturnes... Changer de couleur...

S'ÉLANÇANT avec la rapidité de l'éclair en atteignant une vitesse de quelque 90 km/heure, un guépard affamé des plaines sud-africaines tente de capturer une gazelle de Thomson pour en faire son repas. Le plus souvent, le guépard échoue dans sa tentative : la gazelle parvient à s'enfuir et le prédateur, épuisé et haletant, en est quitte pour rester sur sa faim. Au fil des générations, les guépards se sont adaptés à la chasse : leurs sens ont acquis une grande finesse, et ces animaux, pourvus de crocs et de griffes redoutables, sont devenus capables de parcourir de courtes distances plus vite que n'importe quel autre mammifère. Mais la gazelle n'en est que plus vigilante et rapide à la manœuvre.

La plupart des animaux risquent à un moment ou à un autre de leur vie d'être dévorés par d'autres, c'est pourquoi ils se sont dotés de différents moyens de réduire le danger. Une technique très commune consiste à éviter de se faire voir. Beaucoup de prédateurs chassent à vue, de sorte qu'une proie bien camouflée a de bonnes chances de passer inaperçue. La plus simple des formes de camouflage consiste à se parer de couleurs assorties au fond sur lequel l'animal se trouve : la perdrix et la lycose (ou araignée-loup) sont de couleur brune, or elles fréquentent des endroits où la végétation est rare et la terre souvent à nu. Les sauterelles et les chenilles qui se nourrissent de feuilles sont souvent de couleur verte. De nombreux prédateurs restent néanmoins capables de détecter leur proie, même si celle-ci présente une livrée semblable à celle du fond sur lequel elle évolue : ils se fient à l'ombre qui apparaît sous le corps de la proie ou aux formes caractéristiques de ce dernier, comme nous repérons facilement une balle verte sur une pelouse, d'après sa forme circulaire et la zone d'ombre visible à sa partie inférieure. Chez des animaux comme les cerfs et de nombreux poissons, ce phénomène est compensé par la présence, sur le ventre, d'une zone plus claire que le dos de l'animal : c'est ce que l'on appelle une coloration à contre-jour. Vu de côté lorsqu'il est éclairé du dessus, l'animal ressemble alors à un objet plat et uniforme.

Il est beaucoup plus difficile de distinguer la forme d'un animal moucheté reposant sur un support tacheté, que lorsque l'un et l'autre sont de coloration uniforme. En effet, si les moucheture de différentes couleurs sont suffisamment accusées, elles peuvent modifier les formes apparentes de l'animal. Ainsi, le pluvier à collier présente une remarquable livrée, avec des bandes de couleurs brune, blanche et noire, mais sur un fond rocailleux comportant ces trois couleurs, l'animal devient très difficile à repérer : la zone brune de sa tête ressemble à une pierre, et son ourlet blanc la fait apparaître bien distincte du dos, brun lui aussi.

Ce camouflage simple, qui consiste à se confondre avec le support, peut être efficace, mais il existe aussi des animaux qui ressemblent à s'y méprendre à un élément non comestible de leur environnement. Beaucoup de chenilles d'arpenteuses, de phasmes (ou « insectes-brindilles »), et certaines mantes religieuses, ressemblent fortement à des brindilles ou des bâtonnets. Certaines espèces de grillons des buissons et de phyllies, imitent, elles, fidèlement les feuilles vertes, se dotant même de veines bien visibles. La mante religieuse *Phyllocrania paradoxa* ressemble à

Se confondre avec son environnement

Un animal camouflé risque de devenir repérable dès lors que la couleur de son support change ; mais certaines espèces sont capables de changer de couleur pour se confondre en permanence avec leur environnement. Les lièvres, les hermines d'été et les lagopèdes des rochers, espèces d'Europe septentrionale, sont de couleur brune en été, mais ils muent en automne pour devenir d'un blanc immaculé en hiver. Chez le porte-queue d'Amérique du Nord et chez le petit piéridé blanc d'Europe, les nymphes qui hibernent sur des plantes mortes de couleur brune, sont généralement brunes, alors que les nymphes qui naissent en été sont plutôt vertes. La coloration est en partie déterminée par la durée du jour ; les chenilles qui font leur croissance à une époque où il y a seulement huit heures d'ensoleillement par jour deviennent brunes, tandis que celles qui font leur croissance lorsqu'il y a seize heures d'ensoleillement par jour deviennent plutôt vertes.

On connaît d'autres espèces d'animaux qui sont capables de changer de couleur rapidement, sans avoir à faire une mue. Chez ces espèces, les pigments de couleur sont logés dans les cellules contrôlées directement par les hormones et le système nerveux. Ainsi, les flets et certains crabes peuvent changer de couleur en l'espace de quelques jours. Quant au caméléon, son aptitude à changer de couleur en quelques secondes est bien connue. Mais dès qu'on le saisit, on a la surprise de voir sa couleur s'assombrir fortement.

◄ **Par sa forme et sa couleur**, le podarge *Podargus papuensis* ressemble à une branche, avec même de pseudo « morceaux d'écorce »...

▼ **Un mimétisme trompeur.** Rien de plus banal que des fientes d'oiseaux... C'est pourquoi, pour échapper à l'attention des prédateurs, certaines chenilles comme celle du *Papilio aegius*, imitent l'aspect de petits tas d'excréments.

▲ **Attention, crapaud !** Ce crapaud cornu *(Megophrys nasuta)* des forêts humides de Malaisie, ressemble à une feuille morte, de couleur rouille, et il évite ainsi d'être repéré par les prédateurs.

► **Par sa ressemblance incroyable** (pages suivantes) avec un brin d'herbe, cette sauterelle *Acrida hungarica* se rend pratiquement invisible.

une feuille morte, roussie et toute racornie. Plusieurs espèces de grenouilles et de crapauds d'Amérique du Sud sont de forme aplatie et ressemblent à des feuilles mortes jonchant le sol des sous-bois. Même lorsqu'ils ne sont pas sur un fond auquel ils ressemblent, les phasmes et les phyllies peuvent ainsi échapper à l'attention du prédateur. Il existe également un poisson, le Lobotes surinamensis, qui vit dans les mangroves d'Amérique du Sud, où il repose sur le flanc, juste sous la surface de l'eau. Ce poisson imite une feuille de manglier tombée dans l'eau, et sa livrée présente des mouchetures brunes ressemblant aux souillures de la feuille. La technique qui consiste à rester visible tout en se faisant passer pour un objet non comestible est poussée encore plus loin par certaines chenilles et araignées, qui reposent sur le dessus des feuilles et ressemblent à des excréments d'oiseaux.

Le principe de base du camouflage est d'être en harmonie avec l'environnement ou un élément quelconque de celui-ci. Pourtant, certains animaux contrastent au contraire fortement avec leur milieu. Dans certains cas, les couleurs vives de ces animaux ont trait à la parade nuptiale ou aux mœurs territoriales (voir p. 80). Dans d'autres cas, ces couleurs vives ont pour but de mettre en garde un prédateur potentiel : s'il attaque, il risque de le payer cher... Les guêpes et les chenilles velues en sont des exemples connus : par leurs couleurs vives elles préviennent leur éventuel prédateur qu'elles sont répugnantes au goût, ou capables d'infliger de sérieuses blessures.

Certains prédateurs ont une aversion innée pour certaines couleurs de mise en garde. Ainsi, parmi les oiseaux, le grand kiskadee et certaines espèces de momots d'Amérique du Nord, évitent les phasmes dont la livrée présente des bandes rouges, noires et jaunes imitant le serpent-corail, venimeux, même si ces oiseaux n'ont encore jamais vu ce serpent. La plupart des oiseaux doivent néanmoins apprendre, par essai et erreur, c'est-à-dire au prix d'expériences désagréables, que certains animaux, comme les guêpes à la livrée jaune et noire, sont mauvais pour eux.

Les séances d'apprentissage des prédateurs entraîneraient rapidement une surextermination des proies, si elles appartiennent à une espèce rare : les représentants de cette espèce ont donc plutôt intérêt à être bien camouflés, de façon à passer inaperçus. Les couleurs de mise en garde sont également très fréquentes chez les espèces grégaires dont les membres du groupe sont apparentés. Un oisillon apprend à reconnaître les dessins d'une guêpe et à l'associer à un goût désagréable en la tuant, mais l'élimination de cette guêpe n'est profitable qu'aux guêpes qui survivent. Les guêpes vivent en colonies au sein desquelles tous les individus sont apparentés. Ils ont, par conséquent, beaucoup de gènes en commun, et les guêpes qui réchappent aux attaques des oisillons possèdent donc, en général, des gènes identiques à ceux de la guêpe qui a été tuée. Par sa mort, celle-ci augmente d'une certaine façon les chances de survie des gènes identiques aux siens chez ses sœurs d'espèce.

Il arrive que deux ou plusieurs espèces animales présentent un aspect quasiment identique, avec les mêmes dessins aux couleurs vives. Si ces deux espèces se révèlent repoussantes au goût, on a affaire à un phénomène de « mimétisme de Müller » : les représentants de l'une et l'autre espèce bénéficient du fait que le plus souvent, ayant appris à reconnaître leur livrée, le prédateur tendra à éviter ces animaux. Mais on connaît également des cas où une espèce tout à fait comestible imite une autre espèce, au

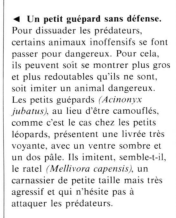

▲ ▶ **Se faire passer pour dangereux.** Les couleurs du serpent-roi *(Lampropeltis triangulum)*, à droite, serpent inoffensif qui vit dans les forêts d'Amérique centrale, ressemblent à celles du serpent-corail *(Micrurus nigrocinctus)*, qui lui, est venimeux (ci-dessus). Ce type de mimétisme qui consiste, pour un animal inoffensif, à imiter un animal venimeux s'appelle le « mimétisme de Bateson ».

◀ **Un petit guépard sans défense.** Pour dissuader les prédateurs, certains animaux inoffensifs se font passer pour dangereux. Pour cela, ils peuvent soit se montrer plus gros et plus redoutables qu'ils ne sont, soit imiter un animal dangereux. Les petits guépards *(Acinonyx jubatus)*, au lieu d'être camouflés, comme c'est le cas chez les petits léopards, présentent une livrée très voyante, avec un ventre sombre et un dos pâle. Ils imitent, semble-t-il, le ratel *(Mellivora capensis)*, un carnassier de petite taille mais très agressif et qui n'hésite pas à attaquer les prédateurs.

goût répugnant et pourvue d'une livrée de mise en garde. Par cè « mimétisme batésien », l'espèce imitatrice se trouve protégée des attaques des prédateurs, dès lors que ceux-ci ont appris à reconnaître la livrée de leur modèle.

Les guêpes, avec leur livrée de mise en garde, sont répandues dans le monde entier. En Europe, la livrée de ces insectes présente généralement des bandes jaunes et noires. On recense plusieurs espèces de guêpes solitaires et sociales qui pratiquent le mimétisme de Müller : pourvues d'une livrée similaire, toutes sont capables de piquer en cas d'attaque et sont répugnantes au goût. D'autres insectes, comme les bombyles, bien que possédant eux aussi une livrée jaune et noire, n'en sont pas moins des proies parfaitement comestibles pour les oiseaux mais grâce au mimétisme de Bateson, les bombyles sont protégés par leur ressemblance avec les guêpes. Sur le continent américain, il existe plusieurs espèces de serpents inoffensifs qui par le mimétisme de Bateson, imitent les serpents-corail venimeux. On peut donc rencontrer au sein d'une même espèce des animaux qui pratiquent le mimétisme de Bateson, ainsi que leurs modèles.

Le camouflage, le mimétisme et la coloration de mise en garde sont en général d'excellents moyens de défense, mais ils ne fonctionnent pas toujours. C'est pourquoi beaucoup d'animaux possèdent des défenses supplémentaires, utiles lorsqu'ils ont affaire à un prédateur affamé. Les représentants de certaines espèces se retirent dans un endroit sûr : les spirographes dans leurs tubes, les escargots dans leur coquille et les lapins dans leurs terriers. La proie peut également tenter de s'échapper, au sol, dans les airs ou dans l'eau, mais il lui faut pour cela, être capable de prendre de vitesse son prédateur, ou posséder une plus grande endurance. L'issue de la poursuite dépend souvent

◀ **Un sifflement menaçant.**
Lorsqu'ils sont menacés, les caméléons, comme ce *Chamaeleo namaquensis*, s'enflent et exhibent les parois vivement colorées de leur bouche, tout en émettant un sifflement. Bien qu'inoffensifs, ces animaux sont très redoutés dans toute l'Afrique.

▶ **Etre dangereux et le faire savoir...** De nombreuses espèces de chenilles sont hérissées d'épines venimeuses ou sécrétant des substances répugnantes qui rendent ces animaux immangeables. Armé d'une telle défense, un animal a tout intérêt à se signaler par des couleurs vives. Sur notre photo, des chenilles de bombyx du mûrier (genre *Automeris*).

Une bataille d'ondes aériennes

Très tôt dans leur évolution, les chauves-souris se sont dotées d'un système de sonar leur permettant de voler dans l'obscurité en évitant les obstacles. Au fil de l'évolution, ce système s'est adapté pour leur permettre de détecter et de capturer en particulier les papillons nocturnes.

Les premiers papillons nocturnes étaient dépourvus d'oreilles, mais la forte prédation devait favoriser la prolifération d'espèces pourvues d'une structure vibrant sous l'effet de la stimulation produite par un cri de chauve-souris, de façon à permettre à l'animal de se mettre en sécurité. Une chauve-souris est beaucoup plus rapide au vol qu'un papillon nocturne. Il faut savoir qu'une chauve-souris détecte un papillon nocturne de bonne taille d'une distance d'environ 5 m, alors que celui-ci peut détecter une chauve-souris d'une distance de 40 m. Donc, dès qu'un papillon nocturne entend une chauve-souris qui se trouve encore loin, il rebrousse chemin (**1**) pour éviter la capture (**2**). Si la chauve-souris se trouve beaucoup plus près, cette stratégie sera inefficace. Le papillon entendant les cris plus forts, plus proches, de la chauve-souris, réagira en volant en zigzag (**3**), ou en gagnant le sol, soit en se laissant tomber (**4**), soit en vol piqué (**5**). Caché parmi la végétation et les pierres, l'animal sera beaucoup plus difficile à repérer. Parfois

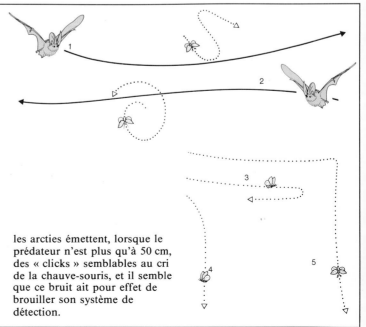

les arcties émettent, lorsque le prédateur n'est plus qu'à 50 cm, des « clicks » semblables au cri de la chauve-souris, et il semble que ce bruit ait pour effet de brouiller son système de détection.

de la distance qui sépare le prédateur de sa proie au moment où celle-ci le repère. Un guépard peut prendre de vitesse n'importe quelle antilope, mais il manque d'endurance, de sorte qu'il est épuisé et doit renoncer au bout de 400 m s'il n'a pas encore capturé sa proie. En revanche, une bande de chiens sauvages africains est moins rapide à la course, mais son endurance remarquable lui permet de poursuivre ses proies sur de très longues distances. C'est pourquoi l'antilope tend à ajuster son comportement de fuite en fonction de chaque espèce de prédateur. Quant à la gazelle de Thomson, dès qu'elle a repéré une bande de chiens sauvages, elle s'éloigne de 500 m à 1 km, alors qu'elle laissera un guépard s'approcher à une distance de 100 à 300 m avant de prendre la fuite. Mettre entre le guépard et elle une distance plus grande serait un gaspillage inutile d'énergie. Même des animaux comme les clams ont une réaction adaptée à chaque espèce de prédateur. En règle générale, la première réaction d'un clam à l'approche de l'ennemi consiste à fermer

hermétiquement ses deux valves et à laisser passer le danger. Toutefois, lorsqu'elles sont attaquées par une étoile de mer, de nombreuses espèces de clams prennent la fuite par petits sauts, par une flexion et une extension répétées de leur pied. Le clam reconnaît l'étoile de mer aux substances émises par ses ambulacres et, comme l'étoile de mer est capable d'ouvrir les coquilles de bivalves, il a plus de chances d'échapper à son prédateur en prenant la fuite qu'en se contentant de refermer ses valves.

Certains animaux qui ne peuvent fuir leurs prédateurs essaient de les induire en erreur de façon à rendre leur capture difficile. C'est le cas, par exemple, de certains papillons de nuit, comme le catocala jaune, dont l'aile postérieure présente des couleurs vives, dites « couleurs à éclats ». Normalement, cet insecte reste camouflé lorsqu'il est au repos, mais s'il se sent repéré, il prend rapidement son essor, ses ailes postérieures lançant des éclats d'un jaune vif. Puis, lorsque ce papillon se pose de nouveau, il referme ses ailes et les éclats jaunes ne sont plus visibles, laissant le prédateur totalement déconcerté. De nombreux insectes et certaines rainettes utilisent aussi ces éclats de couleur. La face intérieure des pattes de rainettes, par exemple, présente des couleurs vives, visibles lorsque l'animal saute, mais qui disparaissent dès que l'animal se pose sur la terre ferme. Chez d'autres espèces, le subterfuge consiste à faire en sorte que le prédateur ne puisse saisir qu'une partie relativement peu importante du corps de la proie. Certains insectes, comme les satyres bruns (des papillons) présentent de minuscules taches, ou ocelles, en forme d'yeux, sur lesquelles les oiseaux ont tendance à donner leurs coups de bec plutôt que sur la tête du papillon. De fait, saisi par les ailes, l'insecte peut encore s'échapper, quitte à y laisser un bout d'aile. S'il est attrapé en revanche par la tête, il a toutes les chances d'être tué.

Dans certains cas, c'est le comportement même de la proie qui attire le prédateur. Quelquefois, on voit par exemple de petits oiseaux se rassembler autour d'un faucon ou d'un hibou, et faire grand tapage pour harceler l'animal. A première vue, un tel comportement paraît étonnant, dans la mesure où le faucon ou le hibou pourrait facilement tuer un de ces oiseaux. Mais qu'on ne s'y trompe pas : les passereaux prennent soin de rester hors de portée de l'animal, et celui-ci n'est pas en position d'attaquer : les hiboux et les faucons capturent leurs proies en vol et ils n'ont pas d'autre part une agilité suffisante pour capturer un petit oiseau qui se tient à quelques mètres de distance. Les passereaux peuvent harceler l'animal à tel point qu'il finit par aller ailleurs. Chez les échassiers et le gibier à plumes, la technique utilisée par les parents pour détourner de leurs petits l'attention des prédateurs est encore plus remarquable. Chez eux, en effet, on voit souvent les parents s'éloigner du nid en boitillant, comme s'ils étaient blessés et incapables de prendre leur essor. Puis, si le prédateur s'approche dangereusement, l'animal s'envole.

L'ultime moyen de défense dont disposent la plupart des animaux, une fois que tous les autres moyens ont échoué, consiste à se défendre à coups de dents, de cornes, de griffes ou avec toute autre arme à leur disposition. Les guêpes piquent, les épinoches dressent leurs épines, les mille-pattes émettent des substances repoussantes (sécrétées par les glandes qui bordent le corps de l'animal), certaines chenilles utilisent leurs soies urticantes et cassantes, et par leurs glandes anales, les putois projettent une sécrétion infecte en direction de l'attaquant. Chez certaines espèces, faiblement armées pour se défendre, la menace de « représailles » n'est parfois qu'un coup d'esbroufe : mais cela peut être tout aussi efficace...

ME/JE

LES ANIMAUX ARCHITECTES

Besoin d'un domicile... Les fourreaux de sable des amibes... Les nids d'oiseaux... Les digues et les huttes des castors... Les terriers... Les cocons des papillons diurnes et nocturnes... Les pièges pour capturer les proies — les toiles d'araignées... La communication — les ptilorhynques, ou oiseaux à berceau... Les nids de tisserins républicains... Le conditionnement d'air souterrain chez les termites et les chiens de prairie...

▶ **Le domicile d'une nuée d'insectes piqueurs.** Le beau nid papyracé des guêpes sociales de l'espèce *Polybia occidentalis*, suspendu sous une feuille d'*Heliconia*, sur l'île de La Trinité.

BIEN avant d'atterrir sur notre planète, les occupants d'un vaisseau spatial venu d'une autre galaxie sauraient vraisemblablement que la planète Terre est (ou était) peuplée d'êtres à l'intelligence élevée. Sans même qu'ils aient eu à pénétrer dans l'atmosphère terrestre, ils verraient apparaître sur leurs écrans radar les grandes marques de notre civilisation — les gratte-ciel, les barrages géants et les centrales nucléaires. Mais l'homme n'est pas le seul, sur terre, à construire des édifices ; les animaux construisent eux aussi, même si ces constructions sont beaucoup plus modestes que les édifices humains. Toutefois, les animaux architectes réussissent de véritables miracles en matière de génie civil lorsqu'ils construisent des digues (les castors), creusent des terriers (les blaireaux), ou créent avec des brindilles des entrelacs compliqués pour faire leurs nids (les oiseaux).

Un nid de colibri est un ouvrage d'une complexité telle qu'il est tentant de penser que le « maître d'œuvre » sait ce qu'il construit et, de fait, les oiseaux possèdent un système nerveux évolué. Cela dit, même certaines amibes (protozoaires) construisent avec des grains de sable des fourreaux remarquablement complexes, et ce, bien que ces micro-organismes ne comportent qu'une seule cellule (unicellulaires) et soient dépourvus de système nerveux. Il n'est donc pas essentiel que l'animal possède un système nerveux particulièrement sophistiqué : on

trouve dans tout le règne animal des architectes et des bâtisseurs de talent.

Certains groupes d'animaux sont de grands bâtisseurs, d'autres non. On connaît plusieurs centaines d'espèces d'oiseaux qui construisent des nids à l'architecture complexe et qui leur est propre. En revanche, si les mammifères fouisseurs sont nombreux, peu d'entre eux sont des bâtisseurs compétents, à l'exception des castors. Ces derniers dressent des digues faisant monter le niveau d'eau d'une rivière, de façon à créer une grande lagune, dans laquelle l'animal construit une grosse « hutte » avec des rondins de bois.

Si l'on considère le règne animal dans son ensemble, il ne compte à proprement parler que trois grands groupes de véritables bâtisseurs : les araignées, les insectes et les oiseaux. La taille de l'animal semble influer fortement sur cette aptitude à la construction. Ainsi, chez les mammifères, des animaux relativement grands, seuls les représentants des petites espèces, principalement les rongeurs fouisseurs, sont capables de construire. Les petits rongeurs, en l'occurrence, aménagent des galeries et des cavernes pour s'y réfugier, eux et leurs progénitures. Ces animaux sont ainsi à l'abri de la chaleur, du froid, de la pluie et de la sécheresse, ainsi que des attaques des prédateurs. En revanche, un éléphant ou une antilope sont des animaux assez grands pour ne pas trop souffrir des effets du climat, et ils sont plus à même de dissuader le prédateur ou de s'échapper, que de construire un abri. Un des plus grands animaux qui construisent un « nid » est le sanglier : à la différence des autres ongulés, il donne naissance à une portée de progénitures très petites, vulnérables au froid et incapables d'échapper aux prédateurs, comme les loups.

Un conditionnement d'air souterrain

Dans certaines constructions les locataires risqueraient fort de périr étouffés si ces structures n'étaient dotées de systèmes internes de « conditionnement d'air ».

Les espèces de termites les plus évoluées *(Macrotermes)* vivent dans des monticules de terre (1) qui atteignent parfois 5 m de haut et sont protégées par des parois de boue de 50 cm d'épaisseur. L'oxygène nécessaire à la survie des termites et à la croissance des champignons qu'ils élèvent est amené dans la cavité par un système de ventilation et de conditionnement d'air, qui varie quelque peu selon la région d'Afrique d'où ces termites sont originaires, mais dans sa forme la plus élaborée, ce système fonctionne complètement en vase clos. La chaleur produite dans l'habitacle par le métabolisme des termites et des champignons alimente le

système : l'air réchauffé s'élève dans les chambres de la termitière pour gagner un « grenier », d'où il est expulsé dans de fins canaux qui

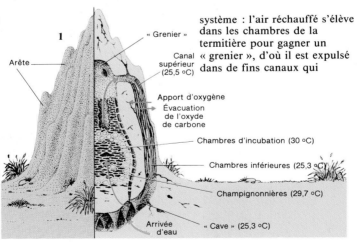

1

« Grenier »

Arête

Canal supérieur (25,5 °C)

Apport d'oxygène
Évacuation de l'oxyde de carbone

Chambres d'incubation (30 °C)

Chambres inférieures (25,3 °C)

Champignonnières (29,7 °C)

Arrivée d'eau

« Cave » (25,3 °C)

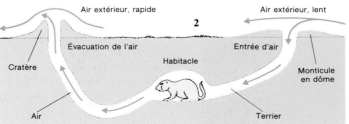

2

Air extérieur, rapide   Air extérieur, lent

Évacuation de l'air   Entrée d'air

Cratère   Habitacle

Monticule en dôme

Air   Terrier

sillonnent les arêtes de la surface. C'est à ce stade que l'oxygène frais est aspiré, l'oxyde de carbone évacué, et la température de l'air abaissée ; puis cet air est amené dans une « cave » aux parois spongieuses, où l'air est humidifié par les eaux souterraines.

De la même façon, le terrier du chien de prairie d'Amérique du Nord comporte un système de ventilation (2). Ce terrier débouche à la surface par deux types d'issues : un monticule assez bas et un cratère aux parois abruptes. Compte tenu de la conformation et de la hauteur du cratère, l'air y circule plus rapidement que sur le monticule en forme de dôme : il en résulte une différence de pression entre les deux, l'air étant évacué par le cratère et par le dôme.

Les bâtisseurs les plus accomplis se caractérisent tous par leur grande habileté. Chez les oiseaux, celle-ci résulte d'une bonne acuité visuelle, de la grande mobilité de la tête, et de la présence, chez ces animaux, d'un outil de précision : le bec. Grâce à ces éléments combinés, certains tisserins républicains sont capables de faire des nœuds avec des brins d'herbe. Dans le cas des araignées et des insectes, en revanche, ce sont les pattes articulées et les délicates pièces buccales qui assurent à ces animaux une grande dextérité. Chez ces trois groupes d'animaux, quelques autres attributs ont contribué au développement de l'habileté à la construction. D'une manière générale, les insectes sont de remarquables architectes, mais c'est surtout dans quatre ordres d'insectes que l'on observe les plus belles réalisations : les papillons diurnes et nocturnes, les phryganes, les hyménoptères (fourmis, guêpes et abeilles), et les termites (ordre des isoptères). L'extraordinaire complexité des nids de fourmis, d'abeilles, de guêpes et de termites est à la mesure du développement social de ces insectes, de loin supérieur à celui que l'on observe chez n'importe quel autre groupe d'insectes, et même, chez n'importe quel groupe d'invertébrés. A l'évidence, chez ces insectes, l'évolution de l'architecture du nid est allée de pair avec l'évolution d'une organisation sociale avancée.

Chez les papillons diurnes et nocturnes, ainsi que chez les phryganes, l'aptitude à la construction reste en fait limitée aux chenilles et aux larves. Nombre d'entre elles construisent des cocons protecteurs dans lesquels elles pourront se chrysalider ; de plus, chez les larves de phryganes en particulier, il est fréquent que l'animal construise un fourreau larvaire portable. La grande caractéristique de ces insectes est leur aptitude à sécréter de la soie, servant par exemple à tisser un cocon (notamment chez le

Les animaux qui tissent leurs nids

Une des techniques utilisées par les oiseaux pour construire leurs nids consiste à entrelacer des bouts de feuilles pour former une sorte de corbeille suspendue et pourvue d'un « toit ». Les tisserins républicains sont de loin les plus experts dans cette technique. Ces oiseaux sont capables d'effectuer différentes sortes de « points », dont des entrelacements de bouclès, des enroulements en spirale et même des nœuds. Une telle maîtrise dans l'emploi du matériau de construction ne pourrait être obtenue avec des végétaux secs : c'est pourquoi, dans l'histoire de leur évolution, les tisserins républicains firent un pas décisif lorsqu'ils commencèrent à arracher des brins d'herbes et des bouts de feuilles de palmier sur des plantes vertes vivantes.

Chez le tisserin à capuchon, le mâle qui construit le nid commence par former une boucle sous une brindille fourchue. Puis il se place à l'intérieur de la boucle pour fixer chaque fibre du matériau utilisé, en se penchant en avant pour construire la chambre d'incubation. Pour mettre en place chaque fibre, le mâle l'enfonce dans le « tissu », puis, il la ramène à lui, puis il pousse de nouveau, procédant ainsi plutôt comme une couturière que comme une tisseuse. La chambre d'incubation étant terminée, le mâle construit le « porche d'entrée » en reculant progressivement par rapport à sa position d'origine dans l'anneau.

Il semble que les tisserins acquièrent cette technique de construction très sophistiquée, en partie par l'apprentissage. Le premier nid construit par un jeune tisserin à capuchon est généralement fort mal fait.

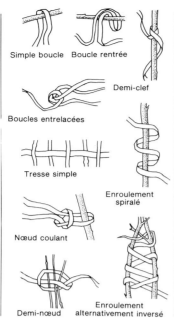

Simple boucle   Boucle rentrée

Demi-clef

Boucles entrelacées

Tresse simple

Enroulement
spiralé

Nœud coulant

Demi-nœud   Enroulement
alternativement inversé

◄ **En attendant sa proie,** cette orbitèle (du genre *Argiope*) reste campée au centre de sa toile. Les filaments épais (stabilmenta) qui bordent le centre de la toile rendent celle-ci très visible, ce qui évitera que des oiseaux ne viennent détruire la toile en fonçant dessus par erreur.

► **Une série de points de tissage** utilisés par les tisserins pour construire leur nid.

▼ **Fier de son ouvrage...** Ce tisserin bahia *(Phoceus philippinus)* met la dernière touche à son chef-d'œuvre.

« ver à soie »), ou qui leur permettra de coller ensemble les grains de sable, les brindilles ou les morceaux de feuilles découpées. Les filaments de soie, avec leur grande résistance, jointe à leur légèreté, ont été déterminants dans l'évolution de la construction des fourreaux et des cocons.

La principale fonction des techniques de construction chez les animaux est de leur assurer un endroit pour vivre. Certaines espèces construisent l'abri pour leur propre usage, comme c'est le cas avec les fourreaux portables des larves de phryganes. Chez d'autres espèces en revanche, en particulier les oiseaux, l'animal construit un nid spécialement pour y élever ses petits. Chez d'autres encore, comme les fourmis ou les termites, le nid sert d'abri à toute une famille ou une colonie. La chenille d'une espèce d'euchromide, un papillon nocturne (du genre *Aethria*), a le corps recouvert de touffes de longs poils qui la protègent de ses prédateurs, les oiseaux et les insectes. Au moment où la larve fait sa mue pour se transformer en chrysalide, elle devrait perdre ce moyen de défense en même temps qu'elle se dépouille de sa peau. Or, cette larve commence par arracher ses poils un par un, en les enroulant en spirales au-dessus et en dessous d'elle autour de la tige de la plante, avant de bourrer les derniers poils qui lui restent dans le cocon de soie à l'abri duquel l'animal se nymphosera.

Les constructions réalisées par les animaux ont une autre fonction : la capture des proies. Les pièges de soie des araignées, les plus connus étant les toiles des araignées dites « orbitèles » en sont le meilleur exemple. Il est intéressant de remarquer qu'une même structure de toile ronde est apparue, dans le processus de l'évolution, chez deux groupes d'araignées bien distincts et qui procèdent de façon radicalement différente dans l'élaboration de leurs filaments de capture. Les toiles du premier groupe, qui compte quelques espèces d'araignées assez grandes, atteignent 60 cm et plus de diamètre. Leurs filaments de capture sont enduits de gouttelettes gluantes qui se présentent comme une rangée de minuscules perles. Dans le second groupe, réunissant plutôt des araignées de petite taille, le filament de capture est sec, mais hérissé de fins filaments comportant des boucles et des barbelures qui prennent la proie au piège. La capture des papillons diurnes et nocturnes est pour les araignées un problème. Chez ces insectes, en effet, le corps est recouvert d'écailles lâches, qui permettent au papillon de se dégager facilement de la toile, quitte à y laisser quelques écailles. C'est pourquoi une araignée spécialisée dans la capture des papillons nocturnes, construit une toile triangulaire horizontale, comportant seulement quelques filaments de capture qui pendent librement entre un fil central et un fil d'armature. Ces filaments de capture comportent de très grosses gouttelettes gluantes qui annulent la protection dont bénéficie le papillon grâce à ses écailles lâches. Lorsque le papillon tente de se dégager, le filament de capture se rompt juste au niveau d'une zone fragilisée spécialement, à son extrémité externe : l'araignée n'a plus alors qu'à tuer la proie qui gigote au bout du fil.

Les constructions réalisées par les animaux ont une troisième fonction : elles peuvent servir à la communication sociale. Les mâles d'une espèce de crabes terrestres, les crabes fantômes, érigent par exemple à la sortie de leurs terriers, des pyramides de sable ayant pour fonction d'attirer les femelles et de dissuader les autres mâles. Les plus élaborées des constructions de ce genre sont les arènes nuptiales des oiseaux à berceau, et singulièrement celle de l'oiseau-jardinier brun. Le mâle de cette espèce construit une splendide tente de brindilles, avec, sur le devant, un parterre de petits tas de baies et de fleurs, que l'oiseau peut éventuellement renouveler quotidiennement.

LES RYTHMES DU COMPORTEMENT

Les types de rythmes... Les réactions à la luminosité... Le contrôle par l'environnement ou l'horloge interne... Les cycles annuels de reproduction... Le sommeil... L'hibernation...

Tous les animaux vivent dans un environnement qui influe sur leur mode de vie. Il peut, par exemple, leur imposer un rythme donné. Un animal verra ainsi son comportement se modifier à l'aube ou un peu avant, à la marée haute, à la pleine lune ou encore, avec l'arrivée des premières chaleurs printanières. Les rythmes du comportement peuvent être une réaction aux rythmes environnementaux, ou le produit des rythmes internes de l'organisme.

Dans son acception courante, le mot « rythme » se rapporte à une série d'événements qui se reproduisent de façon plus ou moins régulière, mais si ce rythme est très régulier, ponctué par des événements espacés de laps de temps d'égale durée, on parlera d'une « périodicité ». Le laps de temps, ou période, qui sépare deux occurrences du même événement peut durer de quelques fractions de seconde à plusieurs années. Les rythmes propres à la nutrition et la digestion ont une fréquence qui se compte en minutes ou en heures, selon la taille de l'animal. Quant aux activités tributaires de l'état de la marée ou de l'ensoleillement, leur fréquence respective est de 12 heures 30 minutes dans le premier cas et de 24 heures dans le second. Les rythmes ayant une fréquence de récurrence plus longue sont notamment le cycle reproductif chez les mammifères femelles et les réactions aux différentes phases de la lune.

L'observation de ce vaste éventail de rythmes comportementaux révèle que certains d'entre eux sont simplement le fruit de mécanismes de régulation, tandis que d'autres ont pour l'animal une fonction utile, en lui permettant de s'adapter à son environnement. Les espèces capables de trouver elles-mêmes leur nourriture, d'éviter les prédateurs et d'une manière générale, d'être plus efficaces le jour que la nuit, doivent cela à leur sensibilité aux variations de la luminosité, ainsi qu'à l'horloge interne de leur organisme, qui, accordée sur le cycle de 24 heures (« circadien »), leur permet d'anticiper les variations. Le même raisonnement reste valable concernant les réactions à tout autre rythme environnemental, qu'il soit physique ou résultant des activités d'autres animaux. Les poissons qui forment un banc, de même que les oiseaux d'une volée gagnent à régler leur vitesse de déplacement sur celle de leurs congénères. De la même façon, si les principaux prédateurs de ces animaux ont tendance à se présenter de façon cyclique, toutes les deux heures par exemple, les membres de la volée ou du banc ont tout intérêt à synchroniser sur ce rythme leur comportement défensif contre les prédateurs. Ainsi, les jeunes guillemots de Brünnich tout juste en état de voler sont très vulnérables aux attaques des grands goélands, mais la plupart des oisillons quittent en même temps leurs nids dans les falaises, de sorte qu'un grand nombre parvient à échapper aux attaques des prédateurs.

Chez les grands animaux, la reproduction intervient souvent annuellement dans les régions tempérées. Elle peut être déclenchée lorsque la durée du jour atteint une longueur déterminée. En revanche, dans les régions tropicales, l'intervalle entre deux saisons de reproduction n'est pas toujours d'un an. Ainsi, pour les oiseaux de mer, comme certaines espèces de puffins et de fous, cet intervalle est de huit à neuf mois. Chez plusieurs invertébrés, la reproduction est annuelle.

Durant les mauvaises périodes, certains animaux peuvent réduire leur activité et abaisser leur métabolisme. Si la mauvaise

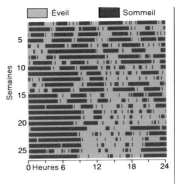

▲ **Le cycle du sommeil chez l'enfant.** Chez le petit d'homme, la veille et le sommeil alternent dans un cycle circadien (c'est-à-dire, de 24 heures) qui s'établit environ 16 semaines après la naissance.

▶ **Un rituel quotidien.** Ces phalangers volants *(Petaurus breviceps)* font leur sieste diurne dans un nid communautaire perché sur un arbre, de la forêt australienne. Ces animaux sont actifs de nuit.

▼ **Une frénésie reproductrice...** Influencés par les phases de la lune, les grunions *(Leuresthes tenuis)* de Californie pondent leurs œufs en haut des plages à l'époque des grandes marées. Les jeunes parviennent à éclosion dès la grande marée suivante.

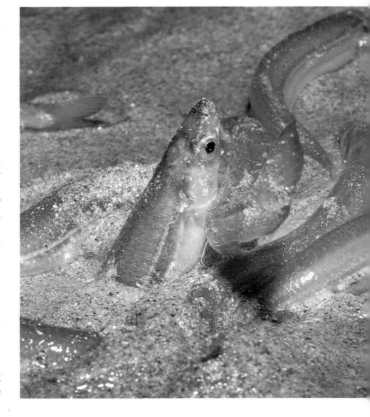

période se situe la nuit, ou le jour pour les animaux nocturnes, la réaction comportementale la plus fréquente consiste à se réfugier dans le sommeil. L'état de sommeil correspond à une période d'inactivité prolongée, assortie d'une capacité de réaction réduite et d'une posture caractéristique. Le sommeil a le plus souvent une périodicité circadienne (de 24 heures) ou synchronisée avec les marées, et l'animal choisit généralement un site inaccessible aux prédateurs. Le sommeil n'ayant pas toujours une fonction réparatrice, on en déduit que pour certains animaux, c'est un moyen de réduire les risques de prédation et de préserver leur énergie. Mais dans tous les cas, le sommeil fait partie intégrante du rythme quotidien, et une perturbation de ce rythme, accompagnée d'un manque de sommeil, peut compromettre la santé de l'animal.

Lorsque le sommeil s'accompagne d'une baisse du métabolisme et d'un abaissement de la température interne, on parle d'un état d'« engourdissement », ou de « torpeur ». En hiver, s'il se prolonge plusieurs jours ou plusieurs mois, il prend le nom d'« hibernation ». A la saison chaude, en revanche, durant les longues périodes de sécheresse par exemple, fréquentes dans les déserts, on parlera d'« estivation ». L'engourdissement par le sommeil est un état nocturne normal chez les animaux à sang froid des régions tempérées. En revanche, les animaux de plus grande taille ne gagneraient pas à abaisser leur température interne durant la nuit, car il leur faudrait dépenser beaucoup d'énergie pour l'augmenter à nouveau le jour venu.

Avant d'entrer en hibernation, un animal doit consommer plus de nourriture afin de faire des réserves de graisse, mais il lui faut également choisir un endroit qui lui convienne et souvent, y construire un nid. Les petits mammifères en hibernation peuvent abaisser leur température interne en la portant à quelques degrés seulement au-dessus de la température ambiante : ils réduisent ainsi de quelque soixante-dix fois leur consommation d'énergie, tout en restant capables de sortir de leur engourdissement durant les journées froides. Les mammifères qui pèsent entre 1 et 5 kg, comme les hérissons et les marmottes, évitent de sortir de leur état d'engourdissement pour de trop courtes périodes, en raison de la forte dépense d'énergie que cela représente et aussi, du temps, trop long, nécessaire pour se réveiller. Chez les grands mammifères, les ours par exemple, la température interne peut être abaissée jusqu'à 5 °C seulement, le métabolisme réduit de 50 %, et pourtant, l'animal sortira de son engourdissement avec une rapidité telle que l'on hésite à parler d'une véritable hibernation.

Les expériences effectuées dans des conditions environnementales constantes montrent que, dans bien des cas, la périodicité observée peut être contrôlée exclusivement par des mécanismes internes. Les études récentes sur ces mécanismes révèlent que cette périodicité peut être allongée par les moyens scientifiques : il suffit de refroidir le corps de l'animal ou de substituer au deutérium, un isotope lourd, de l'hydrogène normal (celui qui entre dans la composition de l'eau), pour obtenir un ralentissement de l'horloge interne de l'animal. L'existence de régulateurs de rythme biologique dans le cerveau a pu être démontrée par différentes expériences consistant notamment à procéder à l'ablation de la glande pinéale chez les moineaux, ou du noyau suprachiasmatique chez les rats : on a ainsi obtenu, à conditions constantes, un abaissement du rythme biologique.

DMB

L'ORIENTATION ET LA MIGRATION

Retrouver son chemin à l'approche du territoire... Les guêpes fouisseuses se souviennent des repères sur leur territoire... Des boussoles magnétiques et des compas solaires chez les animaux... L'« inversion de route » chez les insectes... Pourquoi les animaux migrent-ils ?... Les stratégies de migration... Les migrations éruptives des oiseaux... Du « carburant » pour la migration... L'époque de la migration... La navigation pendant la migration... Les repères magnétiques, célestes et solaires... Les animaux migrateurs qui battent des records — criquets pèlerins, sternes, fauvettes, anguilles et baleines... Les mœurs migratoires chez les oiseaux de proie...

ON considère souvent que l'aptitude des animaux à s'orienter est liée à leurs mœurs migratoires. Ainsi, un petit oiseau comme le pouillot fitis, qui se reproduit dans le centre de l'Angleterre, quitte à l'automne son territoire, pour revenir exactement au même endroit au printemps suivant. Entre-temps, cet oiseau aura parcouru un peu plus du quart du tour de la terre pour ne pas subir les rigueurs de l'hiver anglais. Il est donc évident que cet oiseau est pourvu de mécanismes d'orientation suffisamment sophistiqués pour lui permettre d'effectuer son voyage puis de revenir à son point de départ. Pourtant, si l'on étudie de plus près les connaissances acquises concernant les moyens d'orientation chez les animaux, on s'aperçoit que beaucoup d'animaux non migrateurs — comme les fourmis et les abeilles, les poissons et les grenouilles, les oiseaux sédentaires et les petits mammifères —, disposent de moyens d'orientation très évolués. Au-delà des nécessités de la migration ces capacités d'orientation se sont donc avant tout développées pour permettre à un animal de se déplacer avec rapidité et sans risque de s'égarer, d'un endroit à un autre de son territoire.

Le moyen d'orientation le plus simple dont dispose un animal pour se déplacer en territoire connu consiste à apprendre la topographie des lieux. Niko Tinbergen inventa une expérience qui permet de démontrer le rôle déterminant de la mémorisation des repères sur le terrain pour l'orientation chez les guêpes fouisseuses *(Philanthus triangulus)*. Pendant que la femelle est dans son nid, on dispose des pommes de pin en cercle autour de l'entrée du nid. Lorsqu'elle sort du nid, on voit alors cette femelle se mettre à tourner autour de l'endroit, de façon à bien enregistrer la disposition des lieux ; ensuite seulement, la guêpe part butiner. Si l'on profite de son absence pour écarter les pommes de pin de l'entrée de son nid, au retour, la guêpe commence à chercher l'entrée du nid au centre du nouveau cercle formé par les pommes de pin, au lieu de gagner directement l'accès du nid. Mais la mémorisation ne se limite pas aux repères visuels du terrain, et l'on peut recommencer cette expérience avec d'autres caractéristiques que l'animal est susceptible de garder en mémoire comme les odeurs qui jouent un rôle très important en ce domaine.

La précision du repérage du territoire par l'animal est tributaire du nombre de repères que celui-ci est capable d'utiliser, et ce nombre augmente de pair avec le rayon du territoire familier de l'animal. Rien d'étonnant, dès lors, à ce que d'autres mécanismes d'orientation, ou « boussoles », se soient développés de façon à permettre l'orientation même dans le périmètre d'un territoire restreint.

La « boussole » interne de l'animal lui indique les grandes directions géographiques — l'équivalent, pour nous, des quatre points cardinaux : le nord, le sud, l'est et l'ouest. Les deux grands systèmes qui jouent un rôle dans l'orientation chez les animaux sont la « boussole » magnétique et le « compas » solaire. L'existence d'un système de « boussole » magnétique a été vérifiée chez de nombreux animaux, surtout les vertébrés. Il s'agit d'un mécanisme assez rudimentaire, par lequel l'animal est capable de détecter le champ magnétique de la Terre et ainsi, de trouver les grandes directions. Quant au système d'orientation par un « compas » solaire, il a pu être étudié de façon approfondie chez de nombreux arthropodes (crustacés, araignées et insectes), ainsi que chez des poissons, des amphibiens et des oiseaux. Ce système fait appel à des mécanismes plus sophistiqués, dont une horloge interne permettant de compenser le déplacement du soleil dans sa course diurne. Les études effectuées sur les abeilles mellifères et les pigeons montrent que c'est par l'expérience que l'animal apprend à effectuer cette compensation. De jeunes pigeons qui n'ont encore vu le soleil que dans sa course descendante, l'après-midi, se montrent incapables d'utiliser leur « compas » solaire le matin. Pour compenser cette lacune, ils doivent alors s'en remettre à leur « boussole » magnétique.

Le fait de disposer d'une « boussole » interne indiquant les directions géographiques offre à l'animal des moyens d'orientation supplémentaires. En effet, l'animal peut ainsi garder en mémoire la direction qu'il a prise en partant de son territoire d'origine, et il lui suffit de faire un tour complet sur lui-même (comme l'aiguille de la boussole sur son axe) pour trouver la direction inverse et le chemin du retour. Cette stratégie, appelée

▼ **Une expérience classique :** l'expérience de Tinbergen sur l'orientation et le déplacement chez les guêpes fouisseuses. Des pommes de pin sont disposées autour de l'entrée du nid souterrain. **(1)** Avant de quitter le nid, la guêpe fait le tour du secteur en volant, de façon à mémoriser la position des grands points de repère. **(2)** Avant le retour de la guêpe, on déplace les pommes de pin, si bien que lorsqu'elle revient, elle se dirige directement vers le centre du cercle de pommes de pin, au lieu d'aller vers l'entrée de son nid.

▶ **Le plus grand migrateur du monde.** Chaque année, la sterne paradis, ou sterne arctique *(Sterna paradisaea)* effectue sa migration de l'Arctique à l'Antarctique et retour — soit une distance de quelque 36 000 km.

l'« inversion de route », est utilisée par beaucoup d'arthropodes, comme les abeilles et les fourmis, et il semble qu'elle joue également un rôle important dans l'orientation chez les jeunes pigeons voyageurs. Mais il existe une stratégie plus efficace encore. Elle consiste à combiner l'orientation au moyen de la boussole et la mémorisation des repères sur le terrain. L'animal se constitue ainsi une « carte » du terrain, avec ses points cardinaux, dans le périmètre de son territoire. Ici, le parcours entre le point de départ et le but visé n'est plus une simple succession d'endroits familiers : se remémorant les positions de différents points de repère entre eux et par rapport au point de départ, l'animal est plus libre de ses déplacements entre le nid et les sites de butinage, ainsi que pour aller d'un site à un autre.

L'image de la distribution des repères familiers dans le périmètre du territoire constitue une sorte de « relevé topographique »

très utile à la navigation chez les pigeons voyageurs à l'approche du territoire d'origine. D'autres éléments peuvent venir compléter cette « carte », permettant à l'oiseau de disposer ainsi d'une véritable « carte de navigation », grâce à laquelle, procédant par extrapolation, il sera à même de déduire la direction de son but à partir des caractéristiques du lieu et ce, même en territoire inconnu.

De nombreux groupes d'animaux ont acquis, au fil de l'évolution, des mœurs migratoires. Par leur vitesse de déplacement, les animaux volants et les espèces nageuses sont les détenteurs de record en matière de migration, mais on observe aussi d'impressionnants mouvements migratoires chez certains petits animaux terrestres, comme les grenouilles et les tritons, ainsi que chez les mammifères comme les buffles du « Far West » américain, les zèbres, les gnous ou les antilopes de la savane africaine.

Les migrations s'expliquent de mille et une façons, mais le plus souvent, il s'agit de fuir des conditions de vie trop difficiles, pour rejoindre un territoire où ces conditions seront plus favorables. La surpopulation, responsable d'une insuffisance des ressources vitales, est une des grandes raisons des migrations de masse, celles-ci étant souvent sans retour. Les exemples les plus spectaculaires sont à cet égard les migrations des lemmings et des immenses nuées de criquets migrateurs, qui anéantissent les récoltes sur leur passage. Les migrations soudaines (dites « éruptives »), de certaines espèces d'oiseaux, comme les mésangeais imitateurs, les casse-noix et les jaseurs sont, elles aussi, provoquées par la surpopulation.

Chez de nombreuses espèces du continent australien, on observe également des phénomènes de migrations irrégulières. Sur ce continent, en effet, des conditions climatiques capricieuses, avec des pluies rares et sporadiques, contraignent les oiseaux du désert, les diamants mandarins par exemple ou les perruches ondulées, à mener une vie errante jusqu'à ce qu'ils trouvent une région où les pluies amènent une reprise de la végétation. Dans

Les plus grands migrateurs

Les distances parcourues par les différentes espèces animales sont difficilement comparables. Le crabe *Ericheir sinensis,* qui parcourt 500 km de l'embouchure de l'Elbe jusqu'à Prague, réalise-t-il un exploit, comparé aux 200 km qu'effectue une minuscule araignée sur sa toile ? Une chose est sûre : les insectes détiennent les records de distance chez les invertébrés. Les criquets du désert, grégaires, comme l'espèce *Schistocerca gregaria,* allant de la péninsule d'Arabie à la Mauritanie, parcourent plus de 5 000 km en moins de deux

mois. De même, certains papillons effectuent des migrations régulières — c'est le cas du monarque, qui quitte le Canada vers la fin de l'été pour gagner le Mexique.

Chez les vertébrés, les champions des migrations longue distance sont les oiseaux, les poissons et les baleines. Les larves de l'anguille européenne mettent trois ans pour effectuer leur migration entre la mer des Sargasses et les cours d'eau de l'Europe. Certaines espèces de saumons migrent en haute mer dans l'Atlantique ou les régions indo-pacifiques avant de

remonter les fleuves, après plusieurs années, en vue de la reproduction.

Mais ce sont les oiseaux migrateurs qui parcourent les plus grandes distances. Un des exemples les plus spectaculaires est celui de la migration effectuée par les sternes arctiques, qui se reproduisent sur les côtes de l'Arctique. La population nord-canadienne migre vers le sud-est : elle traverse l'Atlantique Nord, puis met le cap vers le sud, longeant les côtes d'Europe et d'Afrique. Beaucoup d'oiseaux passent l'hiver en Afrique du Sud ou retraversent l'Atlantique pour

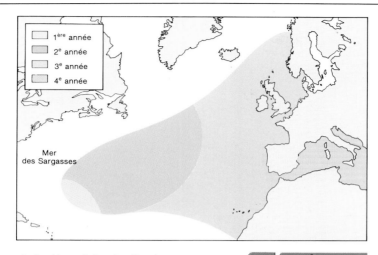

▲ **Les étapes de la migration** des larves (leptocéphales) de l'anguille européenne, à partir de la mer des Sargasses, où elles parviennent à éclosion en mars de la 1ère année. Les années suivantes, ces larves traversent l'Atlantique, pour gagner le littoral de l'Europe occidentale la 3e année, et celui de la Méditerranée la 4e année.

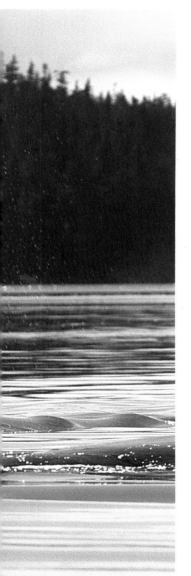

◀ **Le jet de l'évent des jubartes** *(Megaptera novaeangliae),* qui passent l'été dans le nord pour s'y procurer leur nourriture, avant de migrer vers le sud en vue de la reproduction. Sur notre photo, Glacier Bay, en Alaska.

▼ **L'itinéraire des migrations** des jubartes.

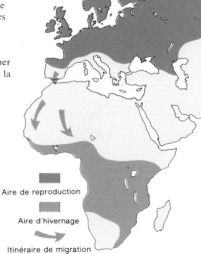

Aire de reproduction

Aire d'hivernage

Itinéraire de migration

▲ **Les itinéraires de migration** des fauvettes des jardins : celles qui sont originaires d'Europe centrale passent par l'Espagne.

aller passer l'hiver sur les côtes de la Terre de Feu ; d'autres poursuivent leur voyage pour gagner le littoral antarctique, et ils peuvent faire le tour du continent antarctique avant d'entreprendre le retour vers leurs aires de reproduction dans les régions septentrionales. La traversée océanique des populations de l'ouest de l'Alaska, chez les barges rousses, qui passent l'hiver nordique sur les côtes d'Australie et de Nouvelle-Zélande, n'est pas moins impressionnante. Beaucoup de petits passereaux, comme le pouillot fitis, dont le poids ne dépasse guère 7 g et qui migre du nord de la Scandinavie vers le sud de l'Afrique, parcourent, deux fois l'an, plusieurs milliers de kilomètres. Ces oiseaux effectuent généralement leur vol de migration au-dessus des terres, et ils peuvent ainsi faire des escales. Toutefois, en Amérique du Nord, certaines espèces, comme la fauvette rayée, quittent les côtes à Cape Cod et gagnent le sud des Caraïbes, pour rejoindre ensuite le littoral sud-américain, après trois ou quatre jours passés en pleine mer, au-dessus de l'Atlantique : durant ce voyage, ces oiseaux bénéficient d'un fort vent arrière.

▼ **Les itinéraires de migration** des sternes arctiques. Elles passent, l'hiver, au large de l'Afrique du Sud ou de l'Amérique du Sud ; ou font le tour de l'Antarctique avant de regagner le Canada.

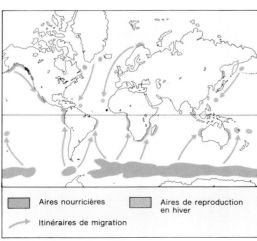

Aires nourricières

Aires de reproduction en hiver

Itinéraire de migration

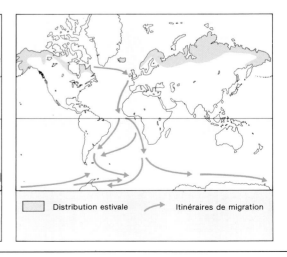

Distribution estivale

Itinéraires de migration

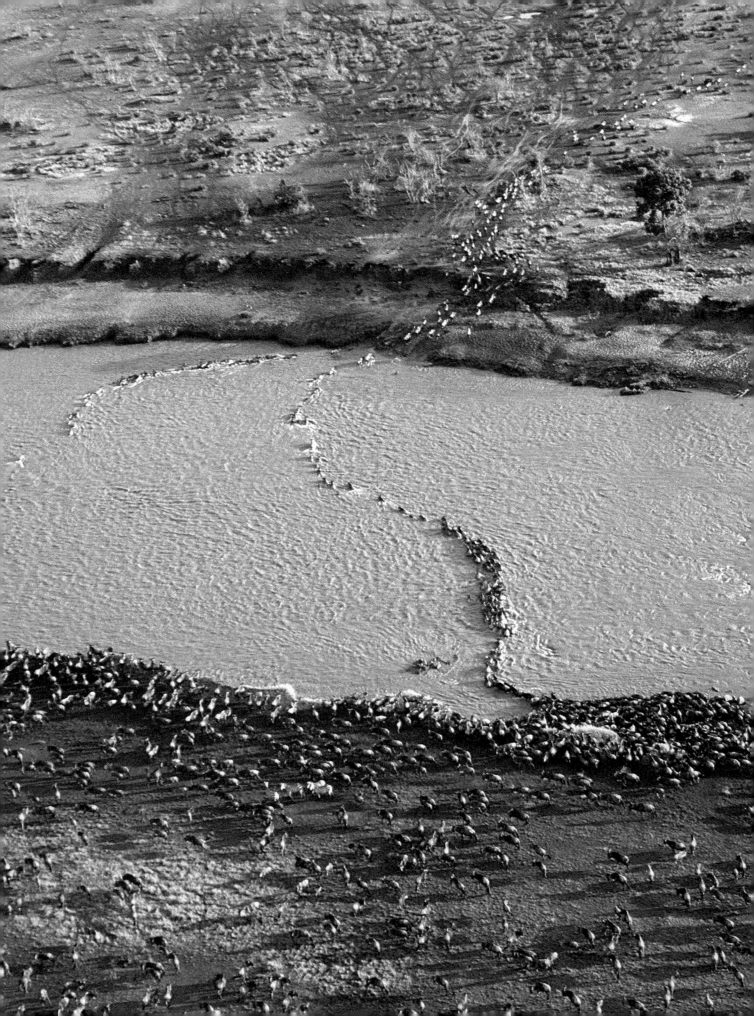

ce cas, ces oiseaux deviennent temporairement sédentaires, et ils en profitent pour se reproduire.

Les mouvements migratoires sont souvent associés à la reproduction. Chez de nombreuses espèces animales, le développement des œufs et des jeunes nécessite des conditions environnementales particulières et qui ne sont pas celles du milieu dans lequel les adultes vivent et trouvent leur nourriture. Citons par exemple la migration des amphibiens terrestres en vue du frai. Au printemps de chaque année, les grenouilles, les salamandres et autres amphibiens regagnent leurs étangs et leurs cours d'eau d'origine. Les baleines, quant à elles, qui trouvent leur nourriture dans les mers froides de l'Arctique et de l'Antarctique, migrent vers les eaux chaudes des régions équatoriales pour y donner naissance à leurs baleineaux. Beaucoup de petits poissons, qui se nourrissent du plancton des eaux chaudes des lacs, doivent migrer dans les cours d'eau qui se jettent dans ces lacs pour y frayer, car leurs œufs et leurs larves ont besoin de beaucoup d'oxygène. Les migrations spectaculaires des différentes espèces de saumons s'expliquent de la même façon. Leurs progénitures font leur croissance dans les eaux douces riches en oxygène, puis les jeunes adultes gagnent la mer pour y trouver leur nourriture et, plusieurs années plus tard, ayant atteint la maturité, ils rejoignent leur cours d'eau natal pour frayer.

Le processus de la migration chez les anguilles reste encore assez mal connu. Les adultes quittent l'océan pour aller chercher leur nourriture en eau douce, puis, vers la fin de leur vie, une grande migration les mène vers la mer des Sargasses, où ils se reproduisent.

Dans la majorité des cas, les mouvements migratoires sont déclenchés par les changements de climat saisonniers. Les animaux migrent afin de fuir des conditions de vie devenues difficiles ou pour pouvoir bénéficier d'une nourriture disponible seulement à certaines époques de l'année. De nombreux mammifères, par exemple, passent l'été dans les montagnes, pour redescendre en hiver dans la plaine. Dans les régions où il existe une alternance de saisons humides et de saisons sèches, les animaux recherchent les secteurs offrant les meilleures ressources de nourriture. Mais les phénomènes les plus remarquables sont encore les migrations annuelles de beaucoup d'espèces d'oiseaux et de quelques espèces de papillons qui vivent sous les latitudes élevées et migrent pour fuir les conditions hivernales trop rigoureuses dans ces régions.

La distance de la migration est souvent déterminée par les besoins alimentaires. Par exemple, des oiseaux exclusivement insectivores peuvent se trouver contraints de quitter une région — même s'il n'y gèle pas en hiver —, car il n'y a plus, alors, de nourriture. En revanche, les granivores, espèces qui se nourrissent de graines, migrent généralement sur des distances plus courtes, pour aller passer l'hiver un peu plus au nord. Cependant, si l'hiver est particulièrement rigoureux, avec un enneigement important, ces oiseaux peuvent poursuivre leur migration beaucoup plus loin. Outre le problème de la nourriture, la durée de l'ensoleillement, période durant laquelle un oiseau est actif dans la journée, devient un facteur important qui contraint les oiseaux vivant sous les latitudes élevées à migrer vers le sud.

Des mœurs différentes, en matière d'alimentation ou de déplacement en vol, ont amené le développement de stratégies migratoires différentes. Ainsi, les grands oiseaux qui planent dans les airs migrent uniquement de jour, mettant ainsi à profit les

◀ **La traversée d'un fleuve.** Rien ne peut arrêter les gnous gorgons *(Connochaetes taurinus),* lors de leur migration annuelle.

courants ascendants provoqués par le réchauffement de l'air au-dessus des terres. C'est pourquoi on voit souvent ces oiseaux évoluer en grand nombre le long des lignes de crête des chaînes de montagne, où les courants ascendants abondent, ou encore, au-dessus des isthmes. Les sommets de la Hawk Mountain (« la montagne aux Faucons ») dans l'État américain de Pennsylvanie, ainsi que le détroit de Gibraltar, dans le sud de l'Espagne, sont d'excellents points d'observation pour les migrations de faucons. Les oiseaux qui se nourrissent d'insectes volants, comme les hirondelles et les martinets, sont eux aussi des oiseaux migrateurs de jour, et ils se procurent leur nourriture au fil de leur migration. La plupart des oiseaux qui se déplacent en grandes volées, comme nombre d'espèces d'oiseaux aquatiques, et plusieurs espèces granivores de fringilles, migrent également durant les heures du jour. En revanche, la majorité des petits passereaux migrent de nuit. Cette stratégie a un immense avantage : à l'époque de l'année où la nuit est longue, ces oiseaux peuvent passer des heures d'ensoleillement à rechercher leur nourriture dans les endroits inconnus où ils font étape durant leur migration. De plus, la nuit, les températures sont plus basses et les vents généralement plus calmes, ce qui rend plus favorables les conditions du vol migratoire.

Certaines espèces d'oiseaux parcourent des distances considérables lors de leur migration, et pourtant, ils parviennent à se procurer assez d'énergie pour leur périple et ils traversent même des mers et des déserts où il est impossible de se procurer de la nourriture de façon régulière. En fait, la physiologie des oiseaux est adaptée pour surmonter ces problèmes. Avant d'entreprendre leur migration, les représentants de la plupart des espèces accumulent des réserves de graisses qui servent de « carburant » à la migration. Certains petits passereaux doublent carrément leur poids avant de partir. Dans tous les cas, le volume des graisses accumulées est bien adapté à la distance à parcourir. Il faut savoir que la graisse a pour avantage de produire beaucoup plus d'énergie par gramme que n'importe quelle autre substance. Contrairement aux mammifères, les oiseaux peuvent convertir ces graisses directement en énergie, en dioxyde de carbone et en eau, et cette eau peut devenir temporairement la seule source hydrique pour un oiseau migrateur qui traverse des régions hostiles.

La détermination de l'époque de la migration est un phénomène complexe faisant intervenir une combinaison de facteurs externes et internes. Les rythmes du comportement (voir p. 44) sont synchronisés avec les saisons par la variation de la durée du jour. Ensemble, ces facteurs contrôlent le comportement migra-

◄ **Voir dans le noir...** Certains animaux qui vivent dans l'obscurité ou sont de mœurs exclusivement nocturnes ont dû se doter d'yeux extrêmement sensibles à la moindre lumière ou ont dû développer leurs autres sens au fil de l'évolution, en faisant appel, par exemple, à un système d'écholocation. Ce système consiste, pour l'animal, à émettre des sons et à analyser ensuite l'écho de ces sons, afin d'obtenir des informations sur la distance, la taille et les déplacements des objets qui se trouvent dans les environs. Deux espèces d'oiseaux cavernicoles, dont le guacharo (*Steatornis caripensis*, à gauche) ont un système d'écholocation, mais il est peu efficace. Seules les baleines et les chauves-souris du sous-ordre Microchiroptera se sont dotées de systèmes sonar extrêmement sophistiqués et très efficaces, opérant à des fréquences trop élevées pour que l'oreille humaine puisse les capter.

► **Ces civelles transparentes** viennent de terminer leur migration en provenance de la mer des Sargasses, et elles s'apprêtent à remonter les cours d'eau d'Europe, où elles grandiront.

▼ **Expériences de déplacement sur des étourneaux.** Des oiseaux migrant dans une direction légèrement au sud de la direction normale, à l'ouest, ont été capturés à La Haye, aux Pays-Bas, et remis en liberté en Suisse. (1) Les jeunes oiseaux qui n'avaient encore jamais migré reprirent leur vol dans l'ancienne direction, gagnant ainsi une aire d'hivernage erronée. (2) Les adultes, en revanche, effectuèrent une correction de cap vers le nord-ouest, ce qui leur permit de regagner leurs aires d'hivernage traditionnelles.

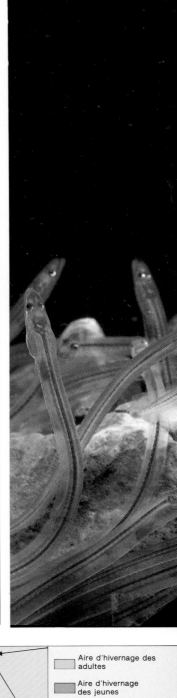

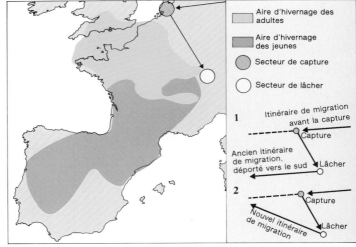

	Aire d'hivernage des adultes
	Aire d'hivernage des jeunes
	Secteur de capture
	Secteur de lâcher

1   Itinéraire de migration avant la capture

Ancien itinéraire de migration, déporté vers le sud

2

Capture

Lâcher

Capture

Lâcher

Nouvel itinéraire de migration

informations concernant la direction à prendre. Les expériences de déplacement à grande échelle révèlent des différences fondamentales entre les oiseaux adultes et les jeunes qui migrent pour la première fois. Tandis que les adultes parviennent à compenser le déplacement et à regagner ainsi leurs quartiers d'hiver traditionnels, les jeunes, eux, gardent le cap jusqu'à ce qu'ils atteignent de nouveaux quartiers d'hiver, décalés parallèlement au secteur traditionnel. De fait, les oiseaux adultes connaissant bien leur destination, ils mettent le cap sur elle. Les jeunes, en revanche, ignorent tout de cette destination : pour connaître la distance et la direction de leur premier voyage, ils s'en remettent aux informations programmées par l'héritage génétique.

Le mécanisme d'orientation « automatique » nécessite cependant des références externes. Différents mécanismes d'orientation existaient déjà chez les oiseaux sédentaires, de sorte que lorsque la première espèce commença à migrer, elle disposait d'un tel mécanisme. Dès lors la seule adaptation nécessaire pour permettre aux oiseaux de se diriger lors de leur migration était un couplage des informations génétiques programmant la direction, avec une « boussole » existant déjà. Et on sait en effet que les représentants de beaucoup d'espèces d'oiseaux ont recours à une « boussole » magnétique pour déterminer la direction de leur migration. Les expériences de laboratoire effectuées sur des oiseaux d'élevage, maintenus isolés de façon qu'ils ne puissent mémoriser des repères astronomiques, révèlent que le champ magnétique fournit, pour les informations directionnelles innées, un système de référence indépendant des autres types de repères et suffisant pour guider les jeunes oiseaux. Ces informations directionnelles n'ont pas besoin d'être constantes ; elles peuvent être modifiées par le rythme contrôlant la durée de la migration.

Outre le champ magnétique, beaucoup d'oiseaux migrateurs nocturnes mettent également à profit les paramètres astronomiques. On sait que la position des étoiles varie tout au long de l'année, mais aussi durant la nuit. C'est pourquoi les oiseaux remédient à ce problème en se fondant sur la position relative, constante, des étoiles, de façon à pouvoir en déduire la direction de la migration — de même que la Polaire, étoile de la constellation de la Petite Ourse, nous donne la direction du Nord, et ce, quelle que soit la position de cette étoile à un moment donné. Les expériences effectuées sur des ministres (ou bruants indigo) d'élevage, montrent que l'aptitude à la navigation astronomique est le fait d'un apprentissage, et que la base de référence est la rotation céleste : le « sud » est reconnu comme étant « éloigné du centre de rotation ». Ce type de « compas astronomique » fonctionne indépendamment de la « boussole » magnétique, et on le rencontre uniquement chez les oiseaux qui migrent à la faveur de la nuit. Les expériences font apparaître une corrélation extrêmement complexe entre les informations magnétiques et astronomiques, qui n'est pas encore totalement comprise.

Chez un jeune oiseau, l'orientation lors de la première migration ne saurait être fondée sur l'expérience. Par la suite, en revanche, toute migration signifie que l'oiseau retournera à un endroit où il a déjà séjourné. C'est ainsi que les oiseaux migrateurs adultes sont capables de trouver la direction de leur but — les sites de reproduction, les quartiers d'hiver et les « escales » où ils pourront se réapprovisionner durant le voyage —, grâce à des mécanismes basés sur leur « carte de navigation », du moins une fois qu'ils ont atteint la région voisine de leur destination. Dès lors, leur système d'orientation apparaît tout à fait comparable à celui des pigeons voyageurs, capables de regagner leur point de départ au terme d'un long périple.

WW

teur et amènent l'oiseau à se mettre en route au moment opportun. La distance de migration est elle aussi, en partie, contrôlée par ce calendrier interne : contrôlant la durée de la migration, celui-ci détermine la distance parcourue. C'est ainsi que l'oiseau gagne le site d'hibernation de son espèce. Mais la migration ne se termine pas nécessairement de façon aussi abrupte. L'oiseau peut en effet, encore explorer les environs pour trouver un habitat convenable où passer l'hiver.

La technique de navigation utilisée par les oiseaux lors de leur migration est un sujet tout à fait passionnant à étudier. Chaque année, beaucoup de jeunes oiseaux se doivent de rejoindre leurs quartiers d'hiver, qu'ils ne connaissent pas encore. Certaines espèces migrent en grandes volées et les adultes expérimentés peuvent ainsi guider les jeunes, les informations relatives au trajet de la migration et à l'emplacement des quartiers d'hiver étant transmises, au moins en partie, par la tradition. Toutefois, chez de nombreuses espèces, les oiseaux migrent individuellement, de sorte que chaque individu doit disposer de ses propres

Un transport longue distance

Les itinéraires de migration chez les oiseaux de proie

Pour des milliers d'amis des oiseaux, observer les rapaces en migration est devenu un passe-temps particulièrement prisé et relativement facile d'accès. Certaines espèces ont en effet des trajets de migration bien définis, avec des points de rassemblement où l'on peut observer le passage, à flots continus, des grandes nuées d'oiseaux.

Pratiquement toutes les espèces de rapaces qui ont été étudiées présentent une forme ou une autre de mouvement migratoire dans au moins une partie de leur aire de distribution. Les plus grands voyageurs sont les oiseaux qui effectuent régulièrement la navette entre l'est de la Sibérie et le sud de l'Afrique (par exemple, les faucons kobez, ou faucons à pattes rouges, des régions orientales), ou entre les régions septentrionales de l'Amérique du Nord et les régions méridionales de l'Amérique du Sud (les faucons pèlerins, par exemple) qui se reproduisent dans la toundra). Dans ces conditions, même sur les trajets les plus courts, la distance parcourue par certains spécimens lors de leur migration annuelle dépasse quelque 30 000 km. Les faucons kobez des régions occidentales couvrent des distances à peu près aussi longues et c'est également le cas des faucons crécerellettes et des buses des steppes qui effectuent le voyage entre l'ouest de la Sibérie et l'Afrique du Sud, ainsi que des buses de Swainson, qui font la navette entre l'Alaska et l'Argentine. D'autres espèces effectuent de grandes traversées transatlantiques, comme par exemple les faucons kobez des régions orientales, qui vont de l'Inde à l'Afrique du Sud, et les éperviers à pieds courts, que leur migration mène du Japon aux Antilles. Les représentants de nombre d'espèces qui migrent entre l'Eurasie et l'Afrique tropicale effectuent également de longues traversées du désert.

Chez tous les rapaces, la migration s'effectue de jour. En revanche, si certains se déplacent en battant activement des ailes, d'autres progressent en vol plané. Le premier groupe comprend les rapaces à ailes étroites, comme les faucons et les busards. Ces oiseaux consacrent à la migration une part importante de leur énergie, mais ils peuvent facilement traverser les étendues d'eau, ce qui leur permet d'effectuer leur migration d'une seule traite. Le second groupe, ceux qui se déplacent en vol plané, comprend les rapaces pourvus d'ailes larges, comme les aigles et les buses. Chez ces oiseaux, la migration est moins coûteuse en terme d'énergie, mais étant tributaires des courants ascendants, ils sont contraints d'effectuer au-dessus de la terre ferme la plus grande partie de leur voyage. En l'absence de courants ascendants comme ceux qui se forment au-dessus des chaînes de montagnes, ces rapaces ne peuvent voler qu'aux heures chaudes de la journée, lorsque les courants thermiques sont très favorables. On trouve enfin, dans une catégorie intermédiaire, les vautours et les éperviers, qui mettent à profit les courants ascendants lorsque c'est possible, mais ne s'en remettent pas systématiquement à eux. Ces oiseaux sont l'exemple même des oiseaux dont le trajet de la migration suit un parcours très précis. Chaque année, sur leur trajet entre l'Europe et l'Afrique, des milliers de rapaces, se déplaçant en vol plané, contournent la Méditerranée via le détroit de Gibraltar à l'ouest, ou via le Bosphore et les Dardanelles à l'est. Dans ces secteurs, les rapaces forment un flux migratoire très dense et qui fait le bonheur des observateurs d'oiseaux postés là.

Plus à l'est, les grands rapaces empruntent un autre itinéraire pour gagner l'Afrique, qui passe entre la mer Caspienne et la mer Noire, rejoint le Bosphore au niveau du littoral oriental de la Méditerranée, avant de passer en Afrique via Suez. De très

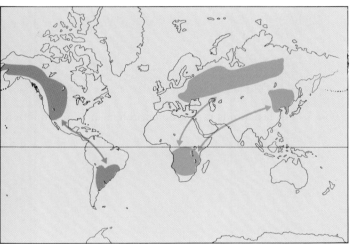

◄ ▲ **Deux oiseaux de proie
migrateurs.** A gauche, une buse de
Swainson *(Buteo swainsonii)* ; en
haut, un faucon kobez *(Falco
vespertinus).*

 Buse de Swainson

Faucon kobez

▲ **Les itinéraires de migration** de
la buse de Swainson et du faucon
kobez : ces deux espèces évitent les
longues traversées en mer.

nombreux oiseaux empruntent cet itinéraire : des statistiques
récentes ont en effet permis d'évaluer à quelque 380 000 le
nombre de rapaces, représentant 28 espèces, passés par l'extrémité orientale de la mer Noire entre le 17 août et le 10 octobre.
La grande majorité était des buses des steppes (205 000) et des
bondrées apivores (138 000). Ce chiffre supporte donc largement
la comparaison avec les chiffres maximaux enregistrés plusieurs
automnes de suite à Gibraltar et dans le Bosphore, qui s'élevaient
respectivement à environ 194 000 et 77 000 rapaces de toutes
espèces. Il existe, semble-t-il, un quatrième itinéraire, qui part
d'Asie, traverse l'Arabie et pénètre en Afrique via la pointe
méridionale de la mer Rouge, mais on ignore le nombre de
rapaces qui l'empruntent. Enfin, un cinquième itinéraire descend
la botte italienne, puis passe par la Sicile et Malte pour aller
rejoindre l'Afrique du Nord. Au retour de la migration, au
printemps, pas moins de 605 000 rapaces, représentant une
trentaine d'espèces, ont été recensés à la pointe septentrionale de
la mer Rouge, en Israël. Plus au nord, ce courant migratoire se
dissocie en plusieurs petits courants, dont ceux du Bosphore et
de la mer Noire.

Des itinéraires de migration moins importants existent en
Amérique du Nord où, à la différence des grands massifs
montagneux du continent européen, les principales chaînes de
montagnes sont orientées sur l'axe nord-sud. Se heurtant aux
crêtes montagneuses, les vents donnent naissance à des courants
ascendants, qui permettent aux rapaces de se déplacer facilement
en vol plané. C'est pourquoi l'on observe les principaux courants
migratoires le long des Montagnes Rocheuses à l'ouest, et des
Appalaches à l'est. Des courants migratoires existent également
autour des Grands Lacs, ainsi que le long de plusieurs péninsules
côtières, comme celle de Cap May, dans l'État du New Jersey.
Le point d'observation de Hawk Mountain, dans la chaîne des
Appalaches (Pennsylvanie) est particulièrement renommé. Chaque année depuis 40 ans, on recense, à l'automne, entre 10 000
et 20 000 rapaces de 15 espèces différentes. Pour gagner l'Amérique du Sud, les principaux itinéraires descendent par la péninsule de Floride, puis ils passent par les Antilles avant de rejoindre
le continent sud-américain, mais certains préfèrent passer par
l'Amérique centrale via le canal de Panama.

LA NAVIGATION ET LE RETOUR AU GÎTE

L'aptitude à la navigation chez le puffin manx... Les albatros de Laysan... Les odeurs et la migration chez les saumons... Cartes et boussoles... Utiliser le soleil et le champ magnétique terrestre... Le retour au pigeonnier...

UN après-midi d'automne, aux États-Unis, un observateur voit passer une nuée sans fin de monarques (des papillons). Puis, à la nuit tombée, le ciel est envahi par les oiseaux migrateurs en route vers les régions où ils passeront l'hiver. Dans le même temps, ce sont certaines espèces de saumons et de truites qui commencent leur migration : ils reviennent de la haute mer pour rejoindre les cours d'eau en vue du frai. Tous ces exemples sont des mouvements de migration.

Un des exemples les plus fameux des aptitudes extraordinaires à la navigation chez certains animaux est celui d'un spécimen de puffin manx : capturé dans son nid au large des côtes du pays de Galles, ce palmipède fut emmené par avion jusqu'à Boston, dans le Massachusetts. Remis en liberté, l'oiseau ne tarda pas à regagner son nid par la voie des airs ; on l'y retrouva 12 jours plus tard. De la même façon, sur sept pétrels cul-blanc remis en liberté en Angleterre, deux regagnèrent leurs nids sur l'île de Kent, au large des côtes du Maine. Ils effectuèrent cette traversée de plus de 4 800 km en moins de deux semaines... Mais plus spectaculaire encore est le cas de ces albatros de Laysan qui parvinrent à rejoindre leurs nids sur l'île de Midway, dans le centre du Pacifique après avoir parcouru des distances de 4 800 à 6 500 km. De telles performances sont de véritables exploits qui exigent de l'animal un effort considérable : car il lui faut non seulement parcourir en vol des distances extrêmement grandes, mais également atteindre un endroit très précis — on imagine bien que l'île de Midway est un objectif on ne peut plus ténu pour un animal qui doit l'atteindre depuis une distance de quelque 6 500 km...

Comment font-ils ? Quelles sont les informations qui permettent à ces animaux de trouver leur chemin ? Pour le saumon qui doit regagner son gîte, l'odeur est un élément important : si l'on intercepte un saumon au moment où il remonte un cours d'eau pour le ramener vers l'embouchure de ce cours d'eau, en aval d'une bifurcation, ce poisson saura, dans pratiquement 100 % des cas, choisir le bras de ce cours d'eau qui le ramènera à son gîte. Mais si l'on obstrue ses narines avec de la cire, le poisson choisira au hasard l'une ou l'autre des deux branches du cours d'eau.

Toutefois, les saumons ne s'en remettent sans doute pas uniquement à leur odorat pour retrouver leur gîte. En l'état actuel des connaissances, on ne sait pas comment ils s'y prennent, mais il semble certain que, comme les autres animaux capables de « naviguer », les saumons ne disposent pas seulement d'une simple « boussole ».

Pour un animal qui fait le voyage entre ses quartiers d'hiver en Amérique du Sud, et son site de reproduction en Amérique du Nord, on peut penser qu'une « boussole » suffira. Dans ce cas en effet, l'oiseau n'a qu'à voler en direction du nord au printemps et du sud à l'automne. Cependant, de nombreux oiseaux regagnent exactement l'endroit où ils ont nidifié ou passé l'hiver précédent et ce, malgré les vents contraires, les tempêtes et autres aléas qui perturbent leur voyage. Les albatros de Laysan, par exemple, disposent à l'évidence d'un système leur permettant de connaître la direction à prendre pour regagner leur gîte car une « boussole » ne suffirait pas. C'est pourquoi l'on dit des animaux (et ils sont nombreux) capables de retrouver leur gîte, qu'ils naviguent grâce à une « carte » dont ils sont pourvus. Théoriquement, une simple « carte » suffirait à l'animal pour retrouver

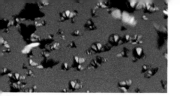

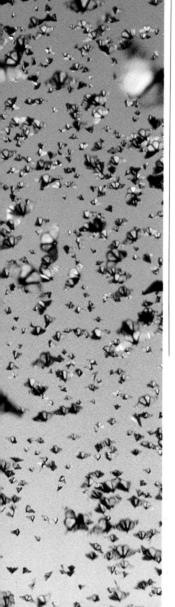

◀ ▲ **Des papillons en l'air...** Les monarques sont de tous les insectes migrateurs, ceux qui effectuent les plus grandes migrations. Ils quittent le Canada à la fin de l'été, pour gagner le Mexique, où ils passent l'hiver en formant des nuées impressionnantes. Ci-dessus, le spectacle que l'on peut observer dans certaines vallées de la Sierra Madre.

▼ **Le champ magnétique terrestre.** La longueur des flèches matérialise la force du champ, et leur direction, son inclinaison et sa polarité. La tête des flèches représente l'extrémité qui indique le nord sur l'aiguille d'une boussole. Voir le texte à droite pour les explications complémentaires.

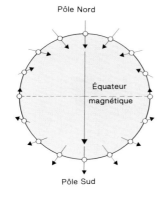

Pôle Nord

Équateur
magnétique

Pôle Sud

son chemin. Mais l'expérience montre que généralement cette « carte » lui indique seulement la direction à prendre. L'animal doit ensuite se servir de sa « boussole » pour suivre cette direction, que ce soit en l'air, dans l'eau ou sur la terre ferme. La « carte » dont est pourvu l'animal peut n'être que l'indication d'une direction à prendre — cet animal sachant ainsi par avance qu'il lui faut progresser dans la direction nord-ouest, par exemple.

On ignore à ce jour presque tout ce que peut être cette « carte ». Chez les hommes, les navigateurs se sont longtemps fondés sur la position du soleil pour déterminer leur position. De la même façon, en comparant la position du soleil au-dessus de l'endroit où l'on se trouve, à la position qu'il occupe à la même heure quand on est à la maison, on peut déterminer avec précision où l'on est. Dans le même ordre d'idées, si l'on se trouve dans l'hémisphère nord et qu'à midi le soleil est plus haut dans le ciel, on sait que l'on est actuellement au sud de son domicile. Un raisonnement assez similaire vaut pour la position des étoiles. Toutefois, en l'état actuel des connaissances, rien ne prouve que les animaux mettent à profit ce type de paramètres. C'est pourquoi la nature de la « carte » dont ils disposent reste mystérieuse.

On a souvent émis l'hypothèse que les animaux pouvaient disposer d'une « boussole » magnétique. Le mécanisme qui engendre le champ magnétique terrestre reste lui aussi assez mal connu, mais pour l'illustrer, on peut comparer ce mécanisme à une barre d'aimant géant qui traverserait la Terre en son centre et dont les deux extrémités formeraient l'une le pôle sud, l'autre le pôle nord. Pour étudier le champ magnétique résultant, considérons que l'on utilise une boussole (voir le schéma, à gauche), dont l'aiguille serait libre de se déplacer sur tous les axes ainsi que sur le plan horizontal. Au pôle nord magnétique, l'aiguille aimantée pointerait droit vers le bas. Au pôle sud, en revanche, l'aiguille s'inverse et elle pointe droit vers le ciel. A l'équateur magnétique, c'est-à-dire sensiblement à mi-chemin entre les pôles magnétiques nord et sud, l'aiguille reste horizontale, chacune de ses deux extrémités étant dirigée vers un pôle. En revanche, entre le pôle et l'équateur, l'aiguille pointe vers le bas, formant un angle de plus en plus grand à mesure que l'on se rapproche du pôle. Mais, outre cette modification de l'angle, la force du champ magnétique varie elle aussi — celui-ci étant plus fort près des pôles et plus faible sur l'équateur. Cela signifie qu'un animal capable de mesurer l'angle du champ magnétique ou sa force, aurait ainsi une indication de la position où il se trouve sur l'axe nord-sud. Cet animal pourrait également se servir de la direction du champ comme d'une boussole, sauf sur les pôles nord ou sud, où le champ est vertical.

Les pôles nord et sud ne coïncident pas exactement avec les pôles géographiques. En effet, notre hypothétique barreau aimanté géant qui traverse le globe terrestre est excentré, et sa position dérive lentement. C'est pourquoi un animal qui connaîtrait à la fois la direction du nord géographique et celle du nord magnétique pourrait ainsi mesurer son déplacement vers l'est ou vers l'ouest, car l'angle formé entre les deux pôles varie à mesure que l'on se déplace vers l'est ou l'ouest.

A l'heure actuelle, rien ne prouve que les animaux utilisent le champ magnétique terrestre autrement que comme une « boussole » très rudimentaire. Mais il est intéressant de noter que ce champ magnétique terrestre est, en soi, générateur de paramètres relatifs à la position, autrement dit, une sorte de « carte » que l'animal pourrait exploiter. On ignore si tel est le cas, de sorte que les fondements sensoriels de la « navigation » chez les animaux restent une des grandes énigmes de comportement animal.

CWT

Le retour au pigeonnier

Les techniques de « navigation » chez les pigeons

Une bonne partie des recherches expérimentales concernant la « navigation » chez les oiseaux ont été effectuées sur des pigeons voyageurs. On sait que si l'on éloigne de son pigeonnier un pigeon voyageur, l'oiseau ne tardera pas à regagner son gîte d'origine quelles que soient la distance et la direction où il a été transplanté. Les chercheurs ont donc surtout étudié la technique du retour au pigeonnier, que l'on connaît maintenant de façon approfondie.

Il semble que les pigeons s'aident d'une « carte » et d'un « compas » comme les oiseaux migrateurs. En guise de « compas », ils se fient à la position du soleil, dont ils sont capables de compenser le déplacement entre le lever et le coucher. Lorsque le ciel est très couvert et que le soleil n'est pas visible, le pigeon se sert plutôt du champ magnétique terrestre comme d'une « boussole ». Pour mettre ces mécanismes en lumière, on enroule deux spires autour de la tête du pigeon et l'on fait circuler dans ces enroulements un faible courant électrique, de façon à modifier le champ magnétique. En inversant le sens du courant, on peut également inverser la polarité du champ magnétique. Si, sous un ciel couvert, on lâche le pigeon sans modifer le champ magnétique, ce pigeon regagne sans difficulté le pigeonnier. En revanche, si le champ magnétique produit par les spires est inversé, le pigeon prend souvent exactement la direction opposée à celle qu'il lui faudrait prendre pour revenir au pigeonnier, mais, par temps clair, cette inversion reste pratiquement sans effet.

A l'heure actuelle, la nature de la « carte » utilisée par le pigeon pour retrouver son gîte reste encore mal connue, et les chercheurs ont émis différentes hypothèses. Parmi les caractéristiques environnementales vraisemblablement utilisées par l'oiseau, il y a les repères familiers du terrain aux abords du gîte. Mais sachant qu'un pigeon est capable de retrouver son gîte même lorsqu'il est parti d'une région qui lui est inconnue, cela signifie que sa bonne connaissance du terrain ne l'aide que dans la dernière partie de son voyage.

La question est donc de savoir quelle technique utilise le pigeon, au départ, lorsqu'il se trouve dans une région très éloignée. On a longtemps pensé que les pigeons s'aidaient de la position du soleil, car c'est lui qui leur indiquait les grandes directions du « compas ». Mais les expériences effectuées se sont révélées négatives. De surcroît, l'expérience montre qu'un pigeon que l'on équipe d'une paire de lentilles de contact en verre dépoli, à travers lesquelles le soleil n'apparaît que sous la forme d'une tache très floue, est malgré tout capable de parvenir à une distance de moins d'un kilomètre de son gîte : à l'évidence, donc, l'oiseau a pu se rapprocher de son pigeonnier sans s'aider de la position du soleil ou des repères sur le terrain.

Selon une autre hypothèse, l'oiseau disposerait d'un système d'« inversion de route », qui, pour indiquer au pigeon où il se trouve par rapport à son gîte, récapitulerait très exactement l'itinéraire parcouru par le camion qui l'a éloigné de chez lui. Certaines expériences montrent que lorsqu'on les lâche, les pigeons tendent à repartir dans la direction inverse de celle empruntée par le camion à l'aller. Mais à coup sûr, le pigeon ne refait pas très exactement le trajet effectué par le camion. Des pigeons placés sous anesthésie durant le voyage aller se sont par ailleurs révélés capables de retrouver parfaitement le chemin du pigeonnier.

Selon une autre hypothèse, plus récente, les pigeons mettraient à profit les odeurs familières pour retrouver le pigeonnier. Ceux qui retiennent cette hypothèse estiment que le pigeon, dans son pigeonnier, mémorise les odeurs que le vent apporte de toutes les directions. Le pigeon peut de plus prélever des échantillons des odeurs sur le trajet qui mène à l'endroit où il sera remis en liberté,

et utiliser ensuite cette série d'odeurs un peu comme des balises qui lui permettront de retrouver son gîte. Par exemple, si l'on élève des pigeons dans un pigeonnier où le vent est détourné par de grands panneaux déflecteurs, on retrouve une déviation identique dans l'orientation de ces oiseaux au retour vers le pigeonnier. Toutefois, on s'aperçoit que si la déviation reste nette les jours de beau temps, l'animal retrouve en revanche son gîte par temps couvert, de sorte que l'hypothèse des odeurs n'explique pas tout, et elle reste controversée.

Plus controversée encore, l'hypothèse selon laquelle les pigeons pourraient utiliser le champ magnétique terrestre pour retrouver le chemin du gîte. Si on lâche des pigeons dans un secteur où le champ magnétique terrestre subit une distorsion due

à la présence d'importants gisements de pierre d'aimant (ou aimant naturel), ils se trouvent désorientés. Mais dès qu'ils ont rejoint un terrain avec un champ magnétique normal, ils mettent le cap sur leur gîte d'origine. Si l'on compare la précision avec laquelle le pigeon s'oriente, et les distorsions du champ magnétique, on constate que même les faibles distorsions suffisent à désorienter l'animal. Dès lors, on peut en déduire que les pigeons sont capables de réagir à des champs magnétiques extrêmement faibles — bien inférieurs à ceux nécessaires pour faire bouger l'aiguille d'une boussole magnétique. Il est donc possible que les champs magnétiques jouent un rôle dans la « carte » de navigation de l'animal.

Il convient enfin d'observer que l'univers sensoriel d'un pigeon voyageur est très différent de celui que nous connaissons. Alors

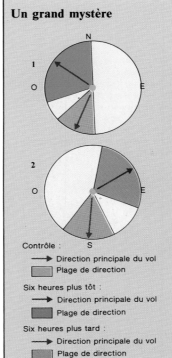

Un grand mystère

Contrôle :
→ Direction principale du vol
▨ Plage de direction

Six heures plus tôt :
→ Direction principale du vol
▨ Plage de direction

Six heures plus tard :
→ Direction principale du vol
▨ Plage de direction

◄ **Un compas solaire.** Étant capables de compenser le déplacement du soleil, les pigeons utilisent l'astre des jours comme un compas de navigation. Il est facile de le démontrer. Cette expérience consiste à placer les pigeons sous un éclairage artificiel de façon à faire commencer le jour avec 6 heures d'avance (**1**) ou 6 heures de retard (**2**) par rapport à l'heure normale. Remis en liberté au nord de leur pigeonnier, les pigeons mettent le cap sur l'est ou sur l'ouest, alors que ceux qui n'ont pas été soumis à l'éclairage artificiel prennent la direction du sud, ou à peu près.

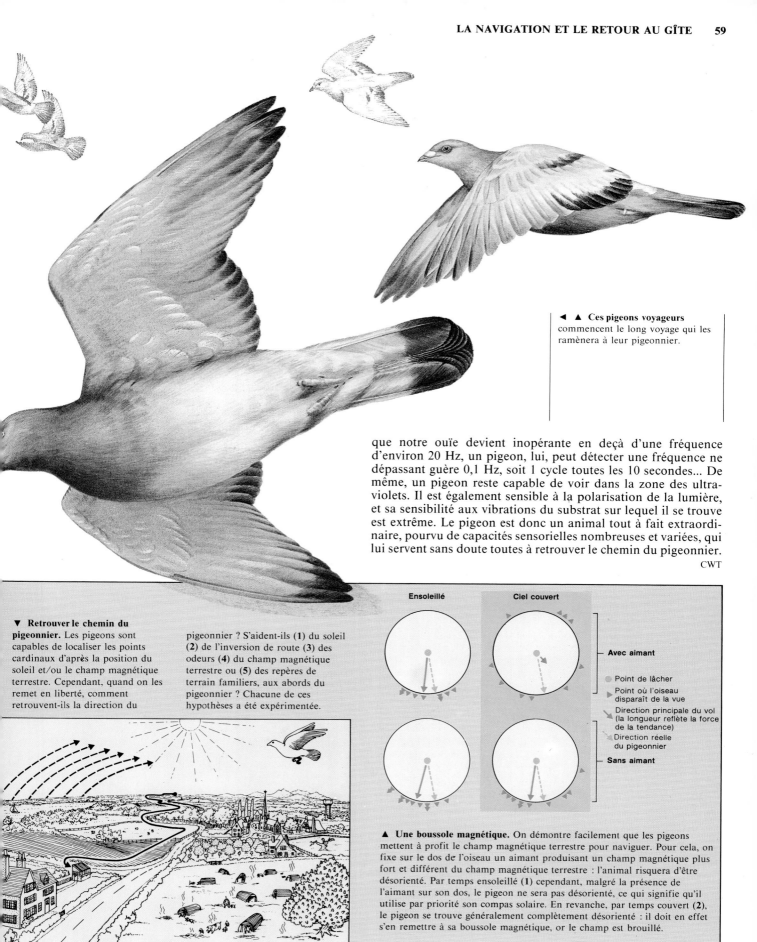

◀ ▲ **Ces pigeons voyageurs**
commencent le long voyage qui les
ramènera à leur pigeonnier.

que notre ouïe devient inopérante en deçà d'une fréquence
d'environ 20 Hz, un pigeon, lui, peut détecter une fréquence ne
dépassant guère 0,1 Hz, soit 1 cycle toutes les 10 secondes... De
même, un pigeon reste capable de voir dans la zone des ultraviolets. Il est également sensible à la polarisation de la lumière,
et sa sensibilité aux vibrations du substrat sur lequel il se trouve
est extrême. Le pigeon est donc un animal tout à fait extraordinaire, pourvu de capacités sensorielles nombreuses et variées, qui
lui servent sans doute toutes à retrouver le chemin du pigeonnier.

CWT

▼ **Retrouver le chemin du
pigeonnier.** Les pigeons sont
capables de localiser les points
cardinaux d'après la position du
soleil et/ou le champ magnétique
terrestre. Cependant, quand on les
remet en liberté, comment
retrouvent-ils la direction du
pigeonnier ? S'aident-ils (**1**) du soleil
(**2**) de l'inversion de route (**3**) des
odeurs (**4**) du champ magnétique
terrestre ou (**5**) des repères de
terrain familiers, aux abords du
pigeonnier ? Chacune de ces
hypothèses a été expérimentée.

Ensoleillé

Ciel couvert

Avec aimant

- Point de lâcher
- Point où l'oiseau
  disparaît de la vue
- Direction principale du vol
  (la longueur reflète la force
  de la tendance)
- Direction réelle
  du pigeonnier

Sans aimant

▲ **Une boussole magnétique.** On démontre facilement que les pigeons
mettent à profit le champ magnétique terrestre pour naviguer. Pour cela, on
fixe sur le dos de l'oiseau un aimant produisant un champ magnétique plus
fort et différent du champ magnétique terrestre : l'animal risquera d'être
désorienté. Par temps ensoleillé (**1**) cependant, malgré la présence de
l'aimant sur son dos, le pigeon ne sera pas désorienté, ce qui signifie qu'il
utilise par priorité son compas solaire. En revanche, par temps couvert (**2**),
le pigeon se trouve généralement complètement désorienté : il doit en effet
s'en remettre à sa boussole magnétique, or le champ est brouillé.

Les relations dans le monde animal

RARES sont les animaux qui mènent une vie solitaire de bout en bout. La plupart des animaux se reproduisent en effet par les voies sexuées, et ils ont besoin pour cela d'un ou d'une partenaire. La reproduction est donc une des raisons pour lesquelles les animaux établissent entre eux des relations, relations qui seront le thème de ce chapitre.

Nous abordons ici les schèmes de comportement des animaux entre eux. Les animaux peuvent communiquer dans toutes sortes de domaines, mais il en est deux qui méritent une attention toute particulière : l'agression et la parade nuptiale. Dans le premier cas, deux animaux maintiennent entre eux une distance suffisante pour éviter de se trouver en concurrence directe. A l'inverse, la parade nuptiale les rapproche de façon à permettre l'accouplement. Dans le domaine de la reproduction, peut-être plus que dans tout autre, il existe au niveau du comportement des différences considérables entre les espèces animales. Les articles inclus dans ce chapitre, qui traite aussi du comportement parental et des méthodes d'élevage, donnent un aperçu de cette diversité.

◄ **Une rencontre agressive** entre deux chacals argentés *(Canis mesomelas).*

Un même signal peut avoir des significations différentes en fonction de qui le reçoit. Bien qu'il puisse être très constant, le chant d'un oiseau dans son territoire comporte généralement diverses informations codées. Les observateurs d'oiseaux savent que ce chant indique d'abord, de façon pratiquement certaine, l'espèce à laquelle cet oiseau appartient. De plus, il traduit bien souvent le fait que l'oiseau est un mâle apte à la reproduction. Mais ce chant présente aussi des particularités propres à l'individu. Il peut changer quand l'oiseau a repéré un rival ; il peut être celui d'une espèce dont les mâles cessent de chanter lorsqu'ils ont trouvé une partenaire. En diffusant avec un magnétophone différents chants d'oiseaux, on peut observer les réactions qu'ils entraînent chez les uns et les autres. Les mâles ayant des mœurs territoriales ont généralement des réactions de colère — surtout si on leur passe des chants d'oiseaux étrangers, car ils sont déjà habitués au chant de leurs voisins. Les oiseaux se reconnaissent entre eux grâce aux différences de leurs chants. Lorsque l'on diffuse des chants d'oiseaux dans un territoire inoccupé, les mâles tendent à rester hors de ce territoire. Quand on diffuse des chants d'oiseaux près des femelles de certaines espèces, elles adoptent une posture d'accouplement et ce, même si elles sont seules. De telles expériences nous montrent donc que le chant prend des significations différentes selon l'animal qui le capte : il attire les femelles et repousse les mâles.

L'exemple des chants d'oiseaux permet de mettre clairement en évidence deux des principales fonctions des signaux chez les animaux : repousser les rivaux ou les ennemis, et attirer les partenaires, ou d'autres compagnons. Les animaux qui possèdent des territoires dans lesquels ils se procurent leur nourriture, ou ceux qui, comme les cerfs, gardent leur harem en livrant combat aux autres mâles, se signalent en permanence de façon à maintenir à distance les intrus. A l'approche d'un intrus, les deux rivaux disposent d'un répertoire complexe de signaux leur permettant de mesurer leurs forces tout en évitant une effusion de sang. Chez les oiseaux, ce genre de signal est souvent visuel et en observant ce qui se passe ensuite, on peut interpréter le contenu des signaux. Si la production du signal est suivie d'une attaque, cela signifie que l'on avait affaire à un signal d'agression particulièrement virulent. Si, en revanche, après l'émission du signal, on voit un des deux animaux battre en retraite, c'est que l'on avait affaire à un signal de soumission. Chez les cerfs, on peut ainsi voir deux rivaux bramer avec force en s'avançant et en reculant alternativement l'un près de l'autre, et ce, en faisant un tapage formidable : le vainqueur est celui qui a le plus d'endurance... Il l'emporterait probablement d'ailleurs dans un combat réel.

Chez beaucoup d'espèces animales, les mâles disposent également de divers rituels nuptiaux leur servant à attirer et exciter les femelles. Ici, il est en revanche assez difficile d'attribuer à chaque type de rituel nuptial un message particulier. De fait, le mâle le plus « séduisant » semble bien être celui dont la parade nuptiale est la plus variée et la plus excitante.

Les animaux vivant en groupes socialement organisés peuvent communiquer entre eux avec des messages très subtils qui serviront à faire passer l'information au sein du groupe et à coordonner les mouvements. Les chimpanzés ayant découvert de la

▲ **Les expressions faciales chez les loups.**
(1) Bienveillante. (2) Soumise.
(3) Joueuse. (4) Très offensive.
(5) Très défensive.
(6) Défensive et agressive.

▶ **Une somptueuse parade nuptiale.** Ce faisan grand argus (*Argusianus argus*) pointe la tête au milieu de son magnifique plumage constellé d'ocelles littéralement fascinants. Le mâle commence par dégager le terrain dans un périmètre de 4 ou 5 mètres afin de disposer d'une véritable « piste de danse », puis il sollicite la femelle à grand renfort de cris, de martèlements sur le sol et de sautillements.

▼ **La tête haute...** De retour sur son site de reproduction, cette femelle de manchot *Pygoscelis antarctica* rappelle ses petits.

nourriture peuvent ainsi rameuter leurs congénères par un appel particulier. Pour garder le contact entre eux, les membres d'un groupe qui se déplace disposent de différents moyens : pour les uns, ce sera la production d'appels sonores discrets, pour d'autres ce seront de petits repères visuels. Lorsqu'une menace pèse sur le groupe, divers signaux d'alerte peuvent être émis, comme le sifflement très aigu émis, en cas de danger, par de nombreuses espèces d'oiseaux. Cet appel est difficile à localiser, de sorte que les membres d'une bande d'oiseaux peuvent mutuellement s'alerter sans se rendre vulnérables aux attaques des prédateurs. Comme on retrouve un appel similaire chez plusieurs espèces, il ne fournit guère d'indication sur l'oiseau qui le produit. Si les oiseaux disposent souvent de plusieurs types d'appels d'alerte, chez eux il n'existe pas, en revanche, d'appel spécifique à telle ou telle espèce de prédateur. Contrairement aux oiseaux, des animaux comme les vervets (des singes) produisent des appels

différents selon qu'ils ont affaire à un serpent, un léopard ou un aigle, et les destinataires de l'appel réagissent de façon différente et appropriée à chaque type de menace. A ce stade de la communication animale, on atteint un registre très proche de la production de mots : de fait, l'animal appelant crie pour ainsi dire, le nom désignant le prédateur qu'il vient de repérer.

Quel que soit le message transposé sous la forme d'un signal, pratiquement tous les signaux du monde animal prennent la forme d'un signal visuel, sonore ou odorant. Chacun de ces trois « canaux » de communication a des propriétés spécifiques qui le rendent plus adapté à telle ou telle fonction. Les ondes sonores se propagent à grande vitesse dans toutes les directions, et peuvent être perçues depuis une grande distance, surtout en milieu aquatique. On estime par exemple que le chant d'une baleine à bosse, ou mégaptère, peut être « entendu » à une distance d'au moins 1 200 km... Ces propriétés font des signaux sonores le moyen idéal pour permettre à un animal de se signaler — par exemple, à un mâle d'appeler une partenaire. Le son est également le meilleur moyen pour transmettre à grande vitesse toutes sortes d'informations : c'est à l'évidence ce qui explique que le langage humain soit fondé sur les sons plutôt que sur les gestes ou les odeurs. Par la parole, deux hommes peuvent se bombarder littéralement de toutes sortes de messages extrêmement divers et variables : aucun autre moyen de communication ne permettrait cela. Les cordes vocales chez l'homme, de même que, chez l'oiseau, l'organe du chant (le syrinx), sont des mécanismes très souples qui permettent de produire en un enchaînement rapide des sons extrêmement variés. Mais il existe bien d'autres moyens par lesquels les animaux produisent des sons sous forme de signaux : le lapin martèle le sol avec ses pattes ; en vol, la bécassine produit un bruit de tambour en faisant passer l'air à travers les plumes de sa queue ; la sauterelle « stridule » en frottant ses pattes postérieures contre ses ailes ; et les représentants de nombre d'espèces de grenouilles possèdent un gros sac vocal qui amplifie les sons produits par l'animal.

La transmission des signaux visuels est encore plus rapide que celle des signaux sonores mais à moins que l'animal soit énorme, il ne pourra pas se faire voir de loin et ses signaux seront arrêtés au premier obstacle qui se trouve sur leur passage. C'est pourquoi les signaux visuels sont très efficaces dans le cadre d'une communication disons « privée », sur de courtes distances. Ils sont donc une solution idéale pour la parade nuptiale et d'ailleurs souvent utilisés, car deux animaux qui se montrent leurs belles couleurs à l'abri des broussailles ne risquent pas de trop attirer l'attention d'un prédateur. Ces animaux ne peuvent pas se dire des choses compliquées mais ils peuvent du moins produire des messages clairs et simples à travers leurs gestes et leurs couleurs. Les représentants de certaines espèces sont même capables de changer de couleur de façon à élargir leur gamme de signaux. A l'époque de l'ovulation, chez certains singes, la femelle présente un gonflement périnéal aux couleurs vives, destiné à attirer les mâles. Mais, phénomène plus remarquable encore, beaucoup de poissons sont capables de changer de couleur en un très court laps de temps : le poisson « œil-de-bœuf » mâle présente ainsi une couleur argentée lorsqu'il est effrayé, et il vire à l'orange lorsqu'il devient agressif.

Les lucioles

Les lucioles sont au nombre des espèces qui peuvent communiquer de nuit, car elles émettent leur propre lumière (à droite). Ce sont des sources de lumière d'un excellent rendement. Les mâles volètent çà et là, en produisant des éclats de lumière très caractéristiques de l'espèce à laquelle ils appartiennent. Les femelles leur répondent par des éclats lumineux différents, ce qui permet aux mâles de se diriger vers elles dans l'obscurité pour s'accoupler. Chez les représentants de l'espèce *Photinus macdermotti* par exemple, le mâle émet deux éclats lumineux espacés d'environ 2 secondes et la femelle, si elle les détecte, répondra par un seul éclat, une seconde plus tard. La femelle ne répond que si le signal émis par le mâle lui convient. Ainsi, dans un secteur où un grand nombre d'espèces se trouvent mélangées, ces simples signaux « codés » permettent aux individus de s'assurer qu'ils s'accouplent bien avec des

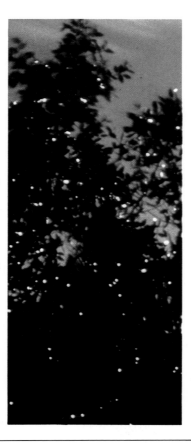

membres de leur espèce. Mais les femelles d'une luciole prédatrice, de l'espèce *Photuris versicolor*, attendent de détecter les éclats de lumière émis par un mâle d'une autre espèce, pour lui répondre en imitant les éclats émis par la femelle de cette espèce ; s'il s'agit d'un mâle de *Photinus*, la femelle émettra un seul éclat de lumière. L'infortuné mâle vole alors à la rencontre de cette femelle dans l'intention de s'accoupler avec elle et il sera impitoyablement dévoré. Rien d'étonnant dans ces conditions à ce que les mâles des espèces que les femelles de *Photuris* savent imiter, soient devenus particulièrement méfiants lorsqu'ils s'approchent d'une supposée partenaire... Le mâle de *Photuris* lui aussi peut imiter les éclats lumineux des autres espèces, mais il ne semble pas qu'il mette à profit cette aptitude pour trouver des proies. Il attend qu'une femelle lui réponde, puis il s'approche d'elle et adopte le comportement propre à son espèce.

▶ **Des coassements nocturnes.** Sur la photo du haut, une rainette appelle. Le corps déformé de l'animal montre combien il est important que ces appels soient puissants. Le gros sac vocal de cette grenouille sert de caisse de résonance, permettant à l'animal de se faire entendre dix fois plus loin qu'une grenouille dépourvue de cet organe. Cette rainette est une *Hyla ebraccata*.

▶ **Les barres alaires** que montre ce pinson *(Fringilla coelebs)* en vol (photo du bas) lui permettent de se maintenir en contact avec les membres de son espèce. Ces barres sont visibles lorsque le plastron de l'animal, plus haut en couleurs, se trouve caché.

◀ **Le scintillement de lumière** produit de nuit par les lucioles.

Le dernier des trois principaux sens, l'odorat, pourrait sembler, a priori, un moyen de communication extrêmement limité. Grâce à des substances chimiques spéciales, les « phéromones », un animal est à même, via les odeurs, de transmettre sous forme codée des messages très complexes. Par ce moyen, l'animal peut indiquer à quelle espèce il appartient, se faire connaître en tant qu'individu (comme chez les mangoustes) ou, par exemple, faire savoir qu'il est plus ou moins agressif (comme chez certains poissons). Les papillons nocturnes se servent des odeurs pour appeler leurs partenaires : la femelle émet une phéromone en quantité infime et celle-ci, portée par le vent dans son sillage, pourra être captée par un mâle se trouvant à plusieurs kilomètres de distance. Certes, la distance et la direction de la propagation dépendent du vent, mais dans des conditions favorables, ce type de signal peut être détecté à une beaucoup plus grande distance que les signaux visuels et sonores forcément limités par la taille du papillon. Extrêmement sensible à cette substance chimique de composition très particulière, le mâle remonte le vent à contre-courant pour aller rejoindre la femelle et commencer sa parade nuptiale.

Certains animaux ont également recours à des moyens de communication qui sont inconnus de l'homme. Certains poissons sont pourvus de nerfs ou de cellules musculaires spécialisés pour fonctionner comme des piles. Les représentants de certaines espèces, comme l'anguille électrique et la torpille (poisson marin,

Le marquage par les odeurs

Lorsqu'ils sont engagés dans un « combat d'odeurs », les lémurs cattas mâles (**1**) enduisent, par exemple, de sécrétions produites par une glande de leurs pattes antérieures leur grande queue touffue, qu'ils balancent ensuite rapidement en avant et en arrière afin d'incommoder le rival avec leur odeur. Les putois (**2**) sont réputés pour leur odeur désagréable, qui suffit à repousser les prédateurs. Chez les mellifères, les abeilles butineuses marquent les sources de nourriture avec l'odeur sécrétée par une glande de leur abdomen, ce qui permet aux autres abeilles de retrouver l'endroit. De la même façon, les fourmis (**3**) laissent derrière elles des traces d'odeurs que les autres fourmis suivront scrupuleusement pour faire la navette entre les points de ravitaillement et la fourmilière.

Ces deux derniers exemples sont caractéristiques de la communication par les odeurs : elle seule peut être utilisée quand l'animal qui produit les signaux est absent, car une fois l'objet marqué, le signal subsiste quelque temps après le départ de l'animal. C'est chez les mammifères que la communication par les odeurs se révèle la plus sophistiquée. Les chiens et d'autres canidés, comme les renards (**4**) marquent leur territoire avec leurs urines, dont l'odeur indique vraisemblablement

l'identité de chaque individu, ainsi que le temps écoulé depuis le marquage, puisque les composants de l'urine se décomposent peu à peu et s'évaporent. D'autres animaux, comme les rhinocéros (**5**) marquent leur territoire avec des tas d'excréments déposés en des endroits bien précis, notamment aux abords des rives où d'autres rhinocéros sont susceptibles de venir empiéter. Les odeurs peuvent être sécrétées par différentes glandes spéciales que l'animal frotte contre un objet ou un autre animal. Ces glandes peuvent être situées autour de l'anus, comme chez le diable de Tasmanie (**6**), mais également en d'autres endroits, comme sur le menton, les pattes ou entre les soles des pattes, comme chez les hyènes (**7**), ou près des yeux chez les cerfs. Les mammifères, comme les mouflons des Rocheuses (**8**) se reniflent souvent mutuellement afin de « faire connaissance » avec leur vis-à-vis. Ils peuvent en effet savoir s'il s'agit ou non d'un parent, s'il a été marqué par d'autres et à quel groupe il appartient.

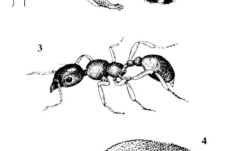

voisin de la raie) émettent une décharge électrique de puissance suffisante pour tuer une proie, mais le plus souvent, l'émission d'un courant électrique sert plutôt à explorer l'environnement et à communiquer. Les signaux peuvent être des signaux continus oscillants ou des impulsions intermittentes. Quant à la fréquence des impulsions, elle peut non seulement servir à véhiculer l'identité de l'espèce, mais également à attirer les femelles et exprimer l'agressivité.

Bien que la plupart des animaux disposent de nombreux signaux différents, aucun des types de signaux ne présente la complexité du langage humain. Les singes sont les plus proches de nous par leurs expressions faciales, et ils produisent des grognements et des vocalisations diverses, mais rien de comparable à la parole humaine. La conformation de leur bouche, de leur gorge et de leurs cordes vocales est très différente de la nôtre, et c'est ce qui rend ces animaux incapables de produire une gamme de sons aussi riche que celle de l'homme. Une femelle de chimpanzé baptisée Viki, élevée comme un enfant par une famille, savait dire, au bout de quelque temps, « maman », « papa » et quelques autres mots simples. On est parvenu à enseigner à Washoe, une autre femelle de chimpanzé, l'Ameslan, un langage gestuel utilisé en Amérique par les sourds-muets. Cette femelle parvint à assimiler environ 200 mots et à les utiliser correctement. Étant nourrie habituellement avec de la soupe en conserve, on l'a vue, un jour, s'évertuer à expliquer à l'un de ses compagnons que la boîte de conserve qu'elle lui montrait contenait de la nourriture (or, ce n'était qu'une boîte de jus de fruits) : l'affaire se solda par une rude dispute entre les deux singes... On est parvenu à des résultats tout aussi étonnants avec d'autres chimpanzés, mais on n'en a jamais vu apprendre aussi bien et aussi vite qu'un humain. Cependant, les aptitudes des chimpanzés semblent montrer que leurs systèmes naturels de communication pourraient bien être plus sophistiqués qu'on ne l'imagine généralement.

PJBS

▲ **Des détecteurs de phéromones.** Les antennes de ce papillon, un atlas mâle *(Coscinocera hercules)* peuvent détecter des quantités infimes d'une substance chimique émise par la femelle lorsqu'elle est prête à s'accoupler.

▶ **Le marquage du territoire** par les odeurs. Ce chevreuil à queue blanche *(Odocoileus virginianus)* se sert d'une glande située près de son œil pour marquer son territoire : de cette façon, il met en garde les autres mâles qui s'aviseraient d'empiéter sur son territoire.

Ces abeilles qui bourdonnent

Le langage dansé chez les mellifères

La communication est un élément essentiel même chez les espèces aux mœurs les plus solitaires : elle permet en effet à deux individus de se retrouver en vue de l'accouplement, et les parents en ont besoin pour s'occuper de leurs petits. Évidemment, chez les animaux qui vivent en groupes, une communication beaucoup plus poussée est généralement nécessaire pour assurer le bon fonctionnement de la société. Les animaux chez lesquels la vie sociale est la plus développée sont les termites et les hyménoptères (fourmis, guêpes et abeilles) : chez ces animaux, tous les moments de la vie sont dominés par l'existence d'une communication tactile, sonore et chimique.

L'exemple le plus remarquable en matière de communication chez les insectes est celui du langage dansé chez les mellifères. Lorsque, revenant d'une source de nourriture abondante, une butineuse regagne la ruche, elle effectue une danse, qui dessine en général un « huit » comprimé. Dans la partie centrale de cette manœuvre, l'abeille vole en ligne droite et on la voit qui frétille avec une fréquence élevée. Elle fait en même temps vibrer ses ailes repliées, de façon à produire un bourdonnement, et les autres abeilles se rassemblent autour d'elle, comme pour l'écouter. En 1944, le grand zoologiste allemand Karl von Frisch a découvert que cette section rectiligne de la danse de l'abeille indique la distance et la direction de la source de nourriture.

Grâce aux travaux qu'il avait effectués trente ans auparavant, von Frisch savait déjà que la danse à laquelle se livre une abeille entraîne les autres à partir à la recherche de nourriture, et que les jeunes « recrues » apprennent l'odeur des fleurs en flairant le pelage cireux de la danseuse. De plus, les spectatrices réclament à la danseuse des échantillons de nourriture, en émettant un son particulier, de façon à pouvoir juger de la qualité de cette nourriture. Von Frisch observa également que la figure dansée, généralement effectuée sur les parois verticales des rayons de miel de la ruche, était dirigée vers le haut lorsque la nourriture se trouvait dans la direction du soleil. De même, lorsqu'une source de nourriture était située par exemple à 80° à gauche de l'azimut du soleil (sur l'axe horizontal), il constata que la danse était orientée à 80° à gauche de la verticale. On peut donc en déduire que, la verticale indiquant la direction du soleil, la danse est orientée à gauche ou à droite de cette verticale avec un angle égal à celui formé entre la source de nourriture et l'azimut du soleil.

Von Frisch observa par ailleurs que le nombre de figures dansées était proportionnel à l'éloignement de la source de nourriture. Aux abords de la ruche, chaque figure représente environ 75 m, et ce chiffre décroît pour atteindre environ 50 m lorsque la nourriture est distante de plusieurs kilomètres.

Von Frisch baptisa ces figures un « langage dansé », parce qu'à l'image du langage tel que nous le concevons, la danse a pour fonction chez les abeilles de communiquer des informations abstraites sur un endroit éloigné, dans l'espace et dans le temps, de l'animal qui utilise ce langage et ce, en faisant appel à des conventions arbitraires et comprises de ses congénères. Par conventions, on entend le fait de définir la direction du soleil comme étant une direction « vers le haut » plutôt que « vers le bas », ou toute autre référence (13° à gauche de la verticale par exemple), la seule condition étant que cette référence soit admise aussi bien par l'animal qui émet le message que par celui qui le reçoit, et d'attribuer à chaque figure dansée une valeur fixe. L'aspect arbitraire de cette convention, qui permet d'exprimer la distance, apparaît manifeste quand on sait que parmi les vingt ou vingt-cinq races d'abeilles mellifères (plus les trois autres espèces qui vivent dans les régions tropicales de l'Ancien Monde), il n'y en a pas deux chez lesquelles une figure dansée représente une distance identique (cette distance varie de 5 à 75 m). Pour ce qui

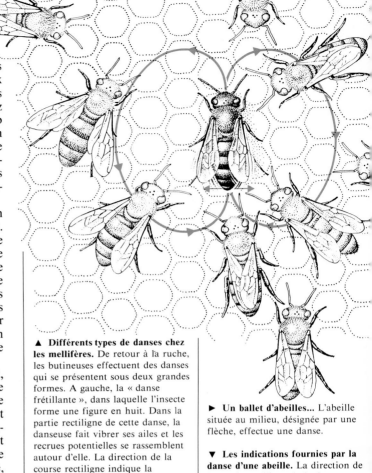

▲ **Différents types de danses chez les mellifères.** De retour à la ruche, les butineuses effectuent des danses qui se présentent sous deux grandes formes. A gauche, la « danse frétillante », dans laquelle l'insecte forme une figure en huit. Dans la partie rectiligne de cette danse, la danseuse fait vibrer ses ailes et les recrues potentielles se rassemblent autour d'elle. La direction de la course rectiligne indique la direction de la source de nourriture (voir le diagramme ci-dessous). En revanche, la « ronde » (en haut à droite) ne comporte pas de frétillement et l'abeille y a recours quand la source de nourriture se trouve à moins de 75 m de la ruche.

▶ **Un ballet d'abeilles...** L'abeille située au milieu, désignée par une flèche, effectue une danse.

▼ **Les indications fournies par la danse d'une abeille.** La direction de la partie rectiligne de la danse, lorsque l'abeille frétille, est en relation directe avec la direction de la nourriture. Par exemple, si la source de nourriture est alignée sur le soleil (**A**), la danse est orientée vers le haut du rayon, ou, si (**B**) elle est à l'opposé du soleil, la danse est orientée vers le bas. (**C**) Si la source de nourriture se trouve à 70° à droite du soleil, la danse sera orientée à 70° à droite de la verticale.

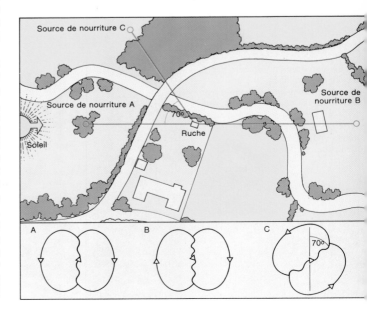

est des informations contenues, il n'y a guère que le langage humain qui soit supérieur à celui des abeilles.

Vers la fin des années 1960, plusieurs chercheurs se sont demandé si les travaux de von Frisch prouvaient vraiment que les figures dansées permettaient de communiquer des informations abstraites. Expériences à l'appui, ils démontrèrent que les odeurs suffisaient seules à expliquer une bonne partie des données obtenues par von Frisch. Néanmoins, les expériences effectuées par la suite et qui consistaient, par des moyens artificiels, à faire « mentir » une butineuse sur la direction ou la distance de la source de nourriture dont elle revenait, ont démontré que le langage de la danse fonctionne effectivement : la plupart des jeunes recrues se rendaient vers l'endroit indiqué par les figures dansées au lieu d'aller à l'endroit réellement visité par la butineuse qui dansait devant elles.

Le langage dansé représente pour les mellifères un avantage considérable comparé à la plupart des autres insectes qui recueillent le nectar. Ainsi, une seule abeille éclaireuse peut, si elle a découvert une source de nourriture suffisamment abondante, recruter plusieurs butineuses qui, à leur retour, se mettront à danser et à recruter d'autres abeilles, et ainsi de suite. Il n'est pas rare de voir le nombre d'abeilles doubler de minute en minute sur une source de nourriture : un millier de butineuses, sur une colonie qui en comporte habituellement dans les 10 000, peuvent être recrutées en l'espace d'une heure.

Les travaux menés ultérieurement par les élèves de von Frisch ainsi que par d'autres chercheurs révèlent que le langage dansé peut également servir au rassemblement des abeilles à d'autres fins. La présence de sources de pollen (qui fournit aux abeilles leurs protéines) et d'eau (utile pour refroidir la ruche par temps chaud) ainsi que de propolis (la sève des arbres, qui sert de mortier pour resserrer l'entrée de la ruche et boucher les fissures), est également signalée par le langage dansé. Mais c'est sans doute lors de l'essaimage que l'usage de ce langage est le plus spectaculaire. Les colonies d'abeilles mellifères se reproduisent par le processus de la « division ». Vers la fin du printemps, la reine et la moitié des ouvrières environ partent en quête d'un nouveau gîte (entre-temps, une nouvelle reine aura été élevée dans l'ancienne ruche afin de remplacer la reine qui est partie). Les abeilles qui quittent la ruche forment un essaim sur la grosse branche d'un arbre des environs, pendant que les éclaireuses cherchent des trous susceptibles d'abriter des nids convenables. Le langage dansé permet aux éclaireuses de signaler leurs découvertes, qu'elles comparent entre elles, avant de danser pour décider de la solution qui convient le mieux.

Les études approfondies montrent que les éclaireuses évaluent la taille de la cavité (un volume de dix litres leur convient généralement), la distance qui la sépare de la colonie natale (elle ne doit être ni trop proche, ni trop éloignée), sa hauteur au-dessus du sol (une hauteur de 3 m fait généralement l'affaire), l'orientation de l'entrée de cette cavité, ainsi que divers autres éléments (cette cavité ne doit pas, par exemple, présenter de fuites d'eau). Après deux jours de « débats » (ou plus), un consensus se dégage et l'essaim part prendre possession de son nouveau gîte. A l'évidence, la colonie tire amplement bénéfice de son aptitude à échanger des informations concernant un des éléments rares et essentiels de l'existence : un site de nidification assez confortable. Le fait que les abeilles prennent une telle décision de façon « démocratique » n'a cessé, depuis sa découverte, de fasciner les scientifiques. De fait, on ne peut que rester songeur à l'idée que, par le processus de la sélection, la nature soit parvenue à programmer des comportements hautement complexes dans des cerveaux pourtant minuscules.

JLG

L'AGRESSION

Défendre sa nourriture et son droit à l'accouplement contre la concurrence... La défense du territoire contre les rivaux... Le cerf commun en rut... Les leks des bubales... Les harems d'éléphants de mer... La lutte à mort... Les troupeaux de bisons et de babouins... Éléphants en rage... Les querelles entre femelles chez les singes... Les alliances chez les dindes et les lions... Les armes des animaux — les cornes et les dents... Le combat par convention — stratégies... Les travaux de Lorenz sur l'agression... Amis et ennemis...

Toutes nos traditions reposent sur l'idée d'une nature fondée « à coups de crocs et de griffes ». Rien d'étonnant à cela, car nombre d'espèces possèdent des crocs redoutables qui les rendent capables de blesser mortellement leurs adversaires. Mais dans quelle mesure les animaux se livrent-ils une lutte à mort ? Quel est le but de ces combats ?

Dans la plupart des cas, les animaux combattent pour se procurer les ressources dont ils ont besoin pour vivre, se reproduire et élever leur progéniture. Ces « ressources », ce sont notamment des morceaux de nourriture ou des secteurs entiers contenant de la nourriture (c'est-à-dire des territoires), des points d'eau, des abris sûrs où l'animal pourra passer la nuit ou faire son nid, des sites convenant à l'accouplement ou à la ponte, ou encore, des partenaires en vue de l'accouplement. Tant que ces « ressources » abondent, la concurrence sera à peu près négligeable. En revanche, dès qu'une de ces ressources devient rare, les animaux sont concurrents, et ils s'affrontent, la force physique étant l'un des moyens les plus efficaces pour écarter les rivaux. Plus il est important pour un animal de pouvoir se reproduire

Combattre par convention

Lorsque deux animaux ont un différend entre eux et qu'ils en viennent à se battre, cela se solde généralement par des dommages physiques pour l'un des deux, ou pour les deux. Pour y parer, de nombreuses espèces animales règlent leurs conflits par le truchement de diverses conventions. Ainsi, en exécutant certaines manœuvres non périlleuses, un animal peut renseigner l'adversaire éventuel sur ses redoutables capacités et le convaincre ainsi de renoncer à l'affrontement plutôt que de prendre le risque d'être blessé dans un combat qu'il a toutes chances de perdre. Les singes mâles et les hippopotames ouvrent toute grande leur gueule afin de montrer les redoutables canines dont ils se servent en combat. Une démonstration de ce genre ne reflète pas de façon directe l'aptitude de l'animal au combat — bien qu'il existe généralement une certaine corrélation avec la force ou la taille de l'animal, deux éléments qui influent sur l'aptitude au combat.

Deux combattants siamois qui se querellent nagent flanc contre flanc, en battant des nageoires en rythme, se livrant ainsi à une sorte de guerre d'usure. Les cerfs quant à eux se menacent à grands renforts de bramements, dont la fréquence augmente à mesure que la querelle s'envenime : comparés aux cerfs de petite taille, les grands mâles produisent généralement des cris plus puissants et plus graves, ce qui semble indiquer que le bramement véhicule des informations sur la taille de l'animal.

Cela dit, l'efficacité d'une telle tactique demeure limitée car, en fin de compte, l'aptitude au combat dépend de la taille de l'animal.

avec succès, plus cet animal se montrera âpre au combat pour se procurer les « ressources » nécessaires.

Nécessité fait loi : cette règle est parfaitement illustrée par le rouge-gorge ou la mésange bleue défendant son territoire. Pour un mâle de mésange bleue, le territoire est la source de nourriture qui lui permettra, en compagnie de sa partenaire, d'élever avec succès une progéniture aux appétits voraces. Si ce territoire est trop exigu ou trop pauvre en nourriture, les jeunes mourront de faim. C'est pourquoi les mésanges bleues défendent vigoureusement leur territoire contre les autres membres de l'espèce. Ce type de comportement se retrouve communément chez les espèces qui forment des couples monogames durables, comme les gibbons, les minuscules ouistitis sud-américains et beaucoup de petites antilopes.

Un territoire n'est pas forcément une source de nourriture. Pour l'épinoche mâle, ce territoire si âprement défendu au fond

d'un cours d'eau est un peu comme une scène vers laquelle ce poisson attire les femelles pour qu'elles viennent y pondre leurs œufs plutôt que chez ses voisins et rivaux. Les leks du tétras centrocerque et du chevalier combattant sont de petits territoires de quelques mètres carrés seulement et mitoyens, un peu comme les tentes d'un marché. Ces leks servent uniquement à l'accouplement, car les femelles, après s'être accouplées, prennent leur essor pour aller pondre ailleurs leurs œufs et s'occuper seules de leurs petits. Un mâle n'ayant pas de territoire sur un lek ne pourra généralement pas se reproduire : il ne lui reste alors qu'à livrer combat contre un autre mâle afin de s'emparer de son territoire.

Les combats visant à se procurer un territoire et à garder la mainmise sur celui-ci peuvent entraîner des pertes considérables, en particulier si le nombre de mâles qui veulent un territoire dépasse nettement le nombre de territoires disponibles. Les bubales ont également un système de leks, et chez eux, les mâles se frayent un chemin à travers les territoires périphériques, les moins intéressants, pour s'emparer des territoires centraux, où les femelles tendent à se rassembler. Dès qu'un mâle sort de son territoire, un autre mâle s'en empare, mais le territoire étant trop exigu pour lui fournir sa subsistance, le mâle ne cesse de perdre du poids et finalement, il doit partir pour ne pas mourir de faim. De la même façon, un cerf commun mâle qui perd trop de poids parce qu'ils s'est trop dépensé au combat à l'époque du rut, en automne, risque fort de ne pas survivre aux rigueurs de l'hiver.

Les éléphants de mer gagnent les côtes un mois environ chaque année. Durant cette période, les femelles mettent bas et conçoivent leur progéniture de l'année suivante. Les mâles établissent leurs territoires sur une plage, et dans chacun de ces territoires, il y a de la place pour plusieurs femelles, le propriétaire du territoire ayant l'exclusivité de l'accouplement. Ces mâles s'engagent dans des combats sanglants, à l'issue desquels les plus forts s'assurent la mainmise sur les territoires les plus vastes, où les femelles sont les plus nombreuses. Cependant, lorsque les mâles sont nombreux dans un même secteur, les rivalités peuvent être telles que ceux qui défendent leur territoire ne parviennent plus à éloigner tous les intrus. Dans ce cas, un mâle se contentera de défendre une seule femelle en chaleur afin d'empêcher un jeune mâle trop arrogant de s'accoupler avec elle pendant que lui-même est occupé à repousser les autres intrus.

▲ **Guépard contre guépard...** Un groupe de guépards mâles *(Acinonyx jubatus)* attaque un mâle errant qui s'est aventuré sur leur territoire, dans la plaine du Serengeti (Tanzanie). L'importance attribuée par ces animaux à l'inviolabilité de leur territoire et à la coopération entre individus se reflète dans l'issue de l'affrontement : l'intrus (à droite) fut tué.

▶ **Les différents degrés** de la peur ou de la menace. Face au danger, l'animal réagit par paliers : pour faire monter l'agressivité, il utilise des menaces d'intensité croissante. Inversement, il peut tenter de désamorcer le conflit par une « désescalade », en produisant des signaux de soumission proportionnels à la peur qui le gagne. Notre illustration montre les degrés de réaction chez le chat.

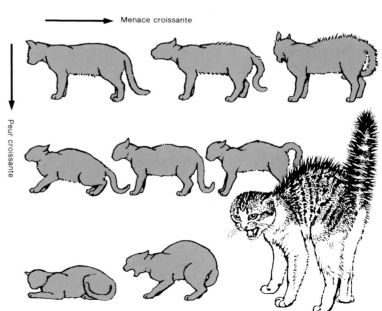

Menace croissante

Peur croissante

La défense du territoire n'implique pas nécessairement un affrontement direct. Les couples de gibbons et les colobes mâles (des singes) annoncent, par exemple, qu'ils occupent un territoire par de puissants appels qui résonnent dans toute la forêt, tout en effectuant de cime en cime, un numéro de voltige acrobatique et spectaculaire. Lorsqu'ils entendent leurs voisins, les mâles des environs se mettent eux aussi à crier, et leurs grondements se propagent par ondes successives sous la voûte de feuillage.

Toutes les espèces ne défendent pas leur territoire. De nombreux animaux, en effet, comme les babouins, les gnous, les bisons et les étourneaux vivent en groupes ou en troupeaux sillonnant des territoires trop vastes pour être défendus. Ces groupes comportent généralement plusieurs mâles adultes. Même si ces mâles ne se livrent pas toujours combat pour défendre des ressources, ils s'affrontent de temps en temps, pour s'accaparer la nourriture ou pour s'emparer d'une femelle prête à l'accouplement. Ici encore, l'agressivité sera d'autant plus grande que la concurrence est rude. Chez les babouins, par exemple, la fréquence des combats augmente considérablement quand une femelle est en chaleur, mais elle diminue proportionnellement au nombre de femelles en chaleur, au même moment, car le nombre de mâles à même de s'emparer d'une femelle est alors plus grand.

Le conflit reste souvent plutôt larvé, de façon à réduire les dégâts subis par les combattants. Cela commence en général par un échange de menaces de plus en plus fortes. Le conflit devient ensuite plus dangereux quand aucun des deux adversaires ne veut céder et l'escalade conduit les adversaires au contact physique. Chez les babouins geladas, par exemple, la confrontation commence généralement par des menaces vocales et des échanges de regards à distance. Les deux animaux peuvent ensuite se rapprocher l'un de l'autre en faisant le gros dos et en échangeant des menaces vocales et des signaux visuels plus forts, allant jusqu'à marteler le sol et foncer sur l'adversaire. Enfin, si aucun des deux rivaux ne cède, ce sont les mâchoires qui entrent en action : les deux singes se mordent avec leurs redoutables canines.

De nombreuses espèces pourvues d'armes mortelles ont acquis, au fil de l'évolution, les moyens de réduire les risques de blessure lorsqu'elles en viennent aux coups. Les babouins, les phoques et les hippopotames, qui frappent l'adversaire avec leurs canines, ont, par exemple, les épaules et le cou protégés par un long pelage ou une peau renforcée qui amortissent les coups, évitant un endommagement des fragiles organes internes.

En réalité, il est rare que deux animaux se livrent une lutte à mort. Le plus souvent, quand un des deux adversaires comprend qu'il ne sortira pas vainqueur du combat, il bat en retraite. Mais certains animaux livrent parfois plusieurs jours de combats sanglants avant qu'un des deux combattants se décide à battre en retraite. Pour convaincre un adversaire de battre en retraite, il faut se montrer particulièrement agressif : les espèces de très

LES ARMES DES ANIMAUX

▲ ► En règle générale, la forme des armes est étroitement liée à la technique de **combat** à laquelle telle ou telle espèce a recours. Ainsi, lorsque deux bouquetins *(Capra ibex)* s'affrontent (1), ce sont leurs cornes qui s'entrechoquent, ce qui évite d'endommager le crâne ou le cerveau. Les grosses cornes de ces animaux sont fortement striées, assurant une prise solide tout en évitant qu'elles ne ripent sous le choc.

Pour écharper l'adversaire, le muntjac de Reeves *(Muntiacus reevesi)* (2) se sert de ses dents en forme de canines. Quant à l'oréotrague *(Oreotragus oreotragus)* (3), ses courtes cornes affilées s'enfoncent dans les chairs de l'adversaire.

Lorsque deux cerfs s'affrontent, chacun s'efforce de repousser son vis-à-vis pour le déséquilibrer. Les ramures du cerf à queue noire *(Odocoileus hemionus)* (4) s'encastrent dans celles de l'adversaire : l'animal dispose ainsi d'une prise solide pour pousser l'ennemi.

Chez les délicats cervicapres *(Redunca arundinum)* (5), l'affrontement, plus en douceur, consiste pour chacun des deux adversaires, à encastrer ses cornes dans celles de l'ennemi et, en

tournant la tête de côté, à coucher l'ennemi à terre. Leurs cornes sont courtes et pourvues de pointes incurvées vers l'avant qui évitent qu'elles ne ripent l'une contre l'autre.

Chez les éléphants *(Loxodonta africana)*, les dents (défenses) servent à infliger à l'adversaire de puissants coups de bélier (6).

Si l'on considère l'énergie qu'il faut pour les faire pousser, les armes coûtent cher à l'animal. De plus, des cornes très lourdes risquent de déséquilibrer l'animal sur les pentes escarpées ou de ralentir sa progression, ce qui le rendra d'autant plus vulnérable aux prédateurs légers à la course. Il existe donc pour chaque espèce une taille optimale de l'arme, reflétant la façon dont cette arme est utilisée et son rapport coût/efficacité, comparé à des armes de taille différente, dans l'environnement social et écologique propre à l'espèce.

grande taille utilisent cette méthode car ses représentants risque-raient de s'infliger de sérieuses blessures s'ils livraient vérita-ment combat. Les éléphants mâles entrent dans un état de « rage » qui les rend littéralement fous, les incitant à attaquer à peu près tout ce qui se trouve à leur portée. Un mâle en rage émet une odeur très particulière, et ses glandes temporales produisent une sueur très abondante. Un mâle enragé est extrêmement dangereux, et les autres s'écartent sur son passage...

Chez les espèces plus socialisées, il est vital que l'animal se dote de mécanismes lui permettant de désamorcer l'agressivité, sinon le groupe risque de se désintégrer. Chez ces espèces, les querelles doivent donc être très contrôlées, de façon à ne pas prendre des proportions démesurées. Beaucoup d'espèces indi-quent leur soumission par des moyens qui leur sont propres. Les chiens et certains autres canidés allongent le cou, comme pour inviter le vainqueur à leur donner le coup de grâce dans la meilleure tradition des chevaliers du Moyen Age. Les singes courbent l'échine en poussant des cris caractéristiques, ou montrent à l'adversaire leur postérieur : on peut alors voir le vainqueur toucher, voire caresser les fesses du vaincu — une façon comme une autre de réduire la tension et de rétablir des relations cordiales...

La plupart des combats ayant pour but de permettre à un mâle de jeter son dévolu sur une femelle sexuellement réceptive, la fréquence de ces combats présente souvent un cycle saisonnier très marqué, et en toute logique, c'est à la saison des amours qu'ils sont le plus fréquents. Chez la plupart des espèces, les femelles ne sont en chaleur qu'environ un mois par an. A l'appro-che de cette période, les mâles, qui jusqu'alors avaient vécu plutôt en bons termes, commencent à se lancer des défis afin de mesurer leurs forces. Il se crée ainsi une hiérarchie de domina-tion, dans laquelle les mâles occupant les rangs les plus élevés seront prioritaires pour avoir accès aux meilleurs territoires ou pour s'emparer des femelles en chaleur.

Ce rythme saisonnier de l'agressivité se retrouve chez beau-coup d'espèces animales. Il est régulé par la variation cyclique annuelle de la sécrétion de l'hormone sexuelle mâle, la testosté-rone. De fait, on a pu constater que les animaux qui atteignent un rang élevé dans leurs groupes présentent généralement un niveau de testostérone plus fort que chez ceux situés au bas de la hiérarchie. Cela explique en partie la plus grande agressivité des mâles, le niveau de testostérone dans le sang étant nettement plus bas chez la femelle que chez le mâle.

Les femelles ne sont pas pour autant des animaux passifs et totalement dépourvus d'agressivité. Dans la plupart des espèces, les femelles sont, comme les mâles, organisées en une hiérarchie de domination fondée sur l'agression. Une femelle peut certes se trouver en concurrence directe avec un mâle pour se procurer de la nourriture ou une autre ressource, mais en termes de reproduc-tion, c'est surtout entre femelles que la concurrence est la plus rude. L'agression chez les femelles est généralement beaucoup moins spectaculaire que chez les mâles et passe donc le plus souvent inaperçue, même si les conséquences peuvent être tout aussi sérieuses... Comme un mâle trop faible peut se retrouver au bas de la hiérarchie et être ainsi mis dans l'impossibilité de se reproduire, une femelle placée trop bas dans la hiérarchie peut voir ses chances de reproduction tomber bien en dessous de celles de ses sœurs d'espèce. Chez les talapoins et les babouins

▶ **Fatigue ou menace ?** Lorsqu'un hippopotame se met à « bâiller », ce n'est pas pour montrer qu'il est fatigué, mais pour intimider son vis-à-vis, car il lui montre ainsi le redoutable arsenal dont sont armées ses mâchoires...

▲ **De rudes coups...** Ces deux énormes miroungas mâles *(Mirounga leonina)* de l'hémisphère austral luttent pour s'approprier un bout de plage et les femelles qui s'y trouvent.

◄ **Blanc de peur.** Ayant le dessus, ce caméléon vert *(Chamaeleo senegalensis)* menace son subalterne, qui montre sa soumission en virant au blanc.

► **« Voler dans les plumes »...** Ces deux mésanges charbonnières *(Parus major)* se querellent pour de la nourriture.

Les théories de Lorenz sur l'agression

Konrad Lorenz, l'un des grands précurseurs de l'éthologie, après des études comparatives très détaillées, a conclu que l'agression assurait trois grandes fonctions : l'espacement des individus dans l'habitat (en particulier chez les espèces territoriales), la sélection des individus les plus forts en vue de la reproduction par le biais des « luttes de rivalité » et la défense de la progéniture. Mais c'est admettre que les animaux agissent nécessairement pour le bien de leur espèce. Or, à l'heure actuelle, on pense plutôt que la sélection naturelle s'opère surtout au niveau individuel.

Lorenz devait entre autres découvrir que les couleurs vives de nombreux poissons de récifs coralliens faisaient fonction de signaux d'agression maintenant une bonne distance entre les membres d'une même espèce, et évitant ainsi à ces poissons des combats fratricides. Pour Lorenz, l'agressivité est le plus primitif et le plus puissant des instincts, et elle peut se déclencher spontanément et de façon inadaptée si elle n'est pas libérée de temps en temps. Toujours d'après Lorenz, l'évolution de la vie sociale a nécessité l'apparition de mécanismes inhibant l'agressivité, empêchant ainsi les membres d'un même groupe

de s'entretuer ; il y aurait notamment le comportement de soumission, ainsi que différentes formes de comportement « amical » ou associatif, comme le toilettage chez les singes et les « cérémonies triomphales » des oies, chères à Lorenz. Selon lui, plus l'espèce est dangereuse, plus ses mécanismes d'attachement sont développés. Chez l'homme, cela se solderait, par le conformisme social et le refus des différences. S'appuyant sur des théories quelquefois un peu simplistes, les conclusions d'ordre moral apportées par Lorenz sont loin de faire l'unanimité.

▲ **En signe de triomphe,** le canard cancane et l'oie cacarde. Chez ces animaux, la « cérémonie triomphale » sert à surmonter l'agressivité naturelle et à renforcer les liens du couple. Ici (**1**), le mâle s'apprête à attaquer un ennemi, puis, après l'avoir défait (**2**), il rejoint sa femelle (**3**) pour se lancer avec elle dans un cérémonial (**4**) dans lequel les deux animaux se mettent à cacarder avec une belle énergie...

geladas, le harcèlement auquel se livrent les femelles haut placées dans la hiérarchie engendre chez les femelles moins bien placées, un stress qui dérègle l'ovulation et donc, fait chuter le taux de reproduction.

Pour combler le handicap dû à leur mauvaise position dans la hiérarchie, les singes femelles font souvent alliance entre elles (généralement entre proches parentes). Grâce à de telles alliances, les mères sont en mesure d'élever leurs filles et une jeune femelle sexuellement imature, peut fort bien surclasser ses aînées plus agressives, car sa mère menace d'intervenir. Il arrive également que les mâles forment des coalitions, parfois entre individus non apparentés : en se soutenant mutuellement, les membres de ces coalitions peuvent s'assurer, dans la hiérarchie, une meilleure place que celle qu'ils auraient eu en agissant seuls. Ainsi, chez les poulets originaires de Tasmanie et les dindons sauvages, les frères forment des alliances pour s'assurer la mainmise sur des territoires communs. De la même façon, en formant des coalitions, les lions parviennent à garder des bandes de femelles plus longtemps qu'ils ne le pourraient en agissant séparément.

Si dans la plupart des espèces, le mâle est plus grand et plus agressif que la femelle, ce n'est cependant pas toujours le cas. Chez les hyènes et les sagouins (des singes), par exemple, les femelles sont un peu plus grandes et plus agressives que les mâles, et elles sont habituellement capables d'avoir le dessus sur ces derniers. Chez certaines espèces d'oiseaux, comme les jacanas et les phalaropes, dans lesquelles on a une inversion complète des rôles des deux sexes, les mâles s'occupent des œufs, tandis que les femelles, plus grandes, plus agressives et parées de couleurs plus vives, se livrent combat entre elles afin de s'emparer des nids des mâles (les phoques mâles se comportent de la même façon pour jeter leur dévolu sur les femelles).

RIMD

LA PARADE NUPTIALE

Les rôles respectifs du mâle et de la femelle... Pourquoi la parade nuptiale est-elle nécessaire ?... Les sites de reproduction traditionnels... La parade... Les différends entre mâles — la parade nuptiale chez les araignées... La fécondation externe chez les épinoches... Le chant des grenouilles... Choisir entre s'accoupler, livrer combat ou battre en retraite... Le comportement de déplacement chez les canards... Combattre pour obtenir le droit de s'accoupler...

Nous sommes au début du printemps dans l'hémisphère Nord... Le chant des oiseaux s'élève des sous-bois et, d'un étang tout proche, les grenouilles font entendre leur coassement. Avec un peu de chance, on verra un hérisson mâle tourner en cercles autour d'une femelle dont il compte faire sa partenaire, ou un renard mâle jouer avec une renarde. Dans les champs, les lièvres se préparent à la saison des amours : avec une belle frénésie, ils se donnent la chasse, bondissent dans tous les sens, et l'on voit même des mâles et des femelles qui se tiennent face à face, dressés sur leurs pattes postérieures et qui « boxent » avec leurs pattes de devant. Mais pourquoi ce regain d'activité aussi frénétique ?

Le terme de « parade nuptiale » désigne les interactions comportementales que l'on observe entre les mâles et les femelles avant, pendant et sitôt après l'accouplement. Chez certains animaux, cette parade nuptiale est brève et de pure forme ; chez d'autres en revanche, elle dure un long moment et fait intervenir des schèmes comportementaux à la fois sophistiqués et très vigoureux. En règle générale, c'est le mâle qui se montre le plus actif durant cette parade nuptiale. C'est lui qui engage l'inter-

▶ **Tête en bas,** ce paradisier bleu *(Paradisaea rudolphi)* nous offre un des plus beaux spectacles du règne animal. Cet oiseau, un mâle, illustre bien l'influence de la sélection sexuelle qui, au fil de l'évolution, vise à rendre les mâles les plus séduisants possible pour les femelles (voir l'encadré ci-dessous).

La sélection sexuelle

Au sein d'une population reproductrice, il existe souvent une forte concurrence entre les membres d'un même sexe. En règle générale, ce sont les mâles qui se font concurrence pour monopoliser les femelles car ils peuvent augmenter leur succès à la reproduction en s'accouplant avec plusieurs femelles. La sélection sexuelle est la force évolutionnaire qui se manifeste dès lors que certains mâles réussissent mieux que d'autres à se procurer des partenaires. Les mâles qui s'accouplent avec plusieurs femelles tendent à transmettre à leur abondante progéniture les caractéristiques naturelles qui leur ont permis ces accouplements multiples. Ceux qui ne parviennent pas à s'accoupler ne pourront pas transmettre ces caractéristiques.

La compétition entre mâles peut revêtir deux formes. Dans le premier cas, ces mâles peuvent se battre pour s'accaparer une femelle, et la sélection favorise alors les mâles les plus grands, les plus forts ou qui possèdent les armes les plus efficaces. On estime que cette forme de sélection sexuelle est à l'origine de la formation des andouillers des cerfs mâles. Dans le second cas, les mâles peuvent rivaliser de façon moins directe — la réussite à l'accouplement étant tributaire de l'efficacité du mâle pour ce qui est d'attirer et de stimuler les femelles. Par conséquent, il semble que la variabilité de la réussite du mâle à l'accouplement dépende de la préférence qu'ont les femelles pour certains mâles plutôt que d'autres. Cette forme de sélection sexuelle favorise les mâles qui exécutent des parades plus sophistiquées que d'autres et qui possèdent les caractéristiques physiques adéquates, par exemple, des couleurs vives et un plumage somptueux.

Depuis l'époque où elle fut formulée pour la première fois par Charles Darwin, la théorie de la sélection sexuelle n'a cessé d'être controversée. On est généralement d'accord sur le fait que si les mâles ont acquis, au fil de l'évolution, une force importante et des armes, c'est parce que cela les avantageait face aux concurrents pour se procurer des femelles. En revanche, de nombreux auteurs ont mis en doute l'idée selon laquelle les préférences de la femelle seraient à l'origine de la parade sophistiquée d'un mâle ou de son somptueux plumage. De fait, rares sont les indices qui prouvent que les femelles préfèrent les mâles se livrant aux parades nuptiales les plus sophistiquées. Cependant, une étude récente est venu abonder dans ce sens. Pourvu d'une queue noire extrêmement longue, le mâle de la veuve (un oiseau) de l'Est africain est visible à plus d'un kilomètre de distance lorsqu'il se livre à sa parade nuptiale. En coupant la queue de certains mâles et en la fixant à la queue d'autres mâles, on a pu constater que ceux-ci attiraient alors plus de femelles que les mâles ayant une queue normale ou ceux que l'on avait amputés de leur queue.

qui la rendent sexuellement réceptive et provoquent l'ovulation. Certains rituels nuptiaux sont extrêmement bizarres : par exemple, le mâle de la salamandre à deux lignes enduit par exemple la tête de la femelle d'une sécrétion glandulaire. Puis il se met à lacérer la peau de la femelle au moyen de deux dents protubérantes, de façon à faire pénétrer la sécrétion, qui pourrait être ainsi assimilée à un « aphrodisiaque », dans le sang de la femelle.

Chez certaines espèces, la femelle peut représenter pour le mâle une sérieuse menace à partir du moment où elle ne répond pas à sa stimulation sexuelle. Il arrive, en effet, qu'elle l'attaque et, dans certains cas, qu'elle le dévore. Pour éviter cela, la parade nuptiale exécutée par le mâle peut servir non seulement à stimuler la femelle sexuellement, mais également à inhiber d'autres formes de comportement non sexuel. Chez les araignées, le mâle est souvent beaucoup plus petit que la femelle, et il risque fort de se voir confondu avec une proie bonne à manger. Dans certaines espèces, le mâle fait vibrer la toile de la femelle à une fréquence caractéristique, de façon à lui faire savoir qu'il est un partenaire potentiel, et non une proie. Chez d'autres araignées et chez certains insectes, le mâle présente à la femelle un « cadeau de noces », qui n'est autre qu'un insecte emballé dans de la soie. Pendant que la femelle est occupée à déballer l'insecte pour le dévorer, le mâle en profite pour s'accoupler avec elle en toute impunité. Chez les oiseaux, mâle et femelle font généralement montre de réactions ambivalentes l'un vis-à-vis de l'autre lors de la formation du couple. Chez les mouettes rieuses, lors de la parade nuptiale, on voit souvent les deux partenaires « détourner la face », de façon à se cacher mutuellement leurs taches faciales sombres, qui sont en revanche montrées avec insistance lorsque les deux animaux se querellent.

Une synchronisation rigoureuse des activités nuptiales du mâle et de la femelle est particulièrement importante chez les espèces à fécondation externe. Puisqu'il est essentiel que le sperme et les œufs soient émis simultanément, sinon ils risquent de se disperser dans la nature avant que la fécondation n'ait pu intervenir. Chez les épinoches à trois aiguillons, le mâle doit donner de petits coups à la base de la queue de la femelle, sitôt après son entrée dans son nid pour qu'elle ponde ses œufs. Puis la femelle quitte le nid du mâle, ce dernier prend sa place et répand son sperme sur les œufs. Le synchronisme du comportement est également important chez la plupart des mammifères, dont les rongeurs et les chats. Chez eux, en effet, la femelle doit adopter une posture particulière, la « lordose », pour permettre au mâle de la monter et de s'accoupler avec elle de façon fructueuse.

Chaque espèce a son type de parade nuptiale, afin d'être sûre qu'un animal s'accouplera uniquement avec un membre de sa propre espèce. La parade comprend donc des signes visuels, des odeurs ou des sons très particuliers : chez la plupart des espèces de grenouilles, par exemple, les mâles émettent des appels dont la fréquence est très stéréotypée et propre à l'espèce. Une femelle n'est attirée que par les appels des mâles de son espèce, et d'ailleurs si ses oreilles comportent de nombreuses cellules sensorielles sensibles à la fréquence sonore des appels des mâles de leur espèce, elles le sont très rarement aux autres fréquences. De la même façon, les antennes de nombreux papillons nocturnes mâles ne sont sensibles qu'aux odeurs émises par les femelles de leur propre espèce.

Parmi les nombreux aspects curieux du comportement animal lors de la parade nuptiale, il en est un qui intéresse tout particulièrement les chercheurs depuis de longues années : ce sont les réactions ambivalentes dont font montre l'un envers l'autre, deux partenaires potentiels. Outre les réactions d'ordre sexuel proprement dit, leur comportement révèle entre autres des attitudes de peur et d'agressivité. Aux premiers stades de la parade

La saison des amours

A l'évidence, l'époque à laquelle intervient l'activité reproductrice est déterminée par la sélection naturelle, qui a favorisé les animaux qui se reproduisent à un moment où leur progéniture a le plus de chances de survivre. Dans les habitats des régions septentrionales tempérées, la saison de la reproduction commence généralement au début du printemps, afin que les jeunes disposent d'une nourriture riche et abondante au printemps et en été. En revanche, dans les régions où les changements climatiques sont irréguliers, il est fréquent que la reproduction n'intervienne pas à un moment précis de l'année. C'est le cas dans les déserts, où chez de nombreuses espèces, la reproduction a lieu après de fortes pluies, quelle que soit la saison. Chez certains grands mammifères ayant une longue période de gestation, comme le cerf commun ou le mouton, la saison des amours se situe en automne. L'embryon se développe pendant l'hiver et la progéniture naît au printemps.

Les membres d'une population reproductrice se trouvent en général aptes à se reproduire exactement à la même époque de l'année.

Sous les latitudes élevées, les facteurs environnementaux les plus importants sont la longueur du jour et, dans une moindre mesure, la température. Chez les animaux qui se reproduisent au printemps, l'augmentation de la durée du jour provoque des changements hormonaux qui déclenchent le processus de la reproduction. A l'inverse, chez les animaux dont la saison des amours se situe en automne, comme les cerfs et les moutons, les modifications hormonales sont déclenchées par la diminution de la longueur du jour.

Pour de nombreux animaux le comportement des partenaires potentiels joue également un rôle. Ainsi, une femelle de canari sera plus vite prête à la reproduction si elle entend le chant d'un mâle que si on la maintient dans un isolement acoustique. Quant à la femelle de lézard vert, elle ne produit des œufs matures que si un mâle a fait sa parade nuptiale devant elle.

Une reproduction simultanée est un avantage face aux prédateurs qui se trouvent débordés par le nombre.

◄ **Câlin, câlin — la cour chez les girafes.** Pour faire sa cour, cette girafe mâle *(Giraffa camelopardalis)* frotte le cou d'une femelle. Durant la saison des amours, plusieurs mâles, de plus en plus dominateurs, se succèdent auprès d'une femelle réceptive, de sorte qu'au moment où celle-ci est prête à s'accoupler, c'est le mâle le plus haut placé dans la hiérarchie qui s'occupe d'elle et sera son partenaire.

► **Un rituel nuptial dans la jungle.** Les limaces et les escargots sont hermaphrodites. Néanmoins, une fécondation croisée, par un échange mutuel de paquets de sperme est essentielle à leur reproduction. Les représentants de certaines espèces possèdent un « dard » qu'ils introduisent dans le corps de leur partenaire afin de stimuler le mécanisme de la copulation. Les grandes limaces, comme ces représentantes du genre *Trichotoxon* ont un rituel nuptial sophistiqué et qui peut durer plusieurs heures avant l'accouplement.

▼ **Un terrain malodorant** pour la parade nuptiale. Ici, un couple de scatophages stercoraires *(Scathophaga stercoraria)* sur un tas d'excréments. Le mâle et la femelle sont attirés par les excréments frais, où ils s'accouplent.

nuptiale, les animaux ont des motivations conflictuelles, voire contradictoires : il y a d'une part l'instinct d'accouplement, mais il y a également la tentation de livrer combat et celle de prendre la fuite. C'est ainsi que bien souvent la parade nuptiale se trouve brusquement écourtée parce que, semble-t-il, chez au moins un des deux partenaires, la motivation à l'accouplement se trouve inhibée par une des autres tendances. Lorsqu'un tel conflit survient chez un animal, cela se traduit généralement par une bizarrerie et une inadaptation du comportement. Chez les canards, par exemple, le mâle peut se mettre brusquement à faire sa toilette. De tels schèmes de comportement sont ce que l'on appelle des « activités de déplacement ». Dans bien des cas, il apparaît qu'au fil de l'évolution, certaines activités de déplacement sont devenues plus marquées et plus stéréotypées, au point

de finir par faire partie intégrante de la parade nuptiale. Ces modifications évolutives constituent un processus dit « de ritualisation ». Lors de sa parade nuptiale, le mâle de canard col-vert (ou canard sauvage) effectue ainsi une manœuvre qui consiste à tourner la tête pour aller toucher avec son bec les plumes de son aile à un endroit bien précis, le « miroir ». Il s'agit là d'une forme ritualisée de la toilette en tant qu'activité de déplacement.

TRH

LE COMPORTEMENT PARENTAL

Les stratégies visant à réduire les soins à leur minimum...
L'incubation orale chez les poissons et les grenouilles... Le
nourrissage des oisillons et des jeunes mammifères... Le nombre
de progénitures chez les martinets... La durée du maternage...
Qu'est-ce qui, chez les petits, les rend attachants pour leurs
parents ?... Encourager l'indépendance chez les singes...
L'expérience parentale dans l'élevage des progénitures...

CHEZ les humains, ainsi que chez certains mammifères, les parents consacrent beaucoup de temps et d'énergie à s'occuper de leur progéniture. Mais nombreux sont les animaux qui ne s'occupent pour ainsi dire pas de leurs petits. Ce que ces animaux ne donnent pas en soins individuels, est néanmoins compensé par une progéniture souvent très abondante. Il est en effet fréquent qu'un couple de parents produise des milliers, voire des millions d'œufs fécondés, dont seulement une infime partie donnera naissance à des animaux qui atteindront l'âge adulte.

Chez certaines espèces, les petits disposent, à l'abri de l'œuf, de réserves de nourriture sous la forme d'un vitellus, qui leur permettra de franchir les premiers stades de leur développement. Le vitellus peut être très gros, en particulier chez certains reptiles, comme les crocodiles et les tortues et bien sûr les oiseaux : un œuf d'autruche contient par exemple quelque 800 g de vitellus...

Certains animaux poussent plus loin le « maternage », en veillant à ce que leur progéniture continue d'avoir des réserves de nourriture à sa disposition une fois le vitellus épuisé. La femelle de la guêpe fouisseuse, *Sphex ichneumonias*, creuse ainsi un trou, capture quelques ensifères, puis, au lieu de les tuer, elle les paralyse par une piqûre, les dépose dans le trou, pond un œuf sur eux et colmate le trou. Lorsque les larves parviennent à éclosion, elles ont à leur disposition une réserve de nourriture fraîche.

Les mammifères vont encore plus loin dans le maternage : chez eux, la femelle porte sa progéniture dans son sein jusqu'à ce qu'elle parvienne à un stade où elle sera capable de pourvoir à ses propres besoins. Chez les placentaires, une souris porte ses petits dans son sein pendant trois semaines et, chez les éléphants et les humains, le petit poursuit son développement dans le ventre de la mère pendant plusieurs mois. Mais les mammifères ne sont pas les seuls à porter leur progéniture dans leur sein. Ainsi, certains cichlides femelles (des poissons) comme les *Haplochromis* qui vivent dans les lacs de l'Est africain, portent les œufs fécondés, et plus tard, les petits dans leur bouche. Les alevins peuvent nager librement en restant près de la tête de leur mère, mais au moindre danger, ils filent se réfugier dans la bouche maternelle. Chez de nombreuses espèces de grenouilles et de crapauds, les jeunes font leur croissance dans une cavité spéciale du corps de leur mère.

Après la naissance ou l'éclosion, les parents continuent en général de veiller sur leurs petits pendant des jours, des mois, voire des années. Ils leur fournissent de la nourriture, les maintiennent à la température requise et les protègent des prédateurs. Souvent, les parents doivent consacrer beaucoup d'énergie pour nourrir leurs petits. Chez de nombreuses espèces de petits oiseaux, durant les heures d'ensoleillement, les parents doivent donner la becquée à leurs petits entre quatre et douze fois par heure : s'ils ont plusieurs petits à nourrir, il leur faut donner la becquée plusieurs centaines de fois par jour. Chez les mammifères, la mère se trouve confrontée à un problème supplémentaire dans la mesure où une partie seulement de l'énergie fournie par les aliments sera transmise à la progéniture, via le lait. En période d'allaitement, une mère doit donc absorber une nourriture beaucoup plus abondante qu'à l'ordinaire : chez le campagnol roussâtre, la femelle consomme deux fois plus de nourriture en période d'allaitement. Chez certaines espèces, la quantité de lait qu'une femelle peut fournir est parfois impressionnante. Ayant donné naissance à sa progéniture (un seul petit), un phoque gris femelle l'allaite pendant 17-18 jours. Durant cette période, le petit triple son poids, pour atteindre une cinquantaine de kilos, et son corps prend sa forme typique, toute en rondeur, mais durant cette période, la mère ne se nourrit plus et perd, elle, beaucoup de poids.

Chez les mammifères, c'est surtout la mère qui s'occupe des petits, mais chez certaines espèces d'autres individus jouent un rôle dans le « maternage », que ce soit le père (chez les ouistitis,

► **Les premiers liens de l'attachement.** Dès la naissance, cette brebis lèche son agneau pour s'habituer à son goût et son odeur.

◄ **Encourager l'indépendance de la progéniture...** Cette maman babouin (1) fait mine de s'éloigner de son petit. Ensuite (2), elle le laisse la suivre, puis elle se tourne vers lui (3) pour le rassurer (le petit s'arrête). Lorsque le petit a acquis une certaine autonomie, sa mère le repousse plus souvent (4).

Les liens entre les parents et leurs progénitures

Au sein des espèces chez lesquelles les parents veillent sur leurs petits pendant une grande partie de l'enfance, on observe de fortes différences dans la façon dont les petits supportent d'être séparés de leurs parents pendant de brèves périodes. Chez certaines espèces, c'est une simple routine, tandis que chez d'autres cela perturbe fortement la progéniture. Les oisillons sans défense des étourneaux ou des merles, pendant que leurs parents vont chercher de la nourriture, attendent patiemment leur retour. Mais les oiseaux actifs dès la naissance, comme les oisons et les canetons, comptent sur leur mère pour leur apporter leur nourriture et les défendre, et dès qu'ils se trouvent séparés d'elle ou de leurs frères et sœurs, ils poussent les hauts cris, de sorte que la mère revient à toute allure. Les souriceaux et les jeunes rats, qui, à la naissance, sont aveugles, dépourvus de poils et incapables de se mouvoir, ne réagissent pas lorsque leur mère s'éloigne du nid mais les jeunes singes que leur mère transporte dès les tout premiers jours, se mettent à crier de détresse dès qu'ils sont séparés d'elle. Ces cris ont un fort impact sur la mère, qui ne tarde pas à récupérer ses petits.

Chez beaucoup d'espèces d'animaux, dont les mammifères ongulés et de nombreux primates, des liens très forts se développent entre la mère et sa progéniture. Si ces liens d'attachement se trouvent menacés, le petit aura un comportement visant à les rétablir et s'il échoue, son comportement en sera fortement perturbé. Ainsi, les jeunes singes qui ont été séparés de leur mère pendant un certain temps ont tendance à se prostrer et à devenir dépressifs, et beaucoup en meurent, même lorsque les autres membres du groupe les adoptent. Ceci montre bien que les liens qui se forment sont très spécifiques à la mère et son petit, et qu'une mère ne materne pas n'importe quel petit, pas plus que le jeune singe n'accepte d'être materné par un adulte qui n'est pas son propre parent. Par exemple chez le mouton, ce processus d'attachement commence très tôt. Sitôt qu'elle a mis bas, la mère lèche les liquides amniotiques qui imprègnent le corps de son petit, et repoussera un agneau dont le goût ou l'odeur seront différents.

par exemple), les frères et sœurs aînés, ou les sœurs de la mère (chez les macaques rhésus), voire, dans certains cas, des individus sans aucun lien de parenté. Un parent qui aura réussi dans sa tâche est celui qui, au cours de son existence, donnera naissance à une progéniture abondante qui à son tour engendrera beaucoup d'autres petits.

La réussite des parents à la reproduction est tributaire d'éléments extérieurs qu'ils ne peuvent contrôler. Une vague de sécheresse ou une épidémie peuvent ainsi tuer toutes les progénitures sans que leurs parents aient la moindre défense. D'autres éléments, en revanche, sont contrôlables, comme le nombre de petits par portée. Une femelle de martinet par exemple pond généralement trois œufs par couvée, mais elle peut en pondre moins. Pourquoi cette femelle ne pond-elle pas des œufs en plus grand nombre ? L'expérience montre qu'une femelle de martinet à laquelle on donne une couvée importante à élever n'en a que plus de difficultés à se procurer assez de nourriture pour nourrir ses petits, comparée à une femelle n'ayant que deux ou trois petits à couver. Une bonne partie des oisillons en surnombre mourront. Au bout du compte, une femelle qui à chaque couvée, pond trois œufs en moyenne, et élève chaque fois avec succès sa progéniture, se révèle, au terme de sa vie, avoir été une meilleure reproductrice que les femelles qui pondent des couvées plus importantes.

Une femelle peut par ailleurs allonger ou écourter la période pendant laquelle elle materne les petits de sa couvée (ou de sa portée), avant de les abandonner à leur sort pour aller se reproduire de nouveau et élever une nouvelle couvée. Si cette mère abandonne trop tôt sa couvée actuelle, les petits ont moins de chances de survivre. A l'inverse, si la mère reste trop longtemps auprès de ses petits, alors qu'ils sont déjà capables de voler de leurs propres ailes, elle réduit d'autant la durée de vie reproductive qui lui reste, et donc, le nombre de petits auxquels elle donnera le jour jusqu'à sa mort. C'est pourquoi les mères les plus prolifiques sont celles qui quittent leurs petits au moment optimal. Cela ne veut évidemment pas dire que ces petits auront de meilleures chances de survie si leur mère les quitte à ce moment précis : ils seraient en fait plus en sécurité si leur mère restait auprès d'eux plus longtemps que le strict minimum. Il advient nécessairement un moment où les petits réclament les soins de leurs parents mais où ceux-ci ne sont plus disposés à s'occuper d'eux. Chez beaucoup d'animaux, on retrouve à l'époque du sevrage ce type de conflit entre les parents et leurs progénitures.

Souvent, juste après la naissance ou l'éclosion de l'œuf, les jeunes animaux se trouvent sans défense — ils sont dits « nidico-

les ». Ces petits ne savent rien faire, sinon prendre la nourriture que leurs parents leur donnent. Une jeune grive sait ouvrir son bec pour recevoir la nourriture que ses parents rapportent au nid ; un jeune chimpanzé est capable de téter le sein de sa mère et s'il le faut, de tourner la tête de côté pour attraper le téton avec sa bouche, mais pendant ce temps, sa mère doit le tenir fermement pour l'empêcher de tomber, et elle doit également lui faire sa toilette, le porter et le protéger. Quoi qu'il en soit, chez toutes les espèces, à mesure que le jeune animal grandit, ses capacités se développent et ses parents peuvent relâcher peu à peu leur attention. Les jeunes deviennent alors capables de courir, marcher, voler ou nager, et leurs parents ont un comportement moins protecteur. Chez les espèces dites « nidifuges », les parents cessent souvent de s'occuper de leurs petits dès que ceux-ci deviennent mobiles et actifs, c'est-à-dire peu après la naissance.

Pourquoi les parents éprouvent-ils le besoin de materner leur petit ? Comment expliquer que les parents s'occupent de moins en moins de leurs petits à mesure que ceux-ci grandissent ? On sait, par l'observation, qu'il existe chez les très jeunes animaux différents traits auxquels leurs parents sont extrêmement sensibles. Ainsi, lorsqu'il a froid, ou s'il ne retrouve plus le chemin du nid, un souriceau émet des appels situés dans la zone des ultra-sons — c'est-à-dire, des couinements de fréquence tellement élevée qu'un homme ne peut pas les entendre. En l'entendant appeler au secours, sa mère ira le chercher, le prendra dans sa bouche et le ramènera au nid, où le souriceau retrouvera la chaleur et la sécurité. Chez nombre d'espèces d'oiseaux et de mammifères, comparés aux adultes de leur espèce, les jeunes ont une face plus arrondie et des yeux plus grands, et c'est souvent ce qui pour leurs parents, les rend « attachants ». Chez les singes, il est fréquent que les jeunes aient un pelage de couleur différente de celle des adultes. Ainsi, les jeunes babouins sont noir et rose, tandis que les adultes sont de couleur olive. Ces petits sont

▲ **Une araignée très maternelle.** Cette araignée femelle, une lycose (genre *Pardosa*) porte ses petits sur son dos. Les lycoses sont des araignées qui vagabondent en terrain découvert, et elles transportent également leurs œufs jusqu'à l'éclosion des progénitures.

◄ **Bondissant du dos de leur mère,** ces grenouillettes viennent d'être mises au monde par une femelle de nototrème (*Gastrotheca ovifera*). La mère possède une poche dorsale à incubation dans laquelle les œufs parachèvent leur développement en passant par tous les stades de la métamorphose.

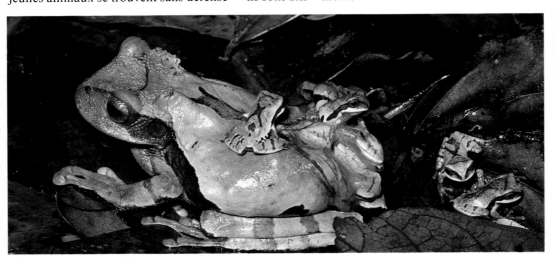

souvent « attachants » non seulement pour leur mère, mais aussi pour d'autres membres du groupe. Il n'est pas rare que des femelles, jeunes ou adultes, tentent de voler les nouveau-nés à leurs mères, mais elles cessent dès que les petits perdent leur livrée noire et rose pour revêtir leurs couleurs d'adulte.

A mesure qu'ils grandissent, les jeunes deviennent plus autonomes, ils sont plus à même de veiller sur eux-mêmes et les parents encouragent activement cette acquisition de l'indépendance. Les mères babouins procèdent par étapes : dès que le petit atteint l'âge de deux semaines, la mère s'amuse à le déposer à terre, s'éloigne de quelques pas, puis vient le reprendre, de façon à le rassurer. Par la suite, la mère s'éloignera plus souvent de son petit, et à maintes reprises, elle lui refusera le sein. Ce processus qui consiste à promouvoir l'indépendance de la progéniture s'appelle le « sevrage ». Ce processus est chez les singes très progressif : la mère continue de prendre son petit dans ses bras même lorsqu'elle a cessé depuis longtemps de l'allaiter. En fait, c'est la reprise de l'activité sexuelle chez la mère qui stimule l'indépendance car elle supporte alors beaucoup moins ses petits. Mais chez les chimpanzés, la dépendance psychologique du petit vis-à-vis de sa mère peut durer des années : il n'est pas rare de voir un chimpanzé de deux ou trois ans qui vient de perdre sa mère, mourir quelques semaines plus tard, des suites d'une dépression.

Comme nous l'avons vu, les parents accordent moins de soins à leurs petits à mesure que ceux-ci grandissent. Mais le « maternage » varie pour d'autres raisons, en particulier l'expérience des parents en ce domaine. Chez les souris, une mère ayant déjà élevé d'autres portées saura ainsi mieux répondre aux attentes de ses petits qu'une mère dont c'est la première portée. De la même façon, chez les macaques rhésus, une mère est moins apte à s'occuper de ses petits s'il s'agit de la première portée. La forme du maternage peut également dépendre du sexe de l'« enfant ». Chez les macaques rhésus et les bonnets chinois (un genre de macaque), les adultes se montrent plus agressifs face à une mère ayant des progénitures femelles que face à celle ayant des progénitures mâles. La mère tendra donc à protéger ses « filles » plus que ses « fils ». Dans le même ordre d'idées, on a remarqué chez une autre espèce de macaques, une plus grande agressivité des adultes face à une femelle gravide qui porte des fœtus femelles, que face à celle portant des fœtus mâles. On ignore les raisons d'un tel comportement.

NRC

LES SYSTÈMES DE REPRODUCTION

Les couples stables... Les harems... Le rôle de la femelle dans la reproduction... Le rôle du mâle... La reproduction chez les éléphants de mer... La différence de taille entre mâles et femelles... Choisir un partenaire... Le rôle de l'un et l'autre sexes chez le chevalier grivelé... Les mâles « satellites » qui s'accaparent le rôle vedette...

Q U'EST-CE que les renards, les gibbons, les castors, les rats à trompe et ces toutes petites antilopes que sont les dik-diks, ont en commun ? Ces cinq mammifères, qui représentent cinq grands groupes différents, vivent tous en couples monogames stables, alors que ce n'est pas le cas chez la plupart des autres mammifères. Il est plus fréquent de voir quelques mâles monopoliser chacun plusieurs femelles, tandis que les autres mâles se voient interdire la reproduction. Chez les cerfs communs en rut, par exemple, les mâles les plus dominateurs et les plus agressifs s'octroient des « harems » de plus d'une douzaine de biches fécondes, tandis que les mâles moins forts restent consignés en groupes de célibataires...

Le terme « polygamie » (qui signifie « plusieurs femelles ») désigne un système dans lequel, comme chez le cerf commun, un mâle peut se reproduire en s'accouplant avec plusieurs femelles. A l'inverse, le terme « polyandrie » (« plusieurs mâles ») définit un système dans lequel une femelle peut s'accoupler avec plusieurs mâles. Les systèmes reproducteurs polyandres sont extrêmement rares chez les mammifères : on soupçonne leur existence chez une poignées d'espèces, mais sans en avoir la preuve. En revanche, les systèmes polygames sont nombreux dans le règne animal. Pour comprendre pourquoi, il faut étudier la distinction fondamentale entre les deux sexes.

Un représentant du sexe femelle est par définition celui qui produit la plus grosse cellule sexuelle : un ovule est plus gros qu'un spermatozoïde. Cette différence de taille a des répercussions considérables. Produisant des œufs plus gros que ceux du mâle, la femelle consacre d'emblée à chaque progéniture beaucoup plus d'énergie. Chez les espèces qui se contentent de pondre leurs œufs dans un environnement choisi et de les laisser se développer tout seuls, le potentiel reproductif de la femelle se trouve limité par sa capacité à engranger de l'énergie et à produire des œufs. Son partenaire, en revanche, obtient une même réussite à la reproduction et ce, en dépensant beaucoup moins d'énergie. Par conséquent, la possibilité de féconder les œufs d'une femelle suscite des rivalités. Les mâles rivalisent pour s'accaparer les femelles, et un seul mâle peut engendrer une progéniture beaucoup plus abondante que ne le pourra jamais une femelle. C'est parce qu'un mâle consacre à chaque progéniture un moindre « investissement parental » que son potentiel reproductif est plus élevé que celui de la femelle ; il peut, en outre, accroître ce potentiel en s'accouplant avec plusieurs femelles. Le potentiel reproductif de la femelle, en revanche, ne bénéficie pas autant d'un accouplement avec plusieurs mâles : un seul mâle suffit pour féconder tous ses œufs.

Bien sûr, de nombreux animaux ne se contentent pas de pondre leurs œufs pour les abandonner à leur sort. Néanmoins, dans tous les cas, la femelle tend à investir plus que le mâle dans sa progéniture. Le processus de la fécondation interne devait, au fil de l'évolution, poser les jalons en vue de plusieurs modifications qui eurent pour effet d'accroître les différences entre les deux sexes au niveau de l'investissement parental, comme en témoigne la gravidité (ou la grossesse) et la lactation chez les mammifères. Chez nombre de grands mammifères, le potentiel reproductif se limite, au plan physiologique, à l'élevage d'une

▲ ▶ Le dimorphisme sexuel et le mode de reproduction. Les reproducteurs monogames (1 et 2) ne présentent généralement pas de dimorphisme au niveau de la taille des animaux mais les reproducteurs polygames présentent un dimorphisme (3, 4 et 5). (1) Chez les sternes communes *(Sterna hirundo)*, en faisant sa cour, le mâle apporte de la nourriture à la femelle, qui reste campée sur le site choisi pour la nidification. Un couple de sternes dure généralement toute la vie. (2) Les cris émis par ce duo de gibbons cendrés *(Hylobates moloch)* servent non seulement à tisser les liens du couple, mais également à les maintenir et les renforcer. (3) Un mâle (plus gros) et une femelle de miroungas des régions septentrionales *(Mirounga angustirostris)* sur la plage où ils s'accoupleront. A chaque saison des amours, seuls les mâles les plus haut placés dans la hiérarchie s'entourent d'un harem et pourront se reproduire avec succès. (4) Un mâle (plus grand) et une femelle de hurleurs noirs *(Alouatta caraya)* poussent leurs cris ; un mâle peut monopoliser jusqu'à trois femelles. (5) Sur le site nuptial (le lek), ce grand tétras mâle *(Tetrao urogallus)* appelle ; à son côté, la femelle se tient dans une position invitant le mâle à l'accouplement.

seule progéniture tous les un ou deux ans. Une femelle aurai beau s'accoupler avec tous les mâles du monde, cela n'y chan gerait rien. En revanche, le potentiel reproductif du mâle es directement fonction du nombre de partenaires qu'il peut se procurer. Dans la mesure où la sélection naturelle favorise le succès individuel à la reproduction, il n'est pas étonnant de voi les mâles opter si souvent pour la polygamie.

L'éléphant de mer du nord, qui se reproduit sur les îles du Pacifique, est le plus polygame de tous les mammifères. Débu décembre, les énormes mâles viennent s'échouer sur les plages où ils restent sans se nourrir jusqu'en mars. Là, ils livrent combat entre eux, dépensent dans ces combats beaucoup d'énergie e s'infligent parfois de sérieuses blessures, jusqu'à ce que le vainqueurs parviennent à établir leur domination sur certaine étendues de plage. Les femelles gravides commencent à affluer vers la mi-décembre. Chacune met bas sur le rivage, puis ell materne sa progéniture pendant quatre semaines environ, avan de repartir. Mais peu avant son départ, survient le moment qu justifie les combats entre mâles : la femelle s'accouple et conçu la progéniture qui verra le jour à la saison suivante. Chez le

2

5

mâles, les chances de réussite de l'accouplement sont extrêmement variables. 10 % environ des jeunes mâles survivront pour
prendre part, à leur tour, à cette compétition en vue de la
reproduction, à l'âge de cinq ou six ans, mais la plupart ne
copuleront jamais. Environ un mâle sur cent atteint l'âge de neuf
ou dix ans, qui est l'âge le plus prolifique pour la reproduction.
Certains spécimens, rares, sont capables d'engendrer 100, voire
200 petits, alors que les femelles les plus prolifiques ne donnent
naissance qu'à une dizaine de petits en toute une vie. Lorsque la
saison des amours prend fin, le mâle est à bout de forces, ayant
perdu jusqu'au tiers du poids qu'il avait en décembre. Nombreux
sont les mâles qui meurent peu après leurs exploits amoureux sur
le rivage.

Dans un système d'accouplement monogame, les représentants
des deux sexes se partagent généralement les charges parentales,
et le mâle n'est ordinairement pas beaucoup plus gros que la
femelle. En revanche, au sein des espèces où la polygynie est très
développée, le mâle ne joue aucun rôle parental, car il consacre

son énergie à la compétition visant à se procurer des partenaires
Dans bien des cas, les exigences de cette compétition ont condui
à l'évolution de mâles de taille importante et de systèmes d'arme:
très développés. Si l'on compare des espèces parentes chez le
phoques ou les primates, par exemple, on constate que le degré
de « dimorphisme sexuel » (la différence de taille entre le mâl
et la femelle) qui caractérise l'espèce est étroitement lié au degr
de polygamie. Ainsi, chez les éléphants de mer, fortement poly
games, le mâle peut être trois ou quatre fois plus lourd que la
femelle mature. Cette relation ne se limite pas aux mammifères
la plupart des oiseaux sont monogames et les représentants de
deux sexes sont donc de taille sensiblement identique, mais che
les quelques espèces où la polygamie est très marquée, comm
les coqs de bruyère et quelques autres tétras, les mâles son
généralement beaucoup plus grands que les femelles de l'espèce

Dans la mesure où la femelle consacre beaucoup de temps e
d'énergie à chacune de ses progénitures, il lui faut choisir ave
soin son partenaire. En effet, en s'accouplant par erreur avec ur

◄ **Des mâles satellites qui s'emparent du rôle vedette...** Dans les systèmes de reproduction fortement polygames, où les rivalités entre mâles sont très rudes et coûteuses, il est fréquent que certains mâles renoncent à la compétition dès lors qu'ils ne sont plus majoritaires. Par exemple, chez les crapauds dorés *(Bufo periglenes)*, les mâles attirent les femelles par leur livrée orangée, en se postant au bord d'un étang de façon à être facilement vus. Cependant, d'autres mâles « satellites » guettent dans les parages l'approche d'une femelle, qu'ils intercepteront le cas échéant. Chez d'autres espèces de grenouilles, les appels du mâle attirent les femelles, tandis que les mâles satellites restent silencieux.

On a souvent observé un comportement similaire chez les criquets. Par leur stridulation, les mâles attirent les femelles, mais ils attirent également les œstres, qui pondent leurs œufs sur ces mâles — ce qui les tuera. Si les « satellites » silencieux n'obtiennent pas autant de femelles que les mâles qui chantent, ils ne subissent pas en revanche de parasitisme.

▼ **Une pondeuse solitaire.** Chez beaucoup d'espèces, comme cette tortue luth marine *(Dermochelys coriacea)*, les femelles pondent des œufs en grand nombre, et les progénitures, abandonnées à leur sort, doivent se défendre elles-mêmes, ce qui se solde par un taux de mortalité élevé.

Le rôle des deux sexes chez le chevalier grivelé

Plus de 90 % des espèces d'oiseaux se reproduisent en couples monogames ; les autres sont, pour la plupart, soit polygames, soit peu sélectives. Chez le chevalier grivelé, un échassier commun d'Amérique du Nord, la reproduction s'effectue par des associations polyandres stables entre une femelle et ses mâles.

Les femelles, plus grandes que les mâles, arrivent les premières sur les sites de reproduction et s'agressent mutuellement pour s'assurer la mainmise sur le territoire. La femelle est le partenaire actif lors de la parade nuptiale ; ayant attiré un mâle, elle présente à ses soins une couvée de quatre œufs, pendant qu'elle va courtiser ailleurs.

Si le nid est détruit par un prédateur, la femelle revient apporter au mâle des œufs de remplacement et, à défaut d'attirer un autre mâle, elle aidera le premier à couver les œufs. Le premier partenaire s'oppose parfois à la venue d'un autre mâle, mais dans ce cas, la femelle ne tardera pas à le remettre à sa place. Une solide hostilité subsistera entre les deux mâles...

Dans ces situations, on observe chez les chevaliers grivelés une inversion des rôles des deux sexes par rapport au comportement des oiseaux polygames. L'accès aux mâles est, pour la femelle, ce qui limite les possibilités de reproduction — alors que c'est l'inverse chez la plupart des animaux. Un mâle n'a tout simplement pas le temps d'élever plus d'une seule couvée de quatre œufs en une saison, alors qu'une femelle peut élever des petits nés de plusieurs mâles et se consacrer à la quête de nourriture et à la ponte.

---

mâle d'une autre espèce, elle risque de perdre plusieurs mois à élever une progéniture hybride qui ne vivra pas ou sera stérile. S'accoupler avec un mâle de son espèce mais génétiquement inférieur ne vaut guère mieux. Le mâle, en revanche, dans la mesure où son investissement parental est moindre, n'a pas besoin de se montrer aussi sélectif. En effet, pour lui, procréer consiste souvent à dépenser simplement quelques gouttes de sperme, ce qui n'est pas particulièrement onéreux. C'est pourquoi, alors que les femelles se montrent très sélectives dans leur choix, les mâles eux ont plutôt tendance à courtiser sans discrimination. Le hamster ou le guppy mâle, courtise aussi facilement, dès qu'il est sexuellement mûr, les femelles appartenant à des espèces apparentées, que celles de sa propre espèce. Une femelle, en revanche, aussi novice soit-elle, repoussera d'emblée les avances d'un mâle qui ne lui convient pas. Qui s'est déjà promené, chaussé de galoches, au bord d'un étang où il y a des grenouilles, sait à quel point une grenouille mâle, dans sa fougue amoureuse, peut se montrer peu sélective — il n'est pas rare, en effet, que le mâle vienne s'accrocher à vos galoches dans l'espoir de copuler...

Le problème du choix des partenaires assure aux femelles une certaine supériorité sur les mâles. De fait, c'est précisément parce que les femelles sont une « ressource limitée » pour laquelle les mâles doivent rivaliser entre eux, que les femelles sont en mesure d'imposer à leurs courtisans certaines exigences. Par exemple, chez beaucoup d'insectes, le mâle transmet à la femelle, par l'intermédiaire de son sperme, de précieuses protéines. Chez les sternes, par exemple, au moment de la copulation, le mâle livre un poisson à sa femelle. Chaque fois que l'investissement parental du mâle et de la femelle sont proches, le temps que le mâle peut consacrer à la concurrence pour la polygamie se trouve réduit, et l'on observe alors plutôt une monogamie stable.

MD

Les origines du comportement

C OMMENT expliquer que les animaux agissent de telle ou telle façon ? En d'autres termes : « Le comportement est-il instinctif, ou appris ? » Les éthologistes sont désormais convaincus qu'ils ne peuvent plus poser le problème en termes aussi simplistes, car il existe de multiples nuances entre ces deux types de comportement. Le patrimoine héréditaire d'un animal influe sur sa capacité d'apprendre certaines choses plus facilement que d'autres. A l'inverse, beaucoup de schèmes comportementaux se développent sans qu'il y ait eu un apprentissage, mais ceci ne signifie pas pour autant que ces schèmes de comportement sont « imprimés dans les gènes ». Même des schèmes de comportement, en apparence extrêmement figés, peuvent se trouver altérés par une modification de l'environnement. C'est un signe encourageant, si l'on pense à certaines tendances dont notre propre espèce gagnerait peut-être à se débarrasser. Le comportement que l'on observe chez les animaux est toujours le fait d'une interaction subtile entre le patrimoine héréditaire et l'environnement dans lequel l'animal évolue. Les différents articles du présent chapitre visent à faire ressortir la complexité des relations entre ces facteurs.

◀ **Un duo au sommet...** Un couple de quiscales (genre *Quiscalus*) qui chantent.

L'APPRENTISSAGE

L'apprentissage négatif — l'habituation... L'apprentissage par essai et erreur, ou apprentissage instrumental... Les tests de la cage de Thorndike et Skinner... L'apprentissage chez le choucas des tours... Éviter les expériences désagréables... Apprendre à reconnaître les individus... Explorer l'environnement... Qu'est-ce que l'intelligence ?... La mémoire chez les animaux... Les animaux savent-ils compter ?... L'intuition... L'apprentissage du chant chez les oiseaux...

D E la naissance à l'âge adulte, un humain assimile un très vaste éventail d'informations. Il (ou elle) apprend à parler la langue de son pays d'origine, à lire et écrire, à monter à bicyclette, à conduire une voiture, à se servir d'un ordinateur, et ainsi de suite. Le chat d'appartement devra, lui, apprendre que pour pouvoir rentrer à la maison et recevoir sa pâtée, il lui faut non seulement retrouver son chemin et être à l'heure, mais aussi, éventuellement, pousser un petit volet ou autre. Un oiseau qui va chercher sa nourriture apprend que pour ne pas se faire piquer ou être empoisonné, il lui faut éviter la fréquentation des guêpes et des abeilles parées d'une livrée de mise en garde. Les schèmes de comportement transmis de génération en génération ont été modifiés et développés par un apprentissage de l'environnement dans lequel l'animal évolue.

Pour pouvoir se comporter de façon appropriée, un animal doit disposer des informations concernant les moyens de mener à bien toute une série de schèmes comportementaux complexes, et définissant également les cas précis de situation dans lesquels cet animal doit mettre en œuvre chacun de ces schèmes de comportement. Par exemple, de même qu'il doit « savoir » comment chasser, capturer, tuer et mettre en pièces une souris, un faucon doit également « savoir » que la souris est effectivement le genre d'animal qu'il lui faut chasser, et que la chasse est bien le comportement à mettre en œuvre lorsqu'il a faim. Bien entendu, cette connaissance n'est pas nécessairement consciente ; mais le succès de tout mode de comportement demeure tributaire des informations que l'animal possède sur lui-même et le monde environnant.

Apprendre permet de se procurer ces informations. L'apprentissage peut revêtir différentes formes, il peut être plus important pour certaines espèces que pour d'autres, mais tous les animaux, à des degrés divers, semblent capables d'apprendre. Chez l'homme, cet apprentissage a pris une importance unique dans le règne animal : nos actes quotidiens, depuis la toilette du matin, jusqu'au simple geste qui consiste à éteindre la lumière le soir avant de s'endormir, sont presque tous le résultat d'un apprentissage. Mais, si aucune espèce ne nous surpasse pour ce qui est de la quantité et de la diversité des informations acquises par l'apprentissage, il est extrêmement fréquent que des animaux soient capables d'apprendre des choses qui nous sont inaccessibles. Par exemple, les oiseaux apprennent à analyser la structure du chant de leurs congénères, alors que pour nous, ce chant est beaucoup trop rapide pour que nous puissions le décomposer. Un saumon est capable de retrouver son ancienne frayère en analysant les caractéristiques chimiques précises du cours d'eau dans lequel il a vu le jour quelques années auparavant : nous en sommes incapables.

Parmi les différents types d'apprentissage identifiés à ce jour, le plus simple et le plus commun est le processus dit d'« habituation ». Cette habituation est d'une certaine façon un mode d'apprentissage négatif : elle consiste en effet à apprendre que tel ou tel événement dont l'environnement est le siège, reste sans

Les animaux savent-ils compter ?

Au début de ce siècle, un mathématicien allemand du nom de von Osten fit sensation en annonçant qu'il avait appris à compter à un cheval. Lorsque von Osten disait un chiffre, le cheval martelait le sol un nombre équivalent de fois avec son sabot. L'animal fut donc surnommé « Hans le cheval savant ».

Malheureusement pour von Osten, un certain psychologue nommé Pfungst, parvint à démontrer que Hans « trichait » en observant les moindres mouvements involontaires de von Osten. Par exemple, lorsque von Osten disait le chiffre six, Hans se mettait à taper sur le sol avec son sabot ; mais au sixième coup, von Osten retenait son souffle, ou bien adoptait une posture plus contractée, si bien que sentant cela, Hans s'arrêtait de taper. Pfungst prouva son dire en montrant que s'il ne voyait pas son entraîneur, Hans était bien incapable de répondre correctement. Le cas de Hans est très révélateur, car il montre combien il faut être prudent lorsqu'il s'agit d'évaluer les aptitudes d'un animal à l'apprentissage.

Cette réserve étant faite, a-t-on les moindres preuves que certains animaux savent compter ? Otto Koehler inventa une expérience consistant à montrer à un oiseau (pigeon, choucas, grand corbeau ou perroquet) un panneau sur lequel on avait peint un certain nombre de points, puis plusieurs écuelles de nourriture, dont le couvercle de chacune présentait un nombre de points différent. La tâche de l'oiseau consistait à choisir l'écuelle dont le couvercle comportait le même nombre de points que le panneau. Par exemple, si le panneau comportait cinq points, l'oiseau devait choisir l'écuelle dont le couvercle portait cinq points. Pour éviter toute « tricherie », l'oiseau était séparé de son entraîneur par un écran et, entre deux épreuves, on modifiait la disposition des points sur le panneau et sur les couvercles, ainsi que les nombres de points.

Par le biais de ce genre d'expérience très rigoureuse, Koehler put démontrer de façon concluante que ses oiseaux étaient capables de compter. Mais les résultats obtenus par ces oiseaux étaient médiocres comparés à ce dont un homme est capable : un perroquet du nom de Geier et un grand corbeau baptisé Jacob parvinrent à compter jusqu'à six au terme d'un long entraînement, mais ils n'allèrent pas plus loin.

1

▶ **Allons jouer dehors...** Ces deux jeunes blaireaux eurasiatiques *(Meles meles)* s'aventurent hors de leur terrier. Dans les semaines suivantes, ils se familiariseront avec leur environnement, jusqu'à ce qu'ils aient acquis leur indépendance par rapport à leurs parents.

▼ **Apprendre à vivre ensemble.** Chez les animaux sociaux comme les cynocéphales, chaque individu doit apprendre quelle est sa place dans le « tissu social ». Il y parviendra peu à peu, à travers des activités comme celles illustrées ici. Le jeu chez les tout petits (**1**). L'exploration chez les jeunes (**2**). A l'occasion de la parade nuptiale, une femelle se présente à son mâle, qui ne figure pas sur le dessin. Une femelle fait la toilette du mâle (**4**). La recherche de nourriture aux côtés des autres membres du groupe (**5**). Une rencontre agressive entre mâles (**6**).

6

conséquence et qu'il n'y a pas à en tenir compte. Si par exemple, votre chien fidèle dort à vos pieds et que brusquement vous tapez fort sur la table, il y a de bonnes chances que l'animal se réveille, dresse les oreilles et se lève pour voir ce qui se passe. Puis, quelques minutes plus tard, lorsque votre chien s'est rendormi, donnez de nouveau un coup sur la table : il est alors fort probable que l'animal dressera les oreilles mais cette fois, il ne prendra pas la peine de se lever pour aller voir ce qui se passe. Si vous répétez l'expérience plusieurs fois, votre chien finira par ne même plus dresser les oreilles et il continuera à dormir tranquillement. C'est exactement le phénomène d'habituation : votre chien a appris qu'un coup donné sur la table ne signifie rien d'important — par exemple, la proximité d'un danger ou l'heure de la pâtée —, et qu'il n'a donc pas à s'en soucier.

L'existence de la capacité d'habituation a pu être démontrée chez un grand nombre d'espèces — depuis des micro-organismes simples comme les amibes, jusqu'aux humains. Il pourrait même s'agir d'une propriété inhérente à toute cellule vivante. A l'évidence, l'habituation est un processus vital car, sans elle, assailli par les stimulations visuelles, sonores, olfactives et tactiles, l'animal se trouverait en permanence dans un état d'alerte ou d'attente. L'habituation a pour effet de filtrer la multitude de stimuli environnementaux sans importance et de permettre ainsi à l'animal de concentrer toute son attention sur les stimuli vraiment importants pour lui.

Reste cette question essentielle : comment les animaux apprennent-ils à distinguer ce qui est effectivement utile, — l'em-placement des sources de nourriture et des points d'eau par exemple ? L'animal dispose à cette fin de l'apprentissage dit « instrumental », ou « par essai et erreur », par lequel une réaction donnée chez cet animal lui vaut une gratification. Cet apprentissage instrumental fut étudié pour la première fois par le psychologue américain E.L. Thorndike, vers le début du siècle, au moyen d'un appareil appelé la « cage casse-tête ». La cage en question était une simple cage en bois qui pouvait être ouverte de l'intérieur par pression sur une pédale. On enferma un chat dans cette cage, en le laissant découvrir par lui-même comment en sortir. Après une série de tentatives, le chat parvint à apprendre que pour sortir, il lui fallait appuyer sur la pédale qui commandait l'ouverture de la trappe. Thorndike inventa l'expression « apprentissage instrumental » pour désigner une réaction (consistant ici à appuyer sur une pédale) qui sert d'« instrument » à l'obtention de la gratification (en l'occurrence, pouvoir sortir de la cage).

Depuis que Thorndike mit en évidence ce phénomène, l'apprentissage instrumental n'a cessé de passionner les psychologues. A cette différence près que de nos jours, dans ce genre d'expérience, on utilise plutôt des rats comme cobayes que des chats et que l'appareil utilisé n'est plus une « cage casse-tête » de Thorndike, mais une cage de Skinner ou un labyrinthe. Dans ce labyrinthe, le rat doit apprendre, pour obtenir une récompense en nourriture, le chemin à prendre à chaque bifurcation. Dans une cage de Skinner, il apprend à appuyer sur un levier pour recevoir de la nourriture. Si l'apprentissage instrumental est

La mémoire chez les animaux

La mémoire diffère de la capacité d'apprentissage. Le terme « apprentissage » qualifie généralement le processus par lequel un animal acquiert des informations relatives à son environnement. Le terme de « mémoire » désigne le processus par lequel ces informations sont stockées dans le cerveau. Sans mémoire, le processus d'apprentissage ne servirait à rien, car les informations seraient aussitôt oubliées.

Comme nous l'avons vu précédemment (p. 16) des oiseaux comme les nonnettes cendrées et les geais européens, des mammifères comme l'écureuil roux et l'écureuil du Canada, emmagasinent des graines et des noisettes dans des caches où ils retournent lorsque la nourriture commence à manquer ailleurs. Il faut donc que l'animal puisse se remémorer l'emplacement où les vivres ont été stockées — ce qui quelquefois signifie que l'animal doit se souvenir d'une bonne centaine de caches éparpillées çà et là. David Olton a tenté de mesurer l'aptitude du rat à

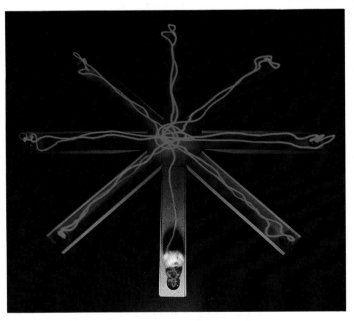

mémoriser les emplacements dans l'espace, au moyen d'un « labyrinthe en étoile » à huit branches (ci-dessus). Des aliments sont disposés au bout de chaque galerie du labyrinthe et le rat doit apprendre à collecter toute la nourriture avec la plus grande efficacité.

La stratégie idéale consiste à ne jamais repasser deux fois dans la même galerie et les rats se montrent doués pour apprendre cette stratégie.

Mais comment le rat s'y prend-il pour distinguer les différentes galeries, puisque celles-ci sont parfaitement

semblables ? A première vue, on pourrait penser que le rat se contente de visiter successivement chaque galerie, par exemple dans le sens des aiguilles d'une montre. Or, en observant les évolutions de l'animal, on s'aperçoit qu'il ne procède pas par ordre logique. Seconde hypothèse : passant dans une galerie, le rat pourrait laisser derrière lui une odeur qu'il reconnaîtrait et qui lui éviterait de passer deux fois au même endroit. Mais les expériences plus approfondies viennent infirmer cette hypothèse.

Il semble en fait que le rat reconnaisse chaque galerie de labyrinthe d'après les repères de son environnement. Il apprend, par exemple, que telle galerie commence près d'une petite fenêtre, et que telle autre se trouve sous une lampe. De fait, si l'on déplace ces points de repère, l'animal ne sait plus par quels couloirs il est déjà passé.

▶ **Des novices...** Faute
d'expérience, ces albatros de Laysan
(Diomedea immutabilis) n'hésitent
pas à couver un pamplemousse ! A
l'évidence, ils ignorent encore à
quoi ressemble un œuf.

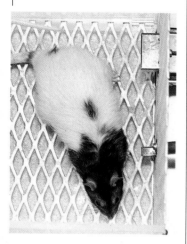

◀ **L'apprentissage instrumental.** Un
rat dans une cage de Skinner : le
rat commence par explorer sa cage
au hasard (en haut). Lorsqu'il
appuie sur le levier (au milieu), une
boulette de nourriture tombe
automatiquement dans la
mangeoire, et l'animal n'a plus qu'à
l'avaler (en bas). Sous peu, ce rat
aura appris qu'en appuyant
plusieurs fois de suite sur le levier,
il peut obtenir un apport constant
de nourriture, et bientôt il
effectuera ce geste de façon
automatique et sans hésiter.
L'apprentissage instrumental a donc
réussi.

◀ **Un rat dans un labyrinthe en
étoile** (ci-contre). Le chemin suivi
par le rat à mesure qu'il visite les
différentes galeries du labyrinthe
apparaît en rouge (pour réaliser
cette photo, on avait fixé sur le
collier de l'animal une petite lampe
rouge). On remarque que le rat
visite une seule fois chaque galerie
du labyrinthe et qu'il ne procède
pas suivant la stratégie la plus
simple, qui consisterait à aller d'une
galerie à la suivante en tournant,
par exemple, dans le sens des
aiguilles d'une montre (voir
l'encadré).

également appelé « apprentissage par essai et erreur », c'est
parce que l'animal doit découvrir par lui-même la réaction
requise pour obtenir sa gratification. Dans l'expérience de la cage
de Skinner, cependant, le psychologue aide généralement le rat
dans son apprentissage, par un processus que l'on appelle la
« formation ». Pour commencer, le rat reçoit de la nourriture
chaque fois qu'il s'approche du levier ; puis on le récompense
seulement lorsqu'il pose une patte sur le levier ; et pour finir, il
ne reçoit sa gratification que lorsqu'il appuie sur le levier.

Bien sûr, l'apprentissage instrumental est plus facile à étudier
en laboratoire, mais il joue un rôle considérable dans la vie
quotidienne de tous les humains et de nombreux animaux.
Lorsqu'un jeune choucas des tours commence à construire son
premier nid, il utilisera pour cela à peu près tous les matériaux
qui se présentent — bouts de papier, éclats de verre, boîtes de
conserve vides ou vieilles ampoules d'éclairage... Mais bientôt,
il découvrira que certaines herbes et brindilles font de bien
meilleurs matériaux de construction que les cailloux et les boîtes
de conserve. Chaque fois qu'un animal modifie ainsi son comportement pour voir ses efforts récompensés, lorsqu'il veut se
procurer de la nourriture, de l'eau, un ou une partenaire, ou
encore, construire un nid, on peut être sûr que l'apprentissage
instrumental est à l'origine de ce changement.

L'apprentissage instrumental a généralement pour utilité de
permettre à l'animal de parvenir à ses fins. Mais pour lui, il est
aussi important de savoir ce qui, dans l'environnement, peut se
révéler désagréable ou dangereux. Ici, on a affaire à une autre
catégorie d'apprentissage, baptisé l'« apprentissage de l'évitement », qu'illustre le comportement des rats devant un appât
empoisonné. Un rat se montre toujours méfiant lorsqu'il trouve

L'intuition

Lorsque quelqu'un réfléchit à un problème et que brusquement, il « voit » la solution, on dit qu'il vient d'avoir une « intuition ». L'intuition étant un phénomène purement mental, on la considère généralement comme la forme la plus évoluée de l'apprentissage. Les animaux mettent-ils à profit cette intuition au même titre que les humains ?

Parmi les expériences les plus connues en ce domaine, figurent celles effectuées par Wolfgang Köhler au début du siècle, sur des chimpanzés en captivité. Ces chimpanzés devaient trouver un moyen d'attraper des régimes de bananes placés hors de leur portée. La solution de ce problème consistait à attacher ensemble des bouts de bois, de façon à former une longue perche, ou bien à empiler des caisses vides sur lesquelles le chimpanzé pouvait ensuite grimper.

Les chimpanzés confrontés à la difficulté d'attraper les bananes, « tinrent conseil » un moment, contemplant tour à tour ces fruits si tentants, puis les bouts de bois et les caisses... Puis, tout à trac, les uns se mirent à assembler les bouts de bois, les autres à empiler les caisses de façon adéquate. Köhler put donc en conclure que ses chimpanzés étaient capables d'évaluer un problème et de le résoudre par un processus purement mental. D'autres auteurs font observer que les chimpanzés assemblent des bouts de bois ou grimpent sur des caisses empilées même lorsqu'ils n'ont rien de

particulier à attraper. Par conséquent, il est difficile de dire si les chimpanzés de Köhler procédaient véritablement par intuition, ou si, en jouant, ils étaient parvenus, de façon involontaire, à résoudre le problème.

Les chimpanzés en liberté utilisent eux aussi des outils pour se procurer de la nourriture. Ils aiment en particulier aller « à la pêche » aux termites, en enfonçant dans une termitière un fin bout de bois. Dérangés, les termites escaladent le bout de bois : en retirant doucement son outil, le chimpanzé n'a plus qu'à le lécher pour avaler les termites (ci-dessus). On pourrait mettre cette technique au crédit de l'intuition, mais en observant les choses de plus près, on s'aperçoit qu'un jeune chimpanzé apprend cette technique en imitant ses congénères et procède en fait par essai et erreur.

▲ **Un chimpanzé avec un outil...** Ce jeune chimpanzé *(Pan troglodytes)* se sert d'un bâton pour extraire des termites de leur nid.

▶ **Le jeu qui tue.** La frontière entre le jeu et les dures réalités de la vie est très étroite. Dans un premier temps, ce jeune guépard a joué avec cette petite gazelle de Thomson *(Gazella thomsoni)*. Mais dans sa courte vie, le jeune guépard a déjà suffisamment appris pour savoir que sa petite camarade de jeu est aussi un mets de choix : après avoir joué avec elle, il s'apprête à la dévorer.

une nouvelle source de nourriture et il commence toujours par goûter cette nourriture. Si celle-ci est empoisonnée, le rat en tombera malade, mais il en réchappera (à moins qu'il ne s'agisse d'un poison très violent). Lorsqu'il a été empoisonné une fois de cette façon, un rat ne touchera plus jamais à cette nourriture : il aura appris, en effet, à faire le lien entre la maladie dont il a souffert, et la nourriture en question. Par conséquent, il évite ensuite l'aliment qui l'a rendu malade. Dans ce domaine, l'apprentissage de l'évitement est très rapide et d'une efficacité extrême : ayant été empoisonné une seule fois, le rat évitera les aliments suspects jusqu'à la fin de ses jours. Ce type d'apprentissage explique que, malgré tous les efforts entrepris, on n'ait jamais pu exterminer les rats.

Mais les rats ne sont pas les seuls animaux qui apprennent à éviter les aliments dont le goût est répugnant ou qui les rendent malades. Un animal recherchera toujours, en général, une nourriture ayant un goût agréable.

Deux autres formes d'apprentissage communes aux différents animaux consistent d'une part à apprendre à reconnaître leurs frères d'espèce, d'autre part à mémoriser la topographie de leur territoire. La reconnaissance entre individus de la même espèce, c'est en particulier celle qui réunit un parent et sa progéniture : une brebis ne donnera, par exemple, la tétée qu'à l'agneau dont elle est la mère, et celui-ci fera en sorte de rester auprès d'elle. Mais cet apprentissage permettant à un animal de reconnaître les représentants de sa propre espèce n'est pas l'apanage des parents et de leurs progénitures. On le retrouve, dans une certaine mesure, partout où se forme une relation sociale durable entre plusieurs individus. Ainsi, au sein d'une bande d'hamadryas (des babouins), chaque individu doit déterminer sa propre place dans un système hiérarchique et relationnel complexe qui regroupe parfois plus d'une centaine d'animaux. On peut avancer sans exagération, qu'un babouin apprend non seulement à reconnaître individuellement beaucoup d'autres membres de sa bande, mais également, qu'il acquiert une bonne connaissance concernant la personnalité de tel ou tel, ainsi que ses liens de parenté.

L'apprentissage de la topographie du territoire constitue ce que l'on appelle l'« apprentissage spatial ». Cet apprentissage est d'une importance capitale, dans la mesure où c'est lui qui permettra à l'animal de localiser une source de nourriture ou un point d'eau, mais aussi de regagner son nid ou son repaire sans avoir à s'en remettre chaque fois au hasard. Vu l'importance de cet apprentissage spatial, rien d'étonnant à ce que la première activité à laquelle se livrent pratiquement tous les animaux dès qu'ils se trouvent dans un environnement nouveau pour eux, consiste à explorer de fond en comble tous les coins et recoins de cet environnement. Lors de son exploration, l'animal apprend où se trouvent les choses importantes, comme la nourriture et l'eau, et aussi, comment se rendre, de la façon la plus économique possible, d'un endroit à un autre. Autrement dit, l'animal se dote d'une sorte de « carte » mentale de son territoire.

En résumé, on dira que l'observation montre que les animaux sont capables d'apprendre à négliger tout ce qui, dans leur environnement, ne leur est d'aucune utilité, d'effectuer différents gestes imposés artificiellement, consistant par exemple à appuyer sur un levier pour obtenir de la nourriture, de construire des nids ou autres, de s'abstenir d'absorber des aliments répugnants ou

qui les rendent malades, de reconnaître d'autres individus, et de retrouver leur chemin. Cela signifie-t-il pour autant que les animaux sont intelligents ? Il se trouve que malheureusement, les scientifiques qui étudient l'apprentissage ne sont pas parvenus à s'entendre sur une définition de l'intelligence. De fait, les gens qui montent à cheval disent souvent que leur cheval est intelligent, car il comprend les ordres qu'on lui donne, mais on peut aussi bien affirmer que si le cheval était intelligent, il ne se laisserait pas monter. C'est pourquoi, quand on qualifie un animal d'« intelligent », tout dépend de ce que l'on entend par « intelligence ». Les représentants de certaines espèces d'animaux sont capables, en matière d'apprentissage, de véritables exploits, dont on pourrait dire qu'ils tiennent du prodige en regard de ce dont un homme est capable. Mais il s'agit toujours de tâches d'apprentissage très spécialisées, il est généralement admis que l'« intelligence » est avant tout une aptitude globale à l'apprentissage. A cet égard, seul l'homme est parvenu à dépasser par l'apprentissage ses limites biologiques, au point de pouvoir s'adapter à pratiquement tous les problèmes auxquels il se trouve confronté dans son environnement.

Imitateur ou compositeur ?

L'apprentissage du chant chez les oiseaux

▶ **Enregistrements sonores du chant du pinson.** Le chant de trois pinsons des îles Orkney est ici visualisé sous la forme de spectrogrammes des sons (une courbe fréquence / temps, permettant de visualiser le chant de l'oiseau) (**1**). Chacun de ces trois types de chant est constitué de trois phases successives, dans lesquelles les notes sont sensiblement identiques et suivies d'une longue syllabe montante puis descendante — la phase, ou « roulade » finale. Ces trois diagrammes montrent bien que plusieurs oiseaux peuvent avoir un chant très similaire, du fait que ces oiseaux copient les uns sur les autres, généralement avec une extrême fidélité. Le graphique 2 figure une série d'expériences sur l'apprentissage du chant. Les tracés (**a**) et (**c**) sont des spectrogrammes des phases de chant chez les oisillons de moins d'un an, et les tracés (**b**) et (**d**) sont ceux du chant produit par ces jeunes oiseaux. Dans les deux cas, l'imitation est d'une grande précision. En (**b**), on a fait écouter à l'oisillon le chant au printemps de sa première année, c'est-à-dire au moment où lui-même commençait à chanter. En (**d**), on a entraîné l'oisillon dans les deux premiers mois de sa vie, bien avant qu'il ne sache chanter. On observe avec intérêt que ces oisillons peuvent mémoriser les chants entendus pendant leur premier hiver, pour les reproduire fidèlement après de longs mois.

◀ **Pour se proclamer propriétaire d'un territoire,** ce pinson des prés *(Passerculus sandwichensis),* chante, perché sur une haute branche. Chez la plupart des espèces d'oiseaux, seuls les mâles chantent et ceux dont le chant est le plus varié trouveront plus facilement des partenaires, car les femelles les trouvent plus « séduisants »...

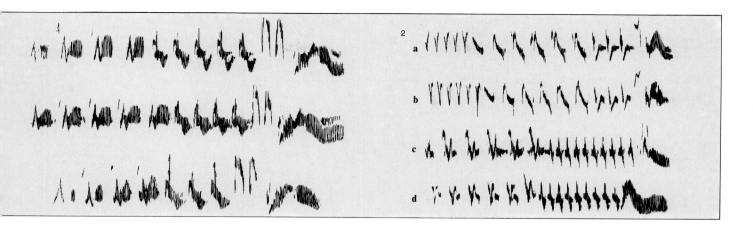

C'est un fait bien connu : certains oiseaux sont capables d'imiter les sons qu'ils entendent. On peut apprendre à une perruche ondulée à dire « Bonjour ! » et à un mainate religieux à imiter le bruit d'une porte qui couine. De fait, les perroquets et les mainates sont capables d'acquérir un large registre de sons différents : plutôt que d'imiter le chant des oiseaux de leur espèce, ils imitent les bruits et les voix humaines qui se font entendre à proximité de leur cage. Mais il arrive également que dans la nature, des oiseaux à l'état sauvage imitent différents sons : une grive peut, par exemple, émettre une trille qui ressemble à une sonnerie de téléphone. Toutefois, dans l'immense majorité des cas, les sons émis par les oiseaux sont leur propre chant, et non la reproduction de bruits entendus ailleurs. Ceci ne signifie pas pour autant que ces oiseaux n'imitent pas — puisqu'en fait, leur chant imite celui des autres membres de leur espèce.

Une des premières études approfondies sur la façon dont les oisillons acquièrent leur aptitude au chant fut réalisée, il y a une trentaine d'années, par le professeur W.H. Thorpe, de l'université de Cambridge (Angleterre). Thorpe étudia le chant de jeunes pinsons mâles qui avaient été recueillis quelques jours après leur naissance et élevés ensuite en laboratoire. Pour décomposer le chant de ces oiseaux, Thorpe eut recours à un analyseur de spectre sonore — un appareil alors tout récent —, qui permettait de faire apparaître sur le papier le diagramme du chant du pinson.

L'observation la plus frappante concernait les oisillons que l'on avait maintenus dans l'isolement de façon qu'ils ne puissent entendre le chant d'autres oiseaux. En effet, le chant émis par le jeune pinson parvenu à l'âge adulte se révélait très différent du chant normal d'un pinson. Le chant de cet oiseau avait une durée normale et il restait dans une plage de fréquence également normale, mais il lui manquait la « roulade finale ». De plus, ce chant n'apparaissait pas nettement divisé en plusieurs séquences, et la mélodie était simplifiée par rapport au chant normal du pinson, avec des notes plus répétitives. Par conséquent, l'expérience montrait qu'un jeune pinson ne pouvait pas chanter normalement si on le maintenait dans l'isolement. Sachant cela, fallait-il en déduire que pour apprendre à chanter, cet oiseau « copie » sur ses congénères ? En passant à d'autres jeunes oiseaux l'enregistrement du chant de leurs frères d'espèce, Thorpe démontra qu'effectivement, ces oiseaux reproduisaient rigoureusement ce qu'ils avaient entendu. Thorpe poussa même l'expérience un peu plus loin : il monta une bande son en déplaçant la « roulade finale » au beau milieu du chant, fit l'apprentissage d'un jeune pinson en lui passant cet enregistre-ment, et l'oiseau se contenta d'imiter fidèlement cette séquence de chant.

L'acquisition du chant chez le pinson illustre parfaitement la complexité par laquelle l'apprentissage et le patrimoine héréditaire se combinent pour déterminer l'évolution du comportement. Certes, comme il a été dit plus haut, les pinsons apprennent leur chant et ce, par une imitation très fidèle jusque dans le détail. Mais le pinson n'apprend pas n'importe quoi. Il semble en effet qu'à la naissance, l'oiseau a déjà une vague idée de ce qu'est le chant de pinson et il n'apprendra que les séquences de chant qui lui ressemblent. C'est d'ailleurs pourquoi, même si de nombreux autres oiseaux viennent chanter aux abords de son nid, le pinson n'apprendra que le chant typique de sa propre espèce.

Depuis les travaux de Thorpe, de nombreux chants d'oiseaux ont pu être étudiés. L'imitation est un facteur commun à toutes les espèces pour l'acquisition du chant, mais il y a des différences entre chaque espèce. Tandis que les jeunes pinsons, par exemple, apprennent à chanter durant les quelques mois qui séparent leur naissance du moment où ils commencent à chanter eux-mêmes, d'autres oiseaux peuvent, en revanche, poursuivre leur apprentissage toute leur vie. L'exemple du serin est, à cet égard, significatif. Chez cette espèce, chaque année, les mâles abandonnent certaines séquences de leur chant pour en acquérir de nouvelles. Seconde différence entre les espèces : la fidélité de l'imitation. Chez les pinsons, elle est extrêmement poussée. On peut comparer ce phénomène aux « accents » chez l'humain. Chez d'autres espèces d'oiseaux, l'imitation est d'une fidélité moindre, et laisse la place à l'improvisation. Chez ces espèces, il peut exister, dans un même secteur, un vaste éventail de chants différents, et les « dialectes régionaux » ne sont alors pas si faciles à identifier.

Pour acquérir un chant riche et varié, avec de nombreuses phases différentes, le mâle peut improviser. Mais il peut aussi imiter fidèlement une large gamme de sons, dont ceux produits par les représentants d'autres espèces. Dans la nature, un pinson n'a pas recours à ces moyens : chez ces oiseaux, le chant, relativement simple, sert moins à attirer les partenaires qu'à communiquer entre mâles occupant des territoires voisins. En revanche, les membres de certaines autres espèces peuvent acquérir un répertoire extrêmement vaste de chants différents en imitant toutes sortes de sons qu'ils entendent et qu'ils sont capables de reproduire. Mais le record toutes catégories est sans doute détenu par la rousserolle verderolle européenne, dont le mâle est capable d'imiter en moyenne quelque 76 espèces, depuis celles qui vivent dans les régions où il nidifie, jusqu'à celles qu'il rencontre lors de ses migrations sur le continent africain.

LE PATRIMOINE HÉRÉDITAIRE ET LE COMPORTEMENT

Le comportement est-il instinctif, ou appris ?... Apprendre à se nourrir chez les goélands... Dans quelle mesure le patrimoine génétique influe-t-il sur le comportement des souris ?... La sélection du comportement par l'élevage artificiel... L'héritage de l'apprentissage... Les schèmes de comportement se développent-ils dans un environnement appauvri ?...

A sa naissance, un animal est-il comme une feuille blanche ? A-t-il, au contraire, inscrits dans le patrimoine héréditaire, tous ses futurs schèmes comportementaux, au point de déterminer par avance une grande partie de ses futures activités ? Une souris sait-elle dès sa naissance que, pour ne pas être dévorée, elle doit fuir les chats ? A l'inverse, les parents d'une jeune hirondelle lui apprennent-ils à voler en direction du nord, au printemps, pour rejoindre les sites de reproduction ? Depuis fort longtemps, les biologistes essaient de savoir si le comportement animal, ainsi que le comportement humain, sont le fait d'un héritage ou d'un apprentissage.

Chaque espèce animale possède un répertoire de différents schèmes comportementaux typiques de ses représentants. Certains de ces schèmes comportementaux se rencontrent uniquement chez une espèce donnée. Ainsi, chez les oiseaux, le chant et la parade nuptiale sont extrêmement variables d'une espèce à une autre, parce que l'un et l'autre ont justement pour fonction d'indiquer aux partenaires potentielles à quelle espèce appartient le mâle qui les courtise. En revanche, d'autres schèmes de comportement — la démarche d'un animal par exemple, ou sa façon de se gratter la tête —, restent identiques, non seulement au sein d'une même espèce, mais également au sein de plusieurs espèces étroitement apparentées.

Les premiers éthologistes appelaient ces traits de comportement stéréotypés et relativement constants, des « schèmes d'action fixes ». Pour certains de ces précurseurs de l'éthologie, cette constance s'expliquait par le fait que les schèmes comportementaux étaient le produit de l'héritage, de sorte que l'on pouvait considérer ces actes comme « instinctifs » ou « innés » : on avait affaire à des caractéristiques fixes de l'espèce, tout comme le nombre de doigts ou le fait que cette espèce soit ou non pourvue de poils. Mais cette façon de faire des schèmes comportementaux le produit d'un héritage devait soulever un débat qui n'était pas prêt de prendre fin : c'est ce que l'on a appelé la controverse de la « nature contre l'éducation », ou de « l'apprentissage contre l'instinct ». Est-il vraiment judicieux de séparer le comportement en deux composantes : l'acquis et l'inné ? Peut-on parler de schèmes comportementaux héréditaires ? A l'heure actuelle, rares sont les éthologistes qui voient les choses sous cet angle.

Le fait qu'un schème comportemental apparaisse stéréotypé dans ses formes n'implique pas nécessairement que l'apprentissage ne joue aucun rôle dans son développement. Imiter d'autres animaux est en effet le moyen le plus efficace pour avoir un comportement rigoureusement identique au leur. L'apprentissage du langage chez les humains en est l'illustration même. Ainsi, n'importe quel lecteur qui lit ces lignes peut les comprendre, pour la simple raison qu'il a étudié le français à l'école. En revanche, il suffit que dans certains mots, on remplace quelques lettres par d'autres pour modifier radicalement la signification du texte. La façon dont les jeunes goélands donnent de petits coups de bec sur le bec de leurs parents, de façon à obtenir qu'ils régurgitent la nourriture qu'ils rapportent est également significative. Chez le goéland atricille, le bec est entièrement rouge ; chez le goéland argenté, en revanche, ce bec est jaune avec une tache rouge sur laquelle les petits dirigent leurs

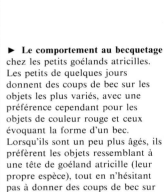

▲ **Le becquetage chez les goélands atricilles** *(Larus atricilla).* (1) Le petit demandeur donne un coup de bec sur celui du parent, qu'il saisit (2) en tirant vers le bas. Puis le parent régurgite sa nourriture (3), qui sera le repas du petit (4).

▶ **Le comportement au becquetage** chez les petits goélands atricilles. Les petits de quelques jours donnent des coups de bec sur les objets les plus variés, avec une préférence cependant pour les objets de couleur rouge et ceux évoquant la forme d'un bec. Lorsqu'ils sont un peu plus âgés, ils préfèrent les objets ressemblant à une tête de goéland atricille (leur propre espèce), tout en n'hésitant pas à donner des coups de bec sur la tête d'un goéland argenté, étant attirés par la tache rouge du bec du leurre.

▼ **Visant la tache rouge avec son bec,** le petit de goéland à manteau noir *(Larus marinus)* réclame à manger.

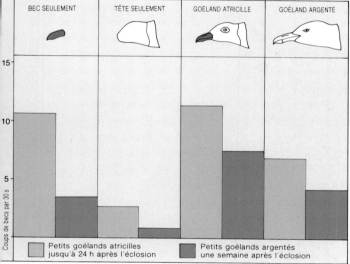

L'expérience de privation

Les premiers éthologistes tentèrent de déterminer si tel ou tel aspect du comportement animal était inné en élevant des animaux dans l'isolement, afin de voir si leur comportement se développait normalement malgré cette privation. Ces expériences sont appelées quelquefois « expériences de Kaspar Hauser », du nom de ce jeune allemand qui, en 1828, fut retrouvé à Nüremberg, ayant apparemment tout oublié de son passé et de sa propre identité. Plus tard, Kaspar Hauser prétendit avoir été élevé par un homme qui l'avait gardé dans un trou, isolé de tout contact humain.

Certaines expériences d'isolement ont donné des résultats spectaculaires, démontrant que le comportement peut se développer sans que l'animal ait besoin d'imiter les autres ou de s'exercer. Mais elles ne disent rien du rôle de l'hérédité. Des hirondelles mises dans des cages trop exiguës pour qu'elles puissent battre des ailes, prirent par

exemple leur essor tout à fait normalement quand on les remit en liberté. De la même façon, des écureuils placés en captivité dans des cages approvisionnées en une nourriture liquide abondante mais dont le fond n'était pas recouvert de terre pour permettre à l'animal de creuser, furent prompts, sitôt qu'on leur donna de la terre et des noisettes, à y enfouir celles-ci... En revanche, la plupart des oiseaux chanteurs empêchés d'entendre le chant de leurs frères d'espèce produisent un chant anormalement rudimentaire.

On peut toujours empêcher un oiseau de se procurer de la paille et l'empêcher ainsi de s'exercer à construire son nid. On peut aussi l'empêcher de voir d'autres oiseaux occupés à construire leurs nids, afin qu'il ne puisse les copier. Mais, on n'empêchera pas cet oiseau de manipuler et de transporter des graines, des excréments ou même ses propres plumes, or, ces activités sont une précieuse expérience.

coups de bec. Le becquetage commence dès l'âge de quelques jours, et les petits ne donnent leurs coups de bec qu'aux oiseaux dont le bec et la tête sont semblables à ceux de leur propre espèce. Le fait que le jeune goéland dirige ses coups de bec sur la tache rouge de l'adulte signifie-t-il que la réaction de ce jeune goéland et la stimulation qu'il produit sont des caractères innés chez cet animal ? Les recherches dans ce domaine révèlent que c'est loin d'être le cas et que le comportement du jeune goéland subit des modifications complexes dès les premiers jours de la vie. Dans un premier temps, l'animal donne des coups de bec sur toutes sortes d'objets, avec une préférence pour les objets de couleur rouge, par exemple le bout d'une canne à pêche que l'on agite devant lui et que l'animal confond facilement avec le bec de ses parents. Autrement dit, un jeune goéland sait dès la naissance à peu près sur quel genre d'objet il lui faudra donner des coups de bec, mais ensuite il lui faudra plus de temps pour apprendre à quoi ses parents ressemblent et ne donner des coups de bec qu'à ses semblables. A partir de ce stade, le comportement est certainement très fixe, en raison de l'interaction entre les prédispositions et l'expérience. Les progrès dans l'étude du comportement devaient révéler que le becquetage chez les jeunes goélands ne constitue nullement une exception. L'apprentissage n'est qu'un aspect de la façon dont l'environnement influe sur le développement du comportement chez un animal, mais c'est un aspect important, et l'on a pu observer que de nombreux traits de

comportement fixes demeurent néanmoins tributaires, pour leur développement, d'un apprentissage.

Par ailleurs, l'hérédité a un impact considérable sur la façon dont les animaux se comportent. A coup sûr, on n'attend pas d'un serpent qu'il vole, ni d'un éléphant qu'il nage sous l'eau, pour la simple raison que la conformation de ces animaux ne le leur permet pas. Mais les effets de l'hérédité sont beaucoup plus subtils que cela. Tout le comportement d'un animal est tributaire d'une façon ou d'une autre de l'héritage génétique. De nombreuses études ont été effectuées sur les différences comportementales entre les races d'animaux : chez les souris, par exemple, on a observé que certaines sont calmes et dociles, tandis que d'autres sont nerveuses et ne tiennent pas en place. Pourtant, ce sont toutes des souris, et la seule différence entre elles est la combinaison de gènes propre à chaque espèce et différente des autres.

A son degré le plus subtil, la différence entre deux animaux peut se limiter à un seul gène — un seul sur la multitude de gènes dont l'ensemble détermine l'hérédité : si bien que deux groupes d'animaux peuvent être parfaitement identiques sauf sur ce seul point. Pourtant, à lui seul, ce gène peut modifier maint aspect du comportement. Ainsi, une part importante des gènes qui, chez les souris, déterminent la couleur du pelage, influent également, d'une façon ou d'une autre, sur l'activité de l'animal. En fait, près de la moitié des gènes d'une souris interviennent sur son niveau d'activité, le reste étant déterminé par différents facteurs, comme la taille de ses pattes, la force de ses muscles, son poids, son acuité visuelle et auditive, une alimentation plus ou moins abondante, entre autres facteurs.

La reproduction sélective sert également à observer l'influence

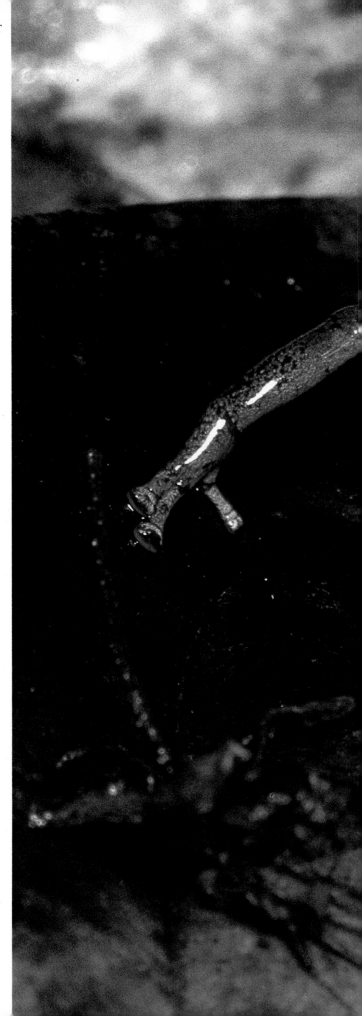

L'apprentissage comme patrimoine héréditaire

A une époque où on considérait les différents traits de comportement comme innés ou acquis, certaines expériences sur l'aptitude à l'apprentissage chez les rats donnèrent des résultats saisissants. Ainsi, si l'on place des rats affamés dans un labyrinthe dans lequel on a déposé, vers la sortie, de la nourriture, ces rats apprendront, après une série d'essais, à suivre l'itinéraire le plus adéquat pour atteindre la nourriture le plus rapidement possible. Mais certains rats apprennent plus vite que d'autres. Qu'adviendra-t-il des progénitures de la génération suivante si l'on accouple ensemble d'un côté les adultes les plus prompts à l'apprentissage et, de l'autre, les plus lents ? L'expérience montre que les progénitures des parents les plus rapides à l'apprentissage seront elles aussi les plus rapides, et que celles des parents les plus lents seront les plus lentes.

de l'hérédité sur le comportement. Dans chaque groupe d'animaux, il y a de multiples variantes que ce soit en matière de comportement ou ailleurs. On peut choisir telle ou telle caractéristique de l'espèce — par exemple, la longueur de ses pattes, la rapidité à laquelle s'effectue la parade nuptiale, ou la prédilection de l'animal à se faufiler dans des trous —, et favoriser cette caractéristique à travers la reproduction. Dans chaque génération, on sélectionne les meilleurs spécimens pour les accoupler ensemble et étudier ensuite les progénitures pour voir si une amélioration est intervenue d'une génération à la génération suivante. Les pattes deviennent-elles plus longues ? La parade nuptiale s'effectue-t-elle à un rythme plus élevé ? L'animal devient-il encore plus amateur de trous ? Une telle évolution n'interviendra que si les caractères autour desquels on effectue la sélection dépendent effectivement de l'hérédité — sinon, cette sélection n'aura aucun impact. En revanche, dans le cas du comportement, la réponse est claire : quel que soit le caractère sur lequel l'éthologiste choisit d'opérer la sélection, cette caractéristique comportementale s'améliore de génération en génération, du fait même de la sélection. En d'autres termes, tous les aspects du comportement — même ceux dans lesquels l'apprentissage joue un rôle manifestement important —, sont également tributaires de l'assortiment de gènes dont l'animal est pourvu.

Dès lors, il est clair que la nature comme l'« éducation » exercent une influence déterminante sur l'ensemble du comportement. Toutes sortes de facteurs — le fait que l'animal soit plus ou moins bien nourri, ou qu'il ait repéré un prédateur dans les environs, par exemple — peuvent influer sur la réaction de l'animal. Les gènes de cet animal peuvent le prédisposer à se comporter de telle ou telle façon, mais l'environnement dans lequel ces gènes se développent reste déterminant. C'est en tenant compte de ces particularités que les éthologistes ont fini par renoncer à se demander si le comportement était le fait du patrimoine héréditaire ou de l'apprentissage, pour s'intéresser plutôt à la façon dont l'interaction entre les gènes de l'animal et son environnement engendre certains comportements.

PJBS

► **Maints aspects du comportement,** comme les appels et les postures de ces deux dendrobates *(Dendrobates pumilio)* qui s'affrontent en duel pour s'accaparer un territoire, se développent de la même façon chez tous les membres d'une espèce. Ceci ne signifie pas pour autant que ces traits sont « innés ».

L'ÉVOLUTION DU COMPORTEMENT

L'héritage des variantes du comportement — les expériences sur les mouches à fruits... Darwin et la sélection artificielle... La sélection des sites de reproduction chez les mouettes tridactyles... Les origines de la parade nuptiale... La parade nuptiale chez les paons... La création de nouvelles espèces... Le maternage des jeunes goélands... Les relations comportementales et évolutionnaires chez les oiseaux... L'évolution de la parade nuptiale chez le grèbe huppé...

P OUR assurer la survie d'un animal, son comportement est tout aussi important que la couleur de sa livrée ou la forme générale de son corps. La sélection naturelle a eu pour effet de modeler le comportement des différentes espèces animales en fonction des exigences de leurs modes de vie respectifs, comme elle a modelé la forme de son corps.

En étudiant le comportement des représentants d'une espèce, on constate bien souvent qu'il existe des différences entre les individus — certains sont plus actifs que d'autres, certains sont plus rapides dans leurs déplacements et certains ont un chant plus compliqué ou se montrent plus agressifs. Souvent, il s'avère que ces variations dans le comportement ont des origines héréditaires, comme le montre la sélection expérimentale. On peut, par exemple, prodéder sur une population de mouches à fruits (les cobayes préférés des généticiens), à une expérience qui consiste à mesurer la tendance des individus à rechercher la pesanteur, ou au contraire, à vouloir lui échapper. Si, dans une série de générations, on choisit pour individus reproducteurs ceux qui ont tendance à vouloir échapper à la pesanteur, les progénitures engendrées auront elles aussi tendance à éviter la pesanteur. Si, en revanche, on sélectionne les individus reproducteurs parmi ceux qui recherchent la pesanteur, on obtiendra alors le résultat inverse. Ceci démontre qu'une partie au moins des variations au sein de la population d'origine est un produit du patrimoine héréditaire, puisque, si tel n'était pas le cas, on obtiendrait invariablement le même résultat sans avoir besoin de sélectionner les individus reproducteurs.

Charles Darwin ne manqua pas de relever l'intérêt qu'il pourrait y avoir, pour l'homme, à pratiquer une sélection artificielle sur les animaux. Par exemple, des différences de comportement considérables apparaissaient entre plusieurs races de chiens appartenant tous à la même espèce : par la sélection artificielle, on pouvait obtenir des chiens capables de repérer le gibier et de le ramener, d'autres capables de garder les moutons, d'autres encore qui chasseraient le renard, et d'autres enfin qui livreraient combat contre d'autres chiens. Les résultats obtenus par ce type de sélection artificielle contribuèrent pour beaucoup à faire germer dans l'esprit de Darwin la théorie de la sélection naturelle.

Darwin émit l'idée que, dans des conditions naturelles, la variabilité entre les individus pourrait influer sur leur aptitude à survivre et se reproduire avec succès. Les variantes les plus

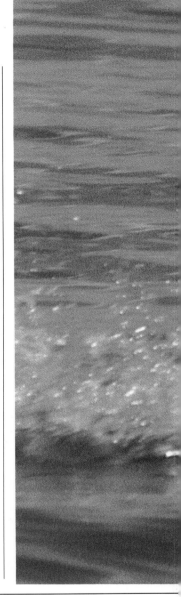

► **Marcher sur l'eau...** Un couple de grèbes de l'ouest *(Aechmophorus occidentalis)*. Comme chez la plupart des espèces d'oiseaux, la parade nuptiale fait intervenir une série de postures rituelles, dont certaines sont communes à différentes espèces apparentées.

▼ **Les danses nuptiales rituelles** chez le grèbe huppé *(Podiceps cristatus)*. Cérémonial d'inclination de tête (1). L'animal pique du bec dans l'eau puis il adopte la posture dite « du chat » (2). Les deux partenaires se congratulent et prennent la « posture du chat » (3). La danse du pingouin (4).

L'évolution de la parade nuptiale chez le grèbe huppé

La parade nuptiale des grèbes huppés fut étudiée au début de ce siècle par Julian Huxley. Huxley découvrit que cette espèce avait l'un des rituels nuptiaux les plus élaborés du règne animal ; les postures adoptées par ces animaux pour permettre la création des liens entre deux partenaires étaient également des plus sophistiquées. Le cérémonial de la parade nuptiale consiste en une suite de comportements dont l'intensité culmine par l'accouplement des deux partenaires. Dans certains cas, les partenaires se livrent à un rituel d'inclination de tête (1) : les deux animaux se campent face à face et secouent

vigoureusement la tête d'un côté et de l'autre. Ce cérémonial est, semble-t-il, un prolongement du mouvement exécuté par l'oiseau lorsqu'il détourne la tête pour montrer qu'il passe d'un état agressif à un état d'apaisement. Quelquefois, lorsqu'un couple se forme, l'un des deux partenaires plonge, tandis que l'autre attend, dans l'étonnante posture dite « du chat » (2). Puis le plongeur refait surface en tournant le dos à son partenaire et prend position près de lui. La posture du chat peut également faire partie du cérémonial de congratulations, dans lequel un des deux partenaires parade devant son vis-à-vis, tandis que l'autre se campe bien droit hors de l'eau

(3). Il s'ensuit souvent une curieuse « danse du pingouin », durant laquelle les deux partenaires plongent et refont surface avec des morceaux d'algues dans le bec (4). Ils nagent alors à la rencontre l'un de l'autre, puis se dressent face à face en secouant la tête. Ce type de parade est sans doute une évolution du comportement associé à la construction du nid.

Les ayant étudiées, Huxley émit l'hypothèse que ces parades étaient le fruit de l'évolution d'autres schèmes comportementaux à travers un processus qu'il appela la « ritualisation ».

fructueuses permettraient à une progéniture plus abondante de survivre et par conséquent, ces variantes seraient représentées par un nombre sans cesse croissant d'individus au fil des générations. Ce phénomène est le principal moteur de l'évolution du comportement, et il explique que des espèces différentes aient acquis des comportements différents : un animal ne s'accouplant qu'avec les membres de son espèce, il ne se produit pas, entre espèces, d'échange des variantes génétiques, de sorte que chaque espèce acquiert un caractère indépendant et qui répond aux exigences de l'environnement.

La mouette tridactyle illustre très bien ce type d'évolution adaptative. Cette espèce se distingue des autres mouettes par le fait qu'elle nidifie sur de petites corniches le long des falaises côtières très abruptes. Là, le nid est à l'abri de la plupart des prédateurs, et c'est vraisemblablement la raison pour laquelle les mouettes tridactyles ont évolué dans ce sens. Comparée aux espèces qui nidifient sur la terre ferme, la mouette tridactyle présente un grand nombre de différences comportementales. Ainsi, en combat, la mouette tridactyle fond, tête horizontale, sur l'adversaire, en essayant de l'attraper par le bec. Puis la mouette secoue la tête de façon à déséquilibrer l'ennemi et à le faire basculer dans le vide. En revanche, une mouette qui nidifie à terre s'arrange pour fondre d'en haut sur l'adversaire et le mettre hors combat à coups de bec. Vu le manque de place sur une corniche, il serait difficile à la mouette tridactyle d'utiliser cette technique, alors que la sienne, consistant à secouer l'ennemi par le bec, est très efficace pour évincer l'intrus. Cette technique de combat signifie que le bec d'une mouette tridactyle constitue une source de stimulation importante en situation d'agressivité et de fait, contrairement aux autres mouettes, lorsqu'elle est effrayée, la mouette tridactyle rentre son bec.

Les postures adoptées lors de la parade nuptiale et des rencontres agressives peuvent étonner l'observateur. Cependant, en les comparant aux postures adoptées par les représentants d'espèces apparentées, on peut en partie cerner leurs origines dans l'évolution.

Une des postures les plus spectaculaires est la parade nuptiale du paon mâle. Pour faire sa cour, le mâle incline la tête devant la femelle et, simultanément, il dresse, déploie et fait vibrer son énorme queue haute en couleurs. Où cette extraordinaire parade nuptiale trouve-t-elle son origine ? Les proches parents du paon nous fournissent un élément de réponse. Pour aider ses petits à trouver de la nourriture, une poule de basse-cour gratte le sol avec ses pattes, puis elle s'écarte et donne des coups de bec sur la terre, montrant ainsi à ses petits où ils trouveront cette nourriture. Ce faisant, la poule émet un appel caractéristique. Les jeunes coqs présentent un comportement similaire lorsqu'il s'agit de courtiser une femelle. Le coq gratte la terre, donne des coups de bec et appelle la femelle, mais sans qu'il y ait de la nourriture à l'endroit désigné. La femelle s'approche alors en croyant trouver de la nourriture, et le mâle s'incline et dresse sa queue en guise de parade nuptiale. Les représentants de beaucoup d'espèces de faisans ont un comportement similaire, et chez certaines espèces, la queue est grande et très colorée. Chez le paon mâle parvenu à maturité, on n'observe plus les mouvements consistant à gratter le sol et à donner des coups de bec, et seuls subsistent l'inclinaison de la tête et le déploiement de la queue. Curieusement, en revanche, le jeune paon mâle continue de gratter le sol et de donner des coups de bec. Ainsi, chez ce groupe d'oiseaux, un comportement qui à l'origine était typique des femelles d'une seule espèce lorsqu'elles aidaient leurs petits à trouver leur nourriture, s'est trouvé progressivement modifié par la sélection, pour devenir la parade nuptiale des mâles chez d'autres espèces. Le processus par lequel certains traits de comportement se modifient au cours de l'évolution pour devenir ainsi stéréotypé est ce que l'on appelle la ritualisation.

Au fil de l'évolution, de nouvelles espèces se forment à travers la division d'espèces plus anciennes. Les populations isolées évoluent alors de façon indépendante dans leur environnement respectif, et leurs caractéristiques se mettent souvent à diverger. Si, par la suite, la barrière géographique disparaît, permettant aux différentes populations de se retrouver en contact les unes avec les autres, une reproduction par croisement redevient possible. Toutefois, les accouplements entre des espèces aussi différentes produisent en général des hybrides stériles ou qui ne survivront pas. Ceci équivaut à dire que la sélection naturelle favorisera les individus qui ne s'accouplent pas avec un membre d'une autre population. En l'occurrence, la sélection favorise l'existence de couleurs distinctes et d'attitudes différentes lors de la parade nuptiale au sein des deux groupes, afin de permettre à leurs membres respectifs de reconnaître chacun uniquement ses frères d'espèce et de s'accoupler exclusivement avec eux. A travers ce processus, c'est la spéciation qui est assurée.

Dans certains cas, pour pouvoir reconnaître les membres de son espèce, le jeune animal doit avoir appris à reconnaître l'aspect de ses parents. On observe ce phénomène chez des espèces communes de goéland, comme le goéland brun et le goéland argenté. Chez ces deux espèces, les parents tolèrent dans leur nid les œufs et les petits d'autres espèces, et ils les couvent et les élèvent comme s'il s'agissait de leurs propres progénitures. Or, plus tard, les oisillons élevés par des parents adoptifs de leur propre espèce choisissent invariablement des partenaires membres de la même espèce, mais les oisillons élevés par des parents adoptifs qui appartiennent à une autre espèce forment souvent des couples hybrides avec des membres de cette autre espèce. Dès lors, il faut que ces oisillons apprennent à reconnaître l'aspect ou le comportement des oiseaux qui les ont élevés, et qu'ils mettent à profit ces informations lorsque, parvenus à l'âge adulte, ils choisissent un (ou une) partenaire de leur propre espèce, avec lequel ils pourront s'accoupler.

LPa

Les relations comportementales et évolutionnaires

Le concept de parenté chez les animaux est le même que chez les humains, dans la mesure où il reflète l'existence d'un « ancêtre commun », plus ou moins récent, entre deux espèces. Pour établir les liens de parenté, on doit s'en tenir à une comparaison entre les caractéristiques de différentes espèces vivantes. En l'occurrence, plus l'ancêtre commun aux deux espèces remonte à une date récente, plus ces deux espèces doivent avoir de traits communs, car elles ont eu d'autant moins de temps pour se doter de leurs propres caractères. Les schèmes de comportement étant aussi caractéristiques de l'espèce que la forme du corps de l'animal, le comportement peut être un guide précieux pour l'établissement des liens de parenté.

Cette méthode a été utilisée pour faciliter la classification d'un groupe d'oiseaux piscivores, les Pélécaniformes, qui comprend les pélicans et les cormorans. Neuf schèmes comportementaux étudiés sont soit présents soit absents chez chaque espèce, et le nombre de schèmes communs aux différentes espèces peut être utilisé pour reconstituer un arbre généalogique (ci-dessous). La structure de cet arbre est telle que les espèces ayant de nombreux modes de comportement en commun, comme les anhingas et les cormorans, sont plus proches dans l'arbre généalogique que des espèces n'ayant que peu de schèmes comportementaux en commun, comme les pélicans et les phaétons.

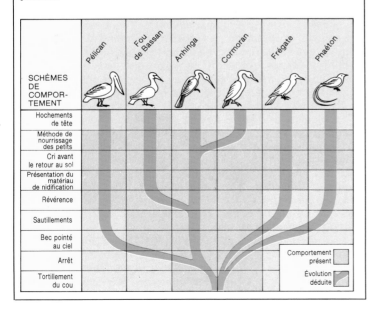

SCHÈMES DE COMPORTEMENT	Pélican	Fou de Bassan	Anhinga	Cormoran	Frégate	Phaéton
Hochements de tête						
Méthode de nourrissage des petits						
Cri avant le retour au sol						
Présentation du matériel de nidification						
Révérence						
Sautillements						
Bec pointé au ciel						
Arrêt						
Tortillement du cou						

Comportement présent

Évolution déduite

▲ ► **La parade nuptiale sophistiquée** du paon commun mâle *(Pavus cristatus)*. Le coq de basse-cour *(Gallus gallus)* **(1)**, ainsi que le faisan de chasse *(Phasianus colchicus)* **(2)** se placent généralement près d'une réserve de nourriture pour faire leur parade nuptiale, où l'on voit le mâle gratter la terre, donner des coups de bec et chanter. Chez tous les autres faisans, comme par exemple le lophophore de l'Himalaya *(Lophophorus impejanus)* **(3)** et l'éperonnier birman *(Polyplectron bicalcaratum)* **(4)**, l'animal déploie sa queue en éventail lors de la parade nuptiale et donne des coups de bec à terre. Chez le paon mâle **(5)**, la queue est très grande et ornée de riches motifs.

▲ ► **La technique de combat chez les goélands** a évolué différemment selon le genre de site de nidification. Chez les mouettes tridactyles *(Rissa tridactyla)*, qui nidifient sur les corniches de rochers (ci-dessus), l'animal doit se tourner de côté pour lutter, tandis que chez les goélands qui nidifient au sol, comme les goélands bruns *(Larus fuscus)* (à droite), l'un des deux adversaires fait en sorte de se placer au-dessus de l'autre.

LA SOCIOBIOLOGIE

Feindre d'être blessé pour protéger sa progéniture... L'altruisme et ses avantages pour les proches... Le comportement chez les mellifères... La sélection parentale chez les geais des broussailles... Chasser et aller chercher sa nourriture en bande... Rendre un service ou tricher... L'utilité des cris d'alarme chez les oiseaux... Éviter de s'accoupler entre proches parents...

À la saison de la reproduction, les prédateurs enlèvent les œufs et les jeunes progénitures de nombreux oiseaux. Aussi, pour réduire ce genre de risque, il est fréquent que les parents adoptent différentes attitudes comportementales visant à détourner l'attention du prédateur. Par exemple, un pluvier à collier adulte, feignant d'avoir une aile cassée, fera en sorte d'attirer l'ennemi loin de son nid ou de ses progénitures. Cet « altruisme » permet d'accroître les chances de survie de la progéniture, mais il n'est pas sans risques pour le parent. Néanmoins, si ce comportement se solde par une augmentation globale du taux de reproduction, c'est-à-dire si la manœuvre de diversion atteint son objectif, les gènes qui renforcent cette tendance à feindre une blessure seront transmis à la génération suivante. Au bout du compte, cette caractéristique se propagera dans toute la population aux dépens des individus qui perdront leurs progénitures pour n'avoir pas su détourner l'attention du prédateur.

Ces manœuvres d'« altruisme » parental sont très répandues dans tout le règne animal. Elles illustrent bien la façon dont la sélection naturelle favorise le parent qui optimise son apport génétique au profit des générations suivantes. Cela dit, toutes les formes d'altruisme ne sont pas aussi directes. Ainsi, chez les abeilles, lorsqu'une ouvrière rencontre une intruse dans sa ruche, elle pique cette abeille étrangère pour la tuer. Or, ce mode de défense est suicidaire, puisqu'en piquant l'ennemie, l'abeille perd son dard et meurt. Pourquoi cette abeille se sacrifie-t-elle puisque, étant une femelle stérile, elle n'a pas de progéniture à protéger ? Et à l'inverse, pourquoi est-elle stérile ?

Longtemps, les biologistes ont interprété l'altruisme de l'abeille ouvrière en terme de bénéfice global pour la population. On considérait en effet que les individus sacrifiaient leur propre intérêt pour accroître les chances de survie de l'espèce. Le mécanisme que l'on soupçonnait d'être le moteur de l'évolution de ce comportement fut baptisé la « sélection de groupe ». Mais des théories plus récentes, ainsi que les observations approfondies des sociétés animales firent apparaître qu'un individu n'agit pas pour le bien de son espèce, mais plutôt pour servir ses propres intérêts. Sachant cela, comment l'abeille ouvrière a-t-elle pu développer un gène de l'altruisme ?

C'est au début des années 1960 que William Hamilton élabora sa théorie génétique de l'évolution du comportement. Cette théorie devait révolutionner l'étude des sociétés animales, en particulier notre compréhension du comportement social. Cette approche constitue ce que l'on appelle désormais la « sociobiologie ». Hamilton avait compris que, si la sélection favorisait l'évolution d'actes de nature altruiste entre les parents et leurs

▲ **Feignant d'être blessé,** ce pluvier à collier *(Charadrius hiaticula)* entraîne un prédateur loin du nid, en risquant lui-même sa vie.

▼ **L'heure du repas...** Cette maman lionne allaite non seulement ses propres petits, mais également un lionceau d'une autre mère de sa bande.

► **La parenté génétique et les avantages à la reproduction.** Chez les espèces normales (diploïdes) (**1**), comme les mammifères, les progénitures de la première génération ont la moitié de leurs gènes en commun avec leur mère. Ils ont par ailleurs une moitié de gènes communs entre eux, chacun en ayant reçu la moitié de son père et la moitié de sa mère. Chez les insectes sociaux (**2**) la mère a un nombre normal de chromosomes (diploïde) mais le père, lui, n'en a que la moitié (haploïde). Les progénitures (femelles seulement) ont la moitié de leurs gènes en commun avec leur mère, mais comme elles reçoivent de leur père exactement les mêmes gènes, les sœurs ont en commun les trois-quarts de leurs gènes. Il en résulte que chez les insectes sociaux, les filles sont plus étroitement apparentées entre elles qu'avec leurs mères. Si une progéniture femelle d'insecte social se reproduit, elle ne sera donc, à son tour, qu'à demi-apparentée à ses propres filles, par conséquent, il est plus « économique », génétiquement parlant que les filles aident à élever d'autres filles, au lieu de donner elles-mêmes naissance à des filles. La constitution génétique des insectes sociaux les prédispose donc à développer un système social dans lequel les femelles stériles s'occupent des progénitures. Chez les mammifères, les mères, les filles et les progénitures mâles sont apparentées, en moyenne, à 50 %, de sorte qu'il est indifférent, au plan génétique, que les filles participent à l'élevage des progénitures, ou qu'elles procréent elles-mêmes.

progénitures, il était possible que l'on retrouve un comportement analogue entre d'autres proches parents possédant les mêmes gènes de l'altruisme. Autrement dit, un individu pourrait se comporter de façon attentionnée non seulement à l'égard de sa progéniture directe, mais également de ses frères et sœurs, de ses petits-enfants et de ses cousins. Plus le receveur posséderait des gènes identiques au donneur, plus celui-ci tirerait bénéfice de son propre altruisme — ce qui expliquerait qu'un animal ait tendance à aider ses très proches parents plus que ceux qui lui sont plus éloignés.

La théorie de Hamilton permet de comprendre le comportement et la stérilité de l'abeille ouvrière. En effet, alors qu'un œuf humain fécondé, mâle ou femelle, comporte deux séries de chromosomes, une du père et une de la mère, les insectes sociaux de l'ordre des hyménoptères, comme les abeilles, présentent — fait inhabituel —, une différence sexuelle au niveau de l'héritage chromosomique. Les mâles naissent d'œufs non fécondés, et ils possèdent une seule série de chromosomes. Les femelles, en revanche, naissent d'œufs fécondés, de sorte qu'elles possèdent les deux séries de chromosomes. Chez les abeilles sociales, une femelle a plus de gènes en commun avec ses sœurs qu'avec ses propres filles. Ceci s'explique par le fait que les sœurs se partagent entre elles tous les gènes qu'elles reçoivent de leur père (celui-ci ne possédant qu'une série de chromosomes), plus, en moyenne, la moitié des gènes de leur mère (qui elle, possède les deux séries de chromosomes). C'est pourquoi, chez les abeilles sœurs, 75 % des gènes sont communs de par la descendance, alors qu'entre mère et fille, seulement 50 % des gènes sont communs. Il résulte de cette asymétrie génétique qu'une abeille fille transmettra normalement une plus grande partie de ses gènes en aidant à élever ses sœurs reproductives (les futures reines) qu'en essayant d'élever ses propres progénitures. Ainsi, ce particularisme propre aux abeilles tend à favoriser l'évolution d'ouvrières non reproductives et donc, leur stérilité. De plus, le comportement suicidaire de l'abeille lorsqu'il s'agit de défendre la ruche peut être considéré comme un moyen d'assurer la perpétuation de ses gènes à travers la survie et la reproduction de ses sœurs qu'elle aura contribué à élever. Le processus qui a permis le

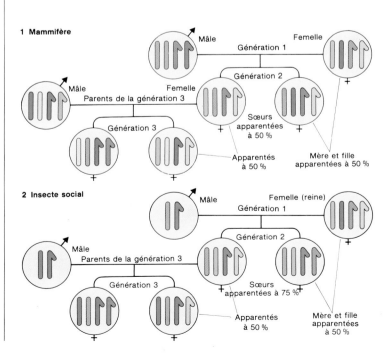

développement de cet altruisme est ce que l'on appelle la « sélection parentale ».

Cette nouvelle connaissance du comportement et des implications génétiques de l'altruisme devait, dans les années 1970, susciter un regain d'intérêt pour le comportement social. Prenant en compte le potentiel de la sélection parentale, les biologistes purent aborder sous un nouvel angle l'altruisme et la coopération entre les animaux. Les études approfondies réalisées à ce jour montrent que l'organisation sociale chez nombre d'espèces animales, en particulier les oiseaux et les mammifères, est fondée sur les liens de parenté. Le geai des broussailles de Floride, par exemple, est un oiseau qui se reproduit en collectivité et chez lequel les progénitures aident leurs parents à élever les couvées suivantes. Participant ainsi à l'élevage de leurs frères et sœurs, les jeunes assurent la perpétuation de leurs propres gènes.

Toutefois, les liens de parenté ne constituent pas le moteur essentiel de l'évolution de l'altruisme et de la coopération. De fait, lorsque des oiseaux forment des hardes pour aller chercher leur nourriture, ou lorsque des mammifères chassent en bandes, chaque individu a des chances d'obtenir plus de nourriture que s'il partait seul à la chasse. Dans la mesure où l'individu tire profit de ces déplacements en groupe, il n'est pas nécessaire que les autres membres du groupe lui soient apparentés. Un comportement coopératif de ce type est directement payant pour cet individu. Dans certains cas, cependant, cette coopération peut être plus sophistiquée. Ainsi, chez les babouins vert olive, il est fréquent qu'un mâle sollicite l'aide d'un membre de la troupe qui ne lui est pas apparenté, pour distraire l'attention d'un troisième mâle occupé à garder une femelle réceptive. Le solliciteur s'empare alors de la femelle, pendant que les deux autres sont en train de se quereller. Mais on peut se demander, pourquoi un mâle aide-t-il un autre mâle à s'emparer d'une femelle ? C'est parce qu'il y aura ensuite un échange de bons procédés : le solliciteur rendra la pareille à celui qui l'a aidé. Ce type de comportement altruiste est ce que l'on appelle un « altruisme réciproque ».

L'altruisme réciproque pose néanmoins un problème : ayant obtenu ce qu'il demandait, le solliciteur pourrait tricher et ne pas rendre la pareille. Il est possible qu'au sein d'une société animale dont les membres sont capables de se reconnaître mutuellement, la coopération n'intervienne qu'entre les membres connus pour leur loyauté — les tricheurs étant mis au ban.

Une des nombreuses critiques émises à l'encontre de l'approche sociobiologique est qu'il est trop facile d'échafauder toutes sortes d'hypothèses théoriques sans les étayer par des observations rigoureuses. Ce problème trouve son illustration dans les controverses portant sur la fonction du cri d'alarme chez les oiseaux.

Chez de nombreuses espèces de petits oiseaux, un individu lance un cri d'alarme dès qu'il repère un prédateur chassant dans le secteur — un épervier, par exemple. Ce cri est constitué d'une note très aiguë et couvrant une étroite plage de fréquence. L'oreille humaine le perçoit comme un petit sifflement dont l'origine est difficile à localiser.

▲ **Pas de fuite possible.** Ayant coopéré pour chasser leur proie, ces trois chiens sauvages africains *(Lycaon pictus)* se partagent la prise : l'un la saisit au museau, le second à la gorge et le troisième l'éventre...

▶ **Des habitants des prairies.** Les cynomys à queue noire, ou chiens de prairie *(Cynomys ludovicianus)* vivent en communautés, les « coteries » (voir encadré).

▼ **Attention, épervier !** Lorsqu'un oiseau de proie rôde dans les parages, un merle donne le signal d'alarme pour que les autres oiseaux se mettent à l'abri.

Éviter les accouplements consanguins

De nombreuses espèces d'oiseaux et de mammifères ont une organisation sociale basée sur les liens de parenté. De fait, les groupes reproducteurs sont souvent constitués d'individus apparentés. Les études qui ont été effectuées dans la nature sur bon nombre d'espèces montrent que des schèmes de comportement peuvent se développer, qui permettent à l'animal de conserver les avantages d'une organisation sociale fondée sur les liens de parenté, tout en réduisant au minimum les risques d'accouplements consanguins.

Les chercheurs ont en particulier observé les cynomys à queue noire, grands rongeurs diurnes ayant leur habitat dans la région du nord-ouest des États-Unis. Ils vivent en grandes colonies constituées de groupes familiaux voisins, les « coteries ». Chaque colonie comprend habituellement un mâle reproducteur, trois ou quatre femelles reproductrices, les jeunes nés dans l'année et leurs aînés. Les membres d'une même famille coopèrent entre eux, mais ils se montrent généralement hostiles envers leurs voisins.

Normalement, les représentants de l'un et l'autre sexes commencent à se reproduire dans leur seconde année. Néanmoins, malgré cette structure familiale très resserrée, il est rare que ces cynomys s'accouplent avec des individus auxquels ils sont étroitement liés génétiquement. Tout d'abord, alors que les femelles issues d'un groupe y restent, les jeunes mâles, eux, se dispersent dans la nature avant de se reproduire. Ensuite, un mâle reproducteur quitte généralement son groupe avant la maturité sexuelle de ses filles. Si le père reste malgré tout présent, sa « fille » sera de toute façon plus difficilement en chaleur que s'il était parti. Enfin, une femelle réceptive fera en sorte d'éviter de s'accoupler avec un proche parent resté dans la « coterie ».

Quelle est la fonction de cet appel ? Au cours des vingt dernières années, toutes sortes d'explications ont été avancées. Certains estiment que cet appel a évolué par le truchement de la sélection parentale, et qu'il permet à l'oiseau d'avertir ses proches parents d'un danger. Pour d'autres, en revanche, ce type de comportement s'est développé au bénéfice direct de l'individu, mais ils émettent, à ce sujet, des hypothèses différentes. L'oiseau appelant prend-il le risque de se faire repérer en prévenant des voisins qui pourtant ne lui sont pas apparentés, dans la perspective que ceux-ci lui rendront ultérieurement le même service ? L'oiseau émet-il plutôt cet appel pour s'économiser du temps et de l'énergie en faisant savoir au prédateur qu'il est repéré et qu'il n'a rien à gagner à essayer de capturer un oiseau solidement sur ses gardes ? Par ailleurs, le cri de l'oiseau étant de nature ventriloque, n'a-t-il pas pour effet de repousser tout simplement le prédateur ? Certains auteurs ont même émis l'hypothèse que, fort égoïstement, l'oiseau qui émet un cri d'alarme pourrait bien ne faire que manipuler les autres membres de la population, en les avertissant du danger, mais pas de sa localisation : de cette façon, l'oiseau appelant réduirait le risque pour lui-même en provoquant une panique parmi les autres...

Si chacune de ces hypothèses semble plausible, il n'en reste pas moins qu'à ce jour, on ignore la fonction du cri d'alarme chez les oiseaux, pas plus qu'on ne sait si ses effets diffèrent d'une espèce à une autre. Un des objectifs de la sociobiologie est d'incorporer l'étude du comportement humain dans le même canevas — ce qui n'a pas manqué de soulever des controverses. Un des grands principes de la sociobiologie est qu'une partie importante des variantes individuelles, sexuelles et raciales du comportement humain sont adaptatives et déterminées génétiquement. Nombreux sont les biologistes qui remettent en doute ce point de vue en soulignant l'importance des forces sociales et culturelles. De fait, le comportement humain est d'une grande souplesse, et il reflète plus une transmission d'ordre culturel que génétique. Néanmoins, la controverse se poursuit.   PG

L'organisation sociale

D E nombreuses espèces animales vivent en groupes : les abeilles forment des essaims, les poissons des bancs, les cerfs des hardes, les oiseaux des volées. Dans certains cas, ces groupes ne se forment que de façon occasionnelle, parce que la nourriture est concentrée en un même endroit vers lequel les animaux convergent, ou encore, parce qu'entouré de ses congénères, l'animal est plus à l'abri des prédateurs. Ce sont là deux des grandes raisons qui expliquent l'apparition des groupes au fil de l'évolution.

Les principes de la sociobiologie nous aident à mieux comprendre ce qui, naguère, laissait les biologistes perplexes lorsqu'ils se penchaient sur l'étude de ces sociétés animales. Pourquoi certains insectes sont-ils stériles ? Quels sont les avantages de la hiérarchie de domination, que l'on observe si souvent au sein des groupes d'animaux ? Comment expliquer que ces groupes soient si différents les uns des autres pour ce qui est de leurs effectifs, des distances qu'ils parcourent en déplacement, ou de la proportion de mâles et de femelles au sein d'un même groupe ? Autant de questions fondamentales concernant les groupes sociaux auxquelles les recherches récentes ont apporté des réponses.

La façon dont les jeunes animaux, de l'enfance à l'âge adulte, en passant par l'adolescence, modifient leurs relations avec les autres membres du groupe est à l'évidence un élément fondamental, où l'apprentissage joue un rôle important. Ce dernier intervient également dans l'aptitude des animaux sociaux à imiter leurs semblables, permettant une transmission « culturelle » de certaines caractéristiques importantes du comportement. Ces éléments de la vie sociale réclament une étude cas par cas, dans la mesure où ils nous disent ce qu'est un animal « social ». Les relations qui impliquent plusieurs espèces seront également étudiées dans ce chapitre, parce qu'elles constituent un aspect tout à fait passionnant de l'histoire naturelle, et qu'elles nous révèlent l'existence, dans la nature, de combinaisons parfois surprenantes.

Ce chapitre se terminera par un court article, sorte d'épilogue, dans lequel on s'intéressera à la remarquable diversité de comportement animal. La conclusion sera la même que celle à laquelle Darwin était parvenu dans son ouvrage *La Descendance de l'homme et la sélection sexuelle* (1871), même si nous disposons aujourd'hui d'un échantillonnage beaucoup plus vaste pour nous permettre d'en arriver à cette conclusion : les différences entre les animaux et les humains sont plus une question de degré que de genre. En étudiant le comportement animal, on·y retrouve le reflet de certains aspects de notre propre comportement, mais sous une forme plus rudimentaire. L'observation de cette image que les animaux nous renvoient peut donc nous aider à mieux nous comprendre mais sa grande beauté, de toute façon, suffirait à en justifier l'étude.

◀ **La « cohabitation ».** Un bernard-l'ermite (genre *Eupagurus*) couvert d'anémones de mer *(Calliactis parasitica)*.

LES SOCIÉTÉS D'INSECTES

Le système des castes chez les termites... Les reines et les ouvrières chez les fourmis, les mellifères et les mélipones... L'échange des tâches chez les mellifères ouvrières... Les phéromones chez les abeilles... L'essaimage chez les abeilles... Reconnaître sa progéniture... Le transfert de la nourriture dans la colonie... Défendre le nid contre les prédateurs... Les traces odorantes chez les termites, les fourmis et les abeilles... Le vol nuptial chez les abeilles... Les phéromones d'alarme... Les glandes odorifères chez l'abeille ouvrière...

▶ **Un essaim bourdonnant...** Des mellifères et leurs alvéoles d'incubation contenant des larves.

▼ **Ayant fait son « shopping »**, une guêpe sociale *(Polistes testaceicolòr)* transmet une ration de nourriture à une autre guêpe, qui nourrira les larves.

L ES humains vivent en groupes, constitués en sociétés. Cela signifie que nous nous associons volontairement à nos semblables et que nous coopérons avec eux — à la fois pour ne pas être seuls, pour nous reproduire, et pour servir divers objectifs liés à des besoins et intérêts communs. Dans la nature, de nombreuses espèces de mammifères agissent de la même manière, en fonction de leurs propres besoins et des exigences de leur environnement. Il est, en revanche, plus difficile d'imaginer que les insectes inférieurs, avec un système nerveux plus rudimentaire et un mode de vie moins complexe en apparence, soient capables de conjuguer leurs efforts au sein d'une société, même si l'on sait, par exemple, que depuis des siècles, les apiculteurs mettent à profit les mœurs sociales des abeilles.

Il existe deux grands groupes d'insectes sociaux : les termites de l'ordre des isoptères qui ne comporte pas de représentants solitaires, et les abeilles sociales, les guêpes et les fourmis qui forment l'ordre des hyménoptères. Leur socialité est un mode de vie profitable pour les insectes : ils peuvent en effet coopérer pour assurer leur défense et cette socialité permet, par ailleurs, une division efficace du travail parmi les membres d'une colonie.

Une colonie de termites comprend trois grandes castes : les reproducteurs (le roi et la reine), les ouvriers et les soldats. Chez les termites, chacune des différentes castes réunit des mâles et des femelles mais seuls le roi et la reine (un couple par colonie), ainsi que les soldats, ont parachevé leur développement. Les autres individus sont immatures, comme c'est le cas dans les castes d'ouvriers chez les autres insectes sociaux. Le termite soldat possède une grosse capsule céphalique, comportant de grandes mandibules ou une projection frontale assurant l'émission de sécrétions défensives. A l'issue de l'accouplement, la physionomie de la reine se modifie considérablement, et le volume de son abdomen peut se trouver multiplié de cinq à dix fois.

Chez les guêpes et les abeilles, le degré de socialité est très variable d'une espèce à l'autre. Au sein d'une caste de fourmis, d'abeilles ou de guêpes, la production est assurée uniquement par les femelles, et les individus immatures n'effectuent aucune tâche.

Chez quelques espèces d'insectes sociaux moins évolués, comme certaines guêpes et abeilles, la reine, qui est la femelle fertile, est nettement plus grosse que les ouvrières, qui elles sont des femelles stériles, mais d'une caste à une autre, la taille et les caractéristiques physiologiques sont extrêmement variables. A certains stades de sa vie, la reine est capable d'assurer toutes les activités qu'effectue normalement une femelle appartenant à une espèce solitaire.

En revanche, chez les fourmis, les mellifères et les mélipones, il existe, entre la reine et les ouvrières, des différences importantes au niveau de la physionomie de l'animal et de sa fonction. Une colonie de fourmis comporte une ou plusieurs femelles fertiles et de nombreuses ouvrières, qui sont toutes des femelles stériles. La taille des ouvrières est généralement variable. Les

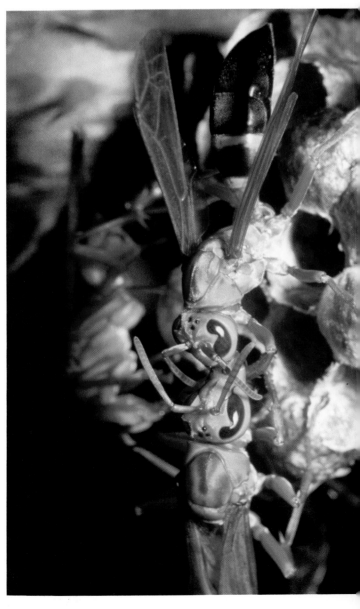

reines des fourmis sont normalement pourvues d'ailes — qu'elles perdent après la copulation —, tandis que les ouvrières sont toujours aptères. Pour fonder sa colonie, une reine doit, entre autres, construire une alvéole, pondre des œufs, élever ses progénitures et les défendre. C'est pourquoi cette reine doit disposer d'un large registre comportemental, et ce, jusqu'à ce que ses ouvrières soient capables de l'aider : par la suite, elle se consacrera entièrement au nourrissage et à la ponte.

Chez les mellifères et les mélipones, la reine est incapable d'assurer seule sa survie et d'accomplir la moindre tâche, si ce n'est de s'accoupler et de pondre des œufs. Sa colonie vivra un an et se reproduira par essaimage. Par ailleurs, chez les mellifères, contrairement à ses ouvrières, la reine est dépourvue de corbeille à pollen, d'une longue glosse et d'un dard armé de petits crochets. Toutes les ouvrières d'une colonie de mellifères sont de forme identique, mais leur aptitude à effectuer certaines tâches, comme la construction des rayons ou le nourrissage des progénitures, dépend de l'état de développement des glandes concernées. En règle générale, au fil de leur existence, les mellifères ouvrières assurent quatre types de tâches successives : le nettoyage de l'alvéole ; la construction des rayons et le nourrissage des progénitures ; la réception du nectar, le stockage du pollen, l'enlèvement des débris et la garde ; et enfin, le butinage. Dans ces différentes tâches qu'elles effectuent selon les besoins de la colonie, les ouvrières font montre d'une grande souplesse d'adaptation.

Chez les hyménoptères sociaux, la reine influence le comportement et la physiologie de ses ouvrières, en les empêchant de devenir reproductrices, que ce soit par la domination physique, ou par l'émission de substances chimiques — les phéromones.

Chez les espèces d'insectes sociaux les plus évoluées, la reine n'assure plus sa domination par la force, mais, de façon plus subtile, par l'émission de phéromones. Tant que les mellifères ouvrières restent au contact de leur reine, leur appareil reproducteur est inhibé, ce qui les empêche de donner naissance à d'autres reines. En revanche, en l'absence d'une reine, ou, lorsque dans une colonie de mellifères, les phéromones sécrétées par la reine ne sont plus assez abondantes du fait de son vieillissement, les ouvrières élèvent une nouvelle reine.

Les mellifères ouvrières reconnaissent la présence de leur reine aux phéromones volatiles produites par celle-ci et, lorsque la reine reste immobile sur le rayon, on peut voir les ouvrières qui se tournent vers elle. Toutefois, la composition de cette « cour » d'ouvrières change constamment, et seules quelques ouvrières y restent plus de quelques minutes. Lorsqu'elles sont dans cette cour, les abeilles qui font face à la reine lui lèchent de temps en temps le corps et la palpent fréquemment avec leurs antennes. Il semble que lorsque les abeilles font cela, leurs antennes s'enduisent de phéromone royale.

Lorsqu'elle quitte la cour, l'abeille ayant touché sa reine fait montre d'un regain d'activité et, pendant quelques minutes, on la voit aller et venir dans les alvéoles d'incubation de sa colonie. Cette ouvrière devient particulièrement attirante pour les autres ouvrières, qui se mettent à la toucher avec leurs antennes, vraisemblablement parce qu'elles ont détecté sur ses antennes la présence d'une phéromone royale. Il s'ensuit une palpation mutuelle avec les antennes, qui, par le mouvement continuel des abeilles de la cour, entraîne une bonne diffusion de la phéromone royale dans toute la colonie.

La phéromone émise par les reines immatures sera répartie suivant le même procédé. Sitôt après avoir visité des alvéoles abritant des reines immatures, l'abeille fait une toilette méticuleuse, de façon à répandre soigneusement les phéromones sur l'ensemble de son corps. Ensuite, cette abeille établit le contact avec les autres ouvrières via ses antennes. Une ouvrière peut également se procurer de la phéromone royale en léchant une larve de reine et après cette visite, on voit souvent l'ouvrière

▶ **Les castes d'insectes.** (1) Chez les mellifères *(Apis mellifera)* : (**1a**) mâle ; (**1b**) ouvrière ; (**1c**) reine. (2) Chez les termites *(Bellicositermes natalensis)* : (**2a**) reine ; (**2b**) roi ; (**2c**) une nymphe qui donnera naissance aux autres castes ; (**2d**) grand soldat.

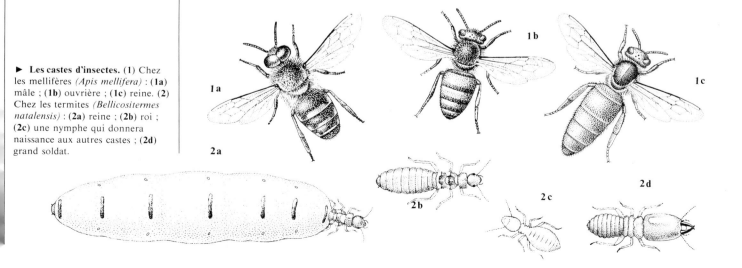

répartir les phéromones dans la nourriture qu'elle distribue aux autres abeilles.

Les phéromones royales sont également en partie responsables de l'inhibition du développement des ovaires chez les mellifères ouvrières. Cependant, si l'on enlève la reine à sa colonie, l'activité ovarienne des ouvrières reste inhibée par une phéromone produite par les progénitures de la reine.

Comme chez les mellifères, les reines de certaines colonies de vespidés (des guêpes) émettent des phéromones qui assurent la stabilité de la colonie et empêchent les ouvrières de pondre : si l'on enlève la reine, les ouvrières deviennent agressives et elles cessent de s'occuper de la couvée. De la même façon, chez certaines espèces de fourmis, la reine exerce son influence, vraisemblablement via des phéromones, pour empêcher, ou du moins limiter, l'élevage de nouvelles reines.

Dans les castes de termites, il semble que la production soit fonction de la taille de la colonie et du nombre d'individus déjà présents dans la caste. Par exemple, la présence d'un ou plusieurs soldats peut susciter l'apparition d'autres soldats, et le nombre proportionnel d'individus qui appartiennent à la caste de soldats peut rester stable quelle que soit la taille de la colonie. La présence, dans une colonie, d'un couple de termites reproducteurs, inhibe l'apparition de reproducteurs de remplacement — encore que cette inhibition puisse se révéler insuffisante dès lors que la colonie dépasse un effectif limite. Il semble que cette inhibition soit provoquée par une phéromone émise par l'anus d'un individu reproducteur primaire.

Il est essentiel qu'un insecte social soit capable de reconnaître sa progéniture (ainsi que son stade de développement, son sexe

La glande odoriférante de Nasonov chez la mellifère ouvrière

Sur la face dorsale de son abdomen, une mellifère ouvrière possède une glande odoriférante dite « de Nasonov » (du nom du scientifique russe qui la décrivit, en 1882). L'abeille expose cette glande (de couleur rouge, ci-dessus) en fléchissant la pointe de son abdomen. La phéromone émise attire les autres abeilles.

Une abeille utilise cette glande dans trois types de situation. En premier lieu cette glande odoriférante sert à marquer un point d'eau dans lequel puise l'abeille : les autres abeilles le retrouveront ainsi plus facilement. Lorsqu'une ouvrière, après s'être passagèrement égarée en chemin, parvient à rejoindre

l'essaim ou la ruche, elle se poste à l'entrée, expose sa glande de Nasonov et disperse la phéromone en battant des ailes : ceci aidera les autres abeilles à retrouver elles aussi le chemin de la ruche. Enfin, l'exposition de la glande de Nasonov et le battement d'ailes sont largement utilisés lors de l'essaimage. Ayant trouvé un gîte près de leur ancienne ruche, les premières ouvrières issues d'un nouvel essaim commencent par émettre une phéromone de Nasonov qui attirera la reine et les ouvrières encore en l'air. Les abeilles éclaireuses se servent de leur phéromone de Nasonov pour marquer l'emplacement où la nouvelle ruche pourra éventuellement être installée.

La phéromone de Nasonov est constituée de sept composants chimiques. Les expériences montrent cependant que seuls trois de ces composants sont nécessaires pour attirer les abeilles au moment de l'essaimage.

---

et sa caste) pour pouvoir nourrir correctement cette progéniture et prendre soin d'elle.

Dans une colonie de guêpes-frelons, la stimulation mécanique joue un rôle important dans le déclenchement du réflexe de « maternage ». Lorsqu'elles ont faim, les larves de guêpes-frelons produisent des vibrations qui stimulent les ouvrières pour qu'elles leur donnent de la nourriture. De plus, les membres d'une couvée de guêpes-frelons émettent une phéromone qui, elle, stimule les ouvrières pour qu'elles les couvent.

Les couvées de fourmis sont regroupées dans différentes chambres à l'intérieur du nid. Les ouvrières s'occupent de faire la toilette des progénitures, de les nourrir et de les déplacer en différents endroits du nid, afin de les maintenir à une température et un degré d'humidité convenables. Les phéromones de contact qui parsèment la cuticule permettent aux fourmis ouvrières de reconnaître la couvée, mais aussi de ne pas confondre deux couvées appartenant à des castes et des sexes différents.

Dans une colonie de mellifères, c'est également une phéromone qui produit le premier signal de reconnaissance de la

▲ **Une vraie machine à pondre...** Dans sa termitière, cette reine géante de termite est entourée de mille soins par ses ouvrières. Chez les termites, la reine a pour seule fonction de pondre les œufs.

progéniture, mais les caractéristiques physiques de celle-ci sont d'une importance relativement minime. Les abeilles ouvrières, quant à elles, sont même capables de faire la distinction, d'après les bouchons de cire des alvéoles, entre des pupes de différents âges. Le type d'alvéole est également un élément important pour la reconnaissance, les différences de taille et d'odeur entre les alvéoles des abeilles mâles et celles des ouvrières facilitant la distinction.

Le transfert de la nourriture entre les individus joue un rôle très important dans l'organisation et la cohésion des sociétés d'insectes les plus développées. La nourriture peut alors servir de support à la diffusion, parmi les membres de la société, d'une bonne partie des phéromones. Dans une colonie de mellifères, le transfert de nourriture intervient uniquement entre adultes. Chez les guêpes, les fourmis et les termites, en revanche, les jeunes émettent des sécrétions attrayantes pour les adultes, auxquelles ceux-ci réagissent en leur fournissant de la nourriture.

La nourriture rapportée au nid est souvent aussitôt répartie entre les membres de la colonie d'insectes sociaux et, chez les abeilles, le transfert de la nourriture peut être en soi une forme de communication. Dans une colonie de mellifères, le fait que la nourriture soit plus ou moins abondante influe sur l'élevage des progénitures, le mûrissage et le stockage du miel, le volume de cire sécrété, et la construction des rayons. La concentration de la nourriture mise en circulation détermine le seuil de la concentration en sucre du nectar que les butineuses pourront tolérer.

Pour recevoir sa nourriture, une mellifère introduit sa langue entre les pièces buccales de la donneuse : celle-ci ouvre ses mandibules pour pouvoir régurgiter les aliments. Pendant le nourrissage, les antennes de la donneuse et de la receveuse frétillent constamment et elles se palpent mutuellement : ceci permet aux deux abeilles de s'orienter l'une par rapport à l'autre et de communiquer. L'ardeur avec laquelle s'effectue le transfert de nourriture se reflète dans l'intensité de la palpation.

Les études effectuées sur le transfert de nourriture entre deux guêpes montrent que la guêpe receveuse doit palper comme il faut les mandibules de la donneuse afin que celle-ci puisse continuer à régurgiter la nourriture. Par leur comportement agressif, les abeilles et les guêpes les plus haut placées dans la hiérarchie parviennent à forcer leurs subordonnées à régurgiter leurs aliments à leur intention. Il est fort possible que le transfert de nourriture soit une évolution de ce comportement.

Comme c'est le cas dans beaucoup d'autres réactions animales, le mécanisme d'appel et de production de la réaction n'est déclenché que par quelques stimuli particuliers. Les expériences effectuées sur des mellifères ouvrières montrent que même une tête d'abeille coupée suffit à déclencher l'une ou l'autre réaction. L'odeur dégagée par cette tête est un stimulus important, et la réaction provoquée sera d'autant plus forte s'il s'agit de la tête d'une abeille appartenant à la même colonie que les abeilles chez lesquelles elle déclenche le réflexe d'appel ou de production de la réaction. On parvient même à simuler l'effet des antennes en insérant de petits morceaux de fil de fer, sensiblement de la même longueur et du même diamètre que de vraies antennes, dans une tête dépourvue d'antennes.

Les couvées et les réserves de nourriture d'un nid d'insectes sociaux sont souvent très convoitées par les prédateurs. Dans bien des cas, les ennemis les plus redoutables sont les membres d'une autre colonie appartenant à la même espèce. Les membres d'une même colonie ont une odeur commune qui diffère de celle des autres colonies et qui est due en partie au fait que le corps de l'animal s'imprègne des odeurs du nid et des réserves de nourriture de sa colonie. Un intrus est ainsi reconnu à la fois par son comportement et par son odeur étrangère. Par exemple, les abeilles qui montent la garde repèrent à leur façon particulière de voltiger les mellifères qui viennent les voler, mais lorsque l'intruse s'approche un peu plus, c'est à son odeur que les abeilles qui montent la garde vérifient son identité.

Dans la mesure où il est vital pour les insectes sociaux de pouvoir se défendre, ils se sont dotés d'un large éventail de comportements défensifs ; les « phéromones d'alarme » font partie de la panoplie défensive de la plupart des colonies d'insec-

tes sociaux, si ce n'est de toutes. Ces phéromones ont trois grandes fonctions : alerter la colonie, déclencher l'agression, et marquer la cible à attaquer.

Les termites qui cherchent leur nourriture à l'abri de leur nid ou des galeries qu'ils ont construites, font appel à des éclaireurs qui laissent sur la nourriture des traces odorantes, produites par leurs sécrétions glandulaires. Même chez ceux qui cherchent leur nourriture en restant à l'abri de galeries couvertes, les « phéromones de marquage de piste » semblent garder toute leur importance, car plus la trace est appuyée, plus les parois de la galerie construite sont larges et hautes.

Chez les fourmis, les butineuses qui découvrent une source de nourriture particulièrement gratifiante laissent une trace de phéromone en frottant la pointe de leur abdomen sur la terre ou la surface sur laquelle elles évoluent. Les autres fourmis appartenant à la même fourmilière, suivent la trace en y ajoutant leurs propres phéromones. Puis, à mesure que la source de nourriture s'appauvrit, les fourmis sont de moins en moins nombreuses à suivre la trace, et l'odeur s'évanouit peu à peu.

Certaines mélipones laissent elles aussi des traces de phéromones afin d'indiquer à leurs sœurs d'espèce la direction d'une source de nourriture. Lorsqu'une butineuse a découvert une source de nourriture abondante, elle fait escale tous les deux ou trois mètres, pour déposer durant le vol de retour, sur des cailloux, des mottes de terre ou des feuilles un peu d'exsudat de ses glandes mandibulaires traçant ainsi une piste que les autres abeilles pourront suivre.

Chez les mellifères, une butineuse qui a réussi sa mission indique l'emplacement d'un point d'eau ou d'une riche source de nourriture par des figures aériennes (le « langage dansé ») qu'elle exécute à son retour à la ruche. Elle ne trace pas de piste, mais il lui arrive de marquer l'emplacement avec une phéromone sécrétée par sa glande de Nasonov.

Chez beaucoup d'espèces de termites, la femelle « appelle » son futur partenaire. Ayant effectué un court vol pour s'éloigner du nid natal, elle se pose et soulève son abdomen, de façon à montrer ses glandes. Les glandes dorsales de l'animal, ou glandes tergales, émettent une phéromone qui attire les mâles à une distance de vingt centimètres maximum, et la phéromone émise

Les phéromones d'alarme

Une mellifère alertée d'un danger réagit en ouvrant l'orifice de la vésicule contenant le venin de son dard pour émettre une phéromone d'alarme qu'elle répand par de rapides battements d'ailes. Cette phéromone d'alarme a pour effet d'alerter les autres abeilles, qui adopteront des postures agressives, prêtes à prendre leur essor à la moindre provocation pour attaquer. A l'assaut d'un intrus, une abeille ouvrière sort son dard pourvu de petits crochets et l'enfonce dans les chairs de l'ennemi. Si la peau de celui-ci est molle, les barbillons du dard y restent

enchâssés et, en tentant de le retirer, l'abeille perd son dard. Ensuite, durant quelques minutes, la vésicule du dard continue d'émettre des phéromones d'alarme, qui guideront d'autres abeilles sur la cible.

Chez l'abeille africanisée, qui étend actuellement son aire de diffusion en Amérique centrale et du Sud, les abeilles qui assurent la défense sont plus nombreuses et piquent plus que leurs homologues européennes. Ceci signifie que ces abeilles sont plus réceptives aux phéromones d'alarme.

◄ **Une champignonnière.** Cette nymphe de termite *(Macrotermes bellicosus)* s'occupe de l'entretien des nodules de champignons que ces insectes cultivent pour se nourrir dans leurs termitières. En général, chaque espèce d'insecte cultive un champignon spécifique.

▶ **Une moisson de terreau de feuilles.** Ces fourmis coupeuses de feuilles (genre *Atta*) transportent jusqu'à leur fourmilière ces morceaux de feuilles qui feront un bon terreau pour la culture des champignons.

▼ **L'architecture interne** d'une fourmilière de fourmis brunes champignonnistes *(Lasius niger)* avec en médaillon, le détail de la chambre d'incubation.

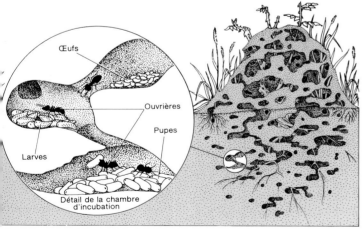

Œufs

Ouvrières

Pupes

Larves

Détail de la chambre d'incubation

pièces buccales supérieures). Les sites choisis comme escales, ainsi que l'altitude de vol au-dessus du sol diffèrent d'une espèce de bourdon à une autre. Même lorsque l'itinéraire de vol est le même chez deux espèces différentes, ces deux espèces se distinguent à l'odeur, car les phéromones avec lesquelles les mâles marquent leur itinéraire de vol sont spécifiques à chaque espèce.

La grande dispersion des sites marqués à l'odeur le long des itinéraires de vol fait que les reines de bourdons encore vierges disposent de vastes secteurs où elles peuvent évoluer — ce qui rend d'autant plus facile la rencontre entre les représentants de l'un et l'autre sexes. Approchant des sites visités par les mâles, les reines déclenchent chez ceux-ci des réactions sexuelles. Au premier abord, la réaction du mâle à la présence de la reine est vraisemblablement uniquement sexuelle, et un mâle réagit surtout devant une reine dont la livrée présente les couleurs et les dessins des représentantes de sa propre espèce. Après cette première réaction visuelle, l'odeur de la reine est déterminante pour déclencher une prise de contact et un effort d'accouplement.

Les mâles de certaines espèces de vespidés établissent eux aussi des itinéraires de vol bien distincts. Dans les régions accidentées ou montagneuses, les mellifères possèdent en outre des sites spéciaux d'accouplement, que l'on appelle les « aires de rassemblement des mâles ». Lorsqu'elle pénètre dans un tel secteur, une reine ne tarde pas à s'accoupler, souvent avec plusieurs mâles d'affilée, puis elle va se réfugier dans son nid.

par la glande du sternum, qui n'est efficace que jusqu'à trois centimètres de distance, maintient les deux partenaires très près l'un de l'autre.

Pour faciliter l'accouplement, les bourdons peuvent avoir recours à une trace odorante spécialisée. Chez nombre d'espèces de bourdons, les mâles sillonnent un réseau complexe de trajectoires de vol, reliant différents endroits — que ce soient des feuilles, des brindilles ou le pied d'un arbre —, qu'ils ont marqués de leur odeur (celle-ci étant produite par les glandes de leurs

JBF

LES SOCIÉTÉS DE VERTÉBRÉS

Les types de groupes sociaux... Les groupes temporaires... La vie de groupe et la reproduction... Les avantages de la vie en bande ou en troupeau... Échapper aux prédateurs... La chasse en coopération... La hiérarchie du becquetage chez les oiseaux et les mammifères... Les lignées d'individus apparentés... La hiérarchie dans une société de macaques rhésus... Passer d'un groupe à un autre... Les harems des hamadryas... Les bancs de poissons... Les relations amicales chez les singes...

CHACUN sait que beaucoup d'animaux vivent en groupes. Rien de plus facile à observer qu'un troupeau de vaches, un banc de poissons ou une volée d'oiseaux. Mais pourquoi tant d'espèces de poissons, d'amphibiens, de reptiles, d'oiseaux et de mammifères vivent-elles en groupes ? Et quelle est la nature des groupes formés par ces animaux ? Comment s'y prennent-ils pour rester groupés, en particulier ceux d'entre eux qui évoluent dans les broussailles très denses, ou dans les eaux sombres, où la communication est rendue difficile ? Depuis quelques années, ces questions ont trouvé un élément de réponse.

Certains groupes d'animaux se rassemblent surtout de façon temporaire. Ainsi, il est fréquent que les oiseaux forment des hardes durant l'hiver, mais celles-ci se séparent lorsque commence la saison des amours. De plus, dans beaucoup de ces groupes, un individu reste parfaitement anonyme : un membre d'une volée d'étourneaux ou d'un banc de sardines n'est pas traité par les autres membres du groupe en fonction de son « identité » individuelle. En revanche, chez d'autres espèces d'animaux, les individus passent toute leur vie au sein d'un même groupe, de sorte qu'ils finissent par connaître les particularités de chacun de leurs compagnons. Par exemple, de sa naissance à sa mort, une femelle de babouin passera toute sa vie au sein d'une même bande d'une soixantaine d'individus, si bien qu'elle apprendra à connaître intimement les autres femelles du groupe — sa mère, sa grand-mère, ses tantes, ses sœurs, etc.

Dans de nombreuses espèces animales, il existe un lien étroit entre la vie de groupe et la reproduction. Cela n'a rien d'étonnant, puisque, chez la plupart des espèces, les représentants des deux sexes doivent se rapprocher et coopérer pour se reproduire : ce rapprochement et cette coopération sont l'essence même de la vie sociale. Chez de nombreuses espèces, l'un des parents, ou les deux, reste pour s'occuper des petits, ce qui donne lieu à la formation d'un groupe social, aussi éphémère soit-il. Chez les cichlidés (des poissons), comme ceux du genre *Tilapia*, la mère porte ses œufs fécondés, puis ses progénitures fraîchement éclo-

▲ ► **Quelques aspects des sociétés de vertébrés.** (1) Cette autruche mâle *(Struthio camelus)* couve un grand nombre d'œufs pondus dans son nid par plusieurs femelles qui se désintéressent de leur progéniture après la ponte (deux de ces femelles sont visibles derrière lui) (2). Une famille de tamarins pinchés *(Sanguinus œdipus)*, dans laquelle les aînés des progénitures retardent le moment où ils commenceront à se reproduire pour rester auprès de leur famille et participer à l'élevage de leurs cadets. Après la tétée, la mère (2b) passe son petit (2a) à un autre de ses petis plus âgé (2c), qui s'occupera de porter le tout petit. Un autre aîné (2d) se charge de faire la toilette du tout petit, qui est porté par le père (2e). (3) Les relations chez les babouins cynocéphales *(Papio cynocephalus)* : ce mâle adulte (3a) est le « meilleur ami » de la femelle (3b) ; lorsqu'elle sera en chaleur, il aura les plus grandes chances de pouvoir s'accoupler avec elle. Le mâle (3c) s'efforce de s'intégrer à la troupe en se « liant d'amitié » avec la femelle (3b). Il ne peut la soumettre par la force, car un autre mâle est à son côté (3a).

« Amis »

Les macaques rhésus, les babouins et d'autres espèces de singes qui vivent en de grands groupes ayant une structure complexe forment souvent des alliances. Ainsi, deux babouins mâles adultes peuvent s'entraider pour chasser un autre mâle qui courtise une femelle séduisante.

Les alliances ont également un rôle important au sein des familles. Si elle se trouve prise à partie par d'autres, la jeune progéniture sera aussitôt défendue par sa mère ou les sœurs de sa mère, ainsi que par tout autre parent mâle qui n'a pas encore quitté le groupe. Les petits dont la lignée maternelle est haut placée dans la hiérarchie du groupe auront eux aussi une position élevée, car ils sont bien défendus par les membres de cette lignée maternelle. De plus, en cas de conflit entre deux filles d'une même lignée maternelle, la mère soutiendra plutôt sa cadette que son aînée : c'est pourquoi les sœurs cadettes accèdent, dans la hiérarchie, à un rang plus élevé que leurs aînées.

Les femelles de macaques rhésus et de babouins semblent elles aussi avoir leurs « meilleurs amis » parmi les mâles adultes. L'« ami » en question est un mâle adulte qui reste auprès d'une mère, en particulier lorsque celle-ci vient de mettre bas, et de sa progéniture en pleine croissance. Le mâle et la mère se font mutuellement leur toilette, plutôt que de s'en remettre à d'autre représentants du sexe opposé. A l'occasion, le mâle joue avec le petit dernier de la mère, il le transporte, et le défendra contre un animal qui tenterait de l'enlever. Ce mâle peut tout simplement être le père de la progéniture mais il est difficile d'en être certain, étant donnée la promiscuité dans laquelle vivent les membres du groupe.

ses, dans sa bouche. Beaucoup d'espèces d'oiseaux vivent en famille pendant la saison de la reproduction : les deux parents restent auprès des petits et les nourrissent jusqu'à ce qu'ils se dispersent, à la fin de la saison. Chez certaines de ces espèces d'oiseaux, comme chez les cygnes, le même mâle s'accouple avec la même femelle chaque année, ce qui signifie que ces oiseaux sont monogames tout au long de leur vie reproductive. Chez d'autres espèces, comme les goélands, les familles se rassemblent massivement à la saison des amours, formant ainsi une colonie.

Chez les espèces dont les jeunes quittent leurs parents très tôt dans la vie, les groupes sociaux restent réduits et de structure simple. En revanche, lorsque les petits restent plus longtemps avec leurs parents, les groupes deviennent numériquement plus importants et d'une structure plus complexe. Les marmousets sud-américains (de petits singes) vivent dans de grandes familles, comprenant chacune la mère, le père et plusieurs progénitures de différents âges. Les aînés aident leurs parents à nourrir et transporter leurs jeunes frères et sœurs, augmentant ainsi leurs chances de survie. Grâce à ce système, les aînés, frères et sœurs, acquièrent par ailleurs une précieuse expérience en matière de « maternage », ce qui leur permettra d'être de meilleurs parents lorsqu'ils fonderont leurs propres familles (voir à ce sujet le chapitre sur « Le comportement parental »).

Si les progénitures restent au sein du groupe dans lequel elles sont nées, et ce, non seulement le temps de quelques saisons des amours, mais toute leur vie durant, il en résulte la formation de grands groupes de structure complexe, réunissant de nombreux animaux reproducteurs. Chez les mammifères, en règle générale, seules les progénitures femelles restent au sein du groupe natal, tandis que les mâles partent. Certains animaux — de nombreuses espèces d'antilopes, de cerfs et d'otaries — vivent même en harems, avec un seul mâle adulte, plusieurs femelles et leurs progénitures. Les autres mâles vivent seuls ou forment des groupes de célibataires. Chez d'autres espèces de mammifères, les femelles passent toute leur vie au sein des groupes dans lesquels elles sont nées, mais plusieurs mâles originaires d'autres groupes viennent vivre avec elles. C'est le cas, notamment, des babouins, des wallabys, des lions, des hyènes et des macaques rhésus, chez qui la socialité est parfois très complexe.

La vie de groupe a ses avantages et ses inconvénients. Chez les oies à front blanc (ou oies rieuses), la taille du troupeau détermine le temps que l'oie peut consacrer à guetter les prédateurs et à des activités vitales, comme le nourrissage des petits. De même, un animal est généralement plus en sécurité bien au milieu du groupe qu'à la périphérie, car c'est généralement à la périphérie que les prédateurs, comme les oiseaux de proie, les requins ou les lions, attaquent pour capturer leurs proies. Les animaux vivant en groupes ont plus de chances d'échapper aux prédateurs, parce que, dans ces conditions, les individus conjuguent leurs efforts pour se défendre.

En groupe, un animal trouve généralement sa nourriture plus facilement qu'en solitaire. Il est fréquent, par exemple, de voir des pélicans glisser en formation sur les eaux d'un lac où ils cherchent leur nourriture, et plonger tous en même temps leur grand bec dans l'eau. De cette façon, un poisson réussissant à échapper au bec d'un pélican a toutes chances de s'engouffrer tout droit dans le bec grand ouvert d'un autre. Chassant en bandes, les loups et les chiens sauvages africains parviennent à capturer des proies largement plus grosses qu'eux, comme des zèbres ou des élans, qu'ils seraient en revanche incapables d'attraper seuls. Mais il en va de même pour les animaux qui consomment des aliments beaucoup plus petits qu'eux. Lorsque leurs voisins repèrent un étourneau ou un lapin en train de

manger dans son coin, ils ne tardent pas à rappliquer, l'obligeant à partager. En revanche, un animal qui vit seul doit se débrouiller pour se procurer sans aide sa nourriture. Il est vrai qu'ayant trouvé cette nourriture, cet animal n'aura pas à la partager...

La vie en groupe peut présenter d'autres inconvénients. Par exemple, les chimpanzés formant de grandes bandes mangent finalement beaucoup moins bien que ceux réunis en petits groupes. En outre, un prédateur repère beaucoup plus facilement un grand groupe d'animaux qu'un individu solitaire. Étant accoutumé à certains types de proies, ce prédateur n'en repérera que plus facilement les autres membres de la même espèce qui se trouvent à proximité, même s'ils tentent de se cacher.

Lorsque des animaux vivent ensemble dans le même groupe pendant un certain temps, les relations entre eux peuvent devenir à la fois plus subtiles et plus complexes. Un animal apprend à reconnaître chacun des autres membres de son groupe, et à moduler son comportement en fonction de son vis-à-vis. Il est fréquent que plusieurs membres d'un même groupe se trouvent en rivalité pour obtenir telle ou telle chose qui leur est importante : pour des poulets, ce seront des grains de blé, pour des babouins ce sera un bout de corniche où le groupe passera la nuit. Toutefois, les différends ne se soldent pas nécessairement par des bagarres générales. Il se peut très bien qu'un des animaux s'incline devant l'autre et que le différend se règle sans aucun affrontement. Ainsi, lorsque l'on met pour la première fois

▼ **La hiérarchie du becquetage chez la volaille de basse-cour.** (1) Au sein des petits groupes d'oiseaux, il existe ce que l'on appelle une « hiérarchie du becquetage », qui veut qu'un oiseau placé bas dans la hiérarchie ne donne jamais de coups de bec à un oiseau placé plus haut que lui. L'oiseau A donne des coups de bec à B, C et D ; l'oiseau B donne des coups de bec à C et D ; et l'oiseau C donne des coups de bec seulement à D. Cette hiérarchie de domination permet aux individus bien placés d'accéder plus facilement aux ressources, en particulier à la nourriture et aux perchoirs.

(2) Dans les grands groupes de 10 individus ou plus, cette hiérarchie linéaire simple ne tient plus, et l'on peut voir un oiseau placé bas dans la hiérarchie donner des coups de bec à un ou deux oiseaux placés plus haut que lui. En règle générale, ces individus font partie d'alliances entre animaux apparentés et qui, ensemble, parviennent à intimider les oiseaux placés plus haut qu'eux dans la hiérarchie.

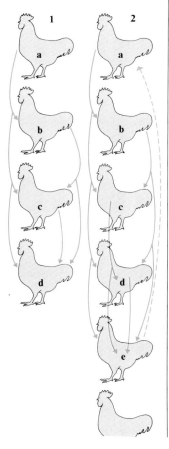

▲ **La vie en groupe dans les plaines africaines.** Beaucoup d'espèces vivant à découvert se sont dotées d'un mode de vie social. Sur notre photo, des groupes d'autruches *(Struthio camelus)*, d'oryx gazelles *(Oryx gazella)* et de zèbres de Burchell *(Equus burchelli)* venus se désaltérer à un point d'eau de l'Etosha National Park.

▶ **Ouvrant la marche,** ce banc de dauphins *(Stenella longirostris)* précède un bateau. De jour, ces animaux restent en formations serrées, comprenant entre 10 et 100 individus, et ils ne se séparent que la nuit, pour chercher leur nourriture.

plusieurs poulets ensemble, il n'est pas rare qu'ils commencent par échanger des coups de bec agressifs. Mais ces poulets ne tardent pas à apprendre à se reconnaître mutuellement, et chacun saura bientôt quels sont les congénères qu'il pourra attaquer sans risque de représailles, et ceux qu'en revanche il vaut mieux laisser en paix. Très vite, il se forme une « hiérarchie du becquetage » où l'animal le mieux placé n'hésite pas à attaquer quiconque lui tient tête, tandis que ses subalternes s'arrangent pour éviter tout affrontement avec lui. De la même façon, l'animal placé en seconde position dans la hiérarchie attaquera tous ses congénères sauf son supérieur — et ainsi de suite, jusqu'à l'individu placé le plus bas dans la hiérarchie et qui lui, fuit toute querelle avec l'un quelconque de ses congénères.

La hiérarchie du becquetage n'existe pas seulement chez les oiseaux. Chez les mammifères, où cette hiérarchie prend des formes très intéressantes, on parle d'une « hiérarchie de domination ». L'une des hiérarchies les plus complexes est celle que l'on rencontre chez les babouins et les macaques rhésus. Un mâle presque mature est placé plus haut dans la hiérarchie qu'un autre mâle un peu plus jeune, qui à son tour, est placé plus haut qu'un troisième individu — par exemple, une femelle adulte. Toutefois, cette femelle adulte peut être d'un rang supérieur à celui du mâle presque adulte, de sorte que la hiérarchie forme une sorte de boucle. Il se peut très bien, en effet, que cette femelle adulte soit la propre sœur du mâle presque adulte, si bien que celui-ci s'incline devant elle, alors qu'il ne le fera pas devant des individus avec lesquels il n'a aucun lien de parenté.

De fait, au sein des groupes de babouins et de macaques rhésus, les liens familiaux sont très puissants, et c'est cette combinaison de la loyauté envers la famille et de la hiérarchie de domination, qui donne à une société de macaques rhésus toute sa complexité. Les femelles passant toute leur vie au sein du groupe dans lequel elles sont nées, un groupe de macaques rhésus finit à la longue par comporter plusieurs lignées femelles. Les membres d'une lignée maternelle ayant tendance à rester groupés, il n'est pas rare que l'on rencontre, côte à côte, la femelle exerçant l'autorité matriarcale, autrement dit, l'ancêtre, ses filles, ses petites-filles et même, ses arrière-petites-filles. Certaines lignées sont puissantes, d'autres le sont moins. Lorsqu'une lignée est puissante, cela signifie que tous ses membres sont plus haut placés dans la hiérarchie que tous les membres d'une autre lignée. Au sein d'une même lignée, la mère est toujours plus haut placée que ses filles. Parmi les filles, en revanche, la hiérarchie se trouve inversée, dans la mesure où les sœurs cadettes sont les plus haut placées dans la hiérarchie et les aînées les plus bas placées. Les plus jeunes progénitures ne sont prises en compte dans cette hiérarchie qu'à l'approche de la puberté : à partir de ce moment, elles devancent leurs aînées dans la hiérarchie familiale.

Cette hiérarchie domine maint aspect de la vie sociale des macaques rhésus, au point de déterminer le sexe des progénitures mises au monde par les femelles. Les femelles les mieux placées dans la hiérarchie engendrent, en effet, plus de progénitures femelles que de mâles, et l'inverse se vérifie chez les femelles placées plus bas dans la hiérarchie. Les progénitures d'une mère placée bas dans la hiérarchie occuperont à leur tour un rang hiérarchique inférieur : s'il s'agit de femelles, elles seront condamnées à occuper durant toute leur vie un rang inférieur au sein du groupe dans lequel elles sont nées, mais les jeunes mâles

► **Un banc de lutjanides** (genre *Lutjanus*). la vie de groupe a toujours des motivations assez complexes, mais dans le cas de ces poissons, on peut penser que le fait de vivre en grands bancs rend chaque individu moins vulnérable aux prédateurs.

émigreront pour avoir une chance d'accéder à une position plus élevée au sein d'un autre groupe. C'est pourquoi, plus une mère placée bas dans la hiérarchie d'un groupe donne naissance à une progéniture mâle abondante, plus la proportion de cette progéniture qui aura des chances de s'élever dans la hiérarchie d'un autre groupe sera importante. En revanche, les filles d'une femelle haut placée dans la hiérarchie sont assurées d'occuper une position élevée lorsqu'elles parviendront à maturité, alors que les fils de cette femelle ne pourront, au mieux, qu'améliorer légèrement leur position en émigrant, tout en risquant plutôt de dégringoler dans la hiérarchie de leur nouveau groupe. Par conséquent, plus une femelle haut placée donne naissance à une progéniture femelle abondante, plus la proportion de sa progéniture qui accédera à un rang élevé sera importante.

Un groupe social se modifie sans cesse. Outre les morts et les naissances, les individus les plus âgés de l'un et l'autre sexes quittent les uns après les autres leur groupe natal et en même temps, des « étrangers » se joignent au groupe. Chez beaucoup d'espèces de mammifères, les individus partent de leur propre chef ; chez d'autres, en revanche, un individu peut être expulsé, notamment les mâles. Les lions mâles adultes chassent ainsi de leur bande les jeunes mâles immatures ; les sagouins (des singes) mâles adultes d'Amérique centrale et du Sud, font de même avec les mâles immatures qui ont grandi dans leur groupe.

Il n'est pas rare, lorsqu'un mâle immature quitte son groupe natal, qu'il aille rejoindre une troupe de célibataires exclusivement composée de mâles. C'est un cas très fréquent chez les antilopes. En principe, les mâles célibataires qui forment la troupe n'empêchent pas le nouvel arrivant de se joindre à eux. En revanche, lorsqu'un mâle — immature ou adulte —, quitte son groupe natal dans l'intention de se joindre à un autre groupe, composé celui-ci d'adultes mâles et femelles, les choses risquent de se passer tout autrement. Un cerf commun opposera par exemple une résistance farouche aux autres mâles qui tenteront de s'introduire dans son harem, et il livrera combat jusqu'à l'épuisement. Chez les macaques japonais, un mâle qui veut rallier un groupe devra résister aux attaques d'un ou plusieurs mâles résidents.

Cela dit, un nouvel arrivant n'est pas toujours traité avec hostilité. Par exemple, chez les macaques rhésus, un jeune immature n'a qu'à suivre les traces de ses aînés pour se faire accepter pacifiquement dans un groupe au sein duquel ceux-ci se sont déjà intégrés.

Lorsqu'un mâle quitte son groupe d'origine, ou sa troupe de célibataires, dans l'intention de se rallier à un autre groupe, il doit affronter une foule de dangers — hostilité de ses rivaux dans le nouveau groupe et menace des prédateurs — durant son voyage en solitaire. Mais un mâle qui n'effectuerait pas ce voyage risquerait fort de ne pas se reproduire : dans son groupe d'origine, ses aînés mâles peuvent l'empêcher de s'accoupler avec une femelle et, dans un groupe de célibataires, il n'y a pas, par définition, de femelle.

Pour que des animaux vivent en groupe, les moyens de se maintenir ensemble doivent exister. Dans certains cas, le groupe a son meneur, ou son chef, que les autres suivent — c'est le cas dans un troupeau de bétail. Chez les cynocéphales du nord-est africain et d'Arabie, un mâle peut avoir la mainmise sur un harem de plusieurs femelles (parfois quatre) accompagnées de leurs progénitures. Si l'une de ces femelles s'éloigne de lui, le mâle se lance à sa poursuite, la mord à la nuque et la ramène au harem. Les représentants de beaucoup d'espèces d'oiseaux et de mammifères émettent des appels continus, qui deviennent d'autant plus fréquents lorsque l'animal s'enfonce dans une végétation dense. Ces appels servent aux animaux à maintenir le contact entre eux.

Un animal peut également rester en contact avec son groupe en ne s'éloignant pas d'un territoire donné. C'est parce qu'elles restent attachées à un tel territoire que les chauves-souris regagnent chaque nuit la même perchée ; de même, les goélands reviennent nidifier dans la même colonie.

Un des exemples les plus spectaculaires de la cohésion de groupe est celui des bancs de poissons. On y voit en effet des centaines, voire des milliers de poissons évoluer côte à côte et dans la même direction : ils amorcent tous en même temps les virages, accélèrent ou ralentissent simultanément, tout cela dans un synchronisme impressionnant. Pour parvenir à ce résultat, les poissons ne se repèrent cependant pas seulement à vue : si l'on cache avec un bandeau les yeux de poissons comme les lieus jaunes, on constate que cela ne les empêche pas de continuer à

▲ **Les liens entre la mère et son petit.** Cette femelle d'écureuil fossoyeur du Cap *(Xerus inaurus)* fait la toilette de son petit. L'interation sociale entre les individus a pour effet de souder les groupes d'animaux vivant ensemble.

▶ **Un ballet communautaire...** La parade groupée peut prendre des proportions considérables, comme c'est le cas chez ces petits flamants *(Phoeniconaias minor)*, qui paradent sur le site nourricier.

▼ **La pêche coopérative.** Les pélicans blancs *(Pelecanus onocrotalus)* pêchent en groupe, encerclant souvent les bancs de poissons pour les empêcher de fuir.

évoluer dans l'eau de façon synchrone avec les autres membres du banc. Le synchronisme apparaît même supérieur à la normale, comme si placés dans ces conditions inhabituelles, les poissons n'étaient pas pour autant disposés à tenter de réagir par un comportement individuel. Il faut savoir qu'un poisson possède, sur ses flancs, des structures spéciales, les « organes de la ligne latérale », très sensibles aux vibrations dans l'eau. Ces organes permettent à l'animal de détecter les remous et les courants produits par le déplacement des autres poissons du banc : le poisson peut ainsi maintenir un cap constant et une distance minimale entre lui et ses congénères, même s'il ne les voit pas.

NRC

LE DÉVELOPPEMENT DES RELATIONS SOCIALES

Les besoins d'un jeune animal... Les liens entre les parents et leurs progénitures... La concurrence entre les progénitures de mêmes parents... Le jeu social... Rompre les liens... La dispersion des jeunes... L'empreinte...

A maints égards, le comportement d'un jeune animal est moins complet, moins complexe et moins « compétent » que celui d'un adulte. Le développement du comportement concerne, en partie, la façon dont les gènes et les conditions de l'environnement extérieur se combinent pour élaborer et perfectionner le comportement au fil de la croissance de l'individu. Cependant, il est fréquent que les besoins d'un jeune animal diffèrent totalement de ceux d'un adulte. Une chenille diffère d'un papillon non seulement par son aspect extérieur, mais également par son comportement, et ceci s'explique par le fait que cette chenille vit et trouve sa nourriture dans un environnement très à part de celui du papillon. Le développement des relations sociales reflète, du moins en partie, la modification des besoins d'un animal au fil de sa croissance — il dépend d'abord de ses parents, puis il acquiert une certaine compétence en tant qu'individu juvénile, puis il commence à se trouver en rivalité avec d'autres pour se procurer une partenaire et finalement il est à son tour prêt à devenir parent.

Tous les parents n'ont pas nécessairement des relations avec leurs progénitures. Ainsi, la femelle de hareng pond ses œufs dans l'eau, où une partie d'entre eux seront fécondés par le sperme émis par le mâle. Aucun des deux parents n'a de rapport avec les progénitures. Il en va de même chez beaucoup d'autres animaux et, même chez ceux qui pratiquent le « maternage » dans une certaine mesure, la relation sociale entre le parent et la progéniture peut être longue à se développer. Peu à peu, à mesure qu'il gagne en mobilité, le jeune animal jouera un rôle de plus en plus actif dans sa relation avec ses parents. Pour commencer, il réclame de la nourriture à ses parents et fait sa part du travail en restant auprès de l'un des ses parents, ou des deux.

En bas âge, les petits des mammifères et des oiseaux n'auraient aucune chance de survivre si leurs parents ne s'occupaient pas d'eux. Cette relation entre les parents et leurs progénitures concerne avant tout l'apport de nourriture et la protection face au danger.

Les parents apprennent très tôt à reconnaître leurs propres progénitures — évitant ainsi de gaspiller du temps et de l'énergie à prendre soin des progénitures des autres. Dès lors, il n'est pas rare qu'un parent attaque un petit qu'il ne reconnaît pas comme sien. Au printemps, on peut souvent voir une cane col-vert qui éconduit un caneton égaré ayant tenté de se mêler à ses propres petits. Puisque les parents peuvent se comporter ainsi, il n'est pas étonnant qu'en retour, les jeunes soient également prompts à apprendre à identifier un de leurs parents, ou les deux. On observe avec intérêt qu'au sein d'une colonie bruyante de sternes, l'oisillon assoupi dans le nid se réveille dès qu'il entend le lointain appel d'un de ses parents de retour avec un poisson dans le bec. Chez les mammifères, le mâle ne produit pas de lait, de sorte que dans l'immense majorité des cas, c'est avec leur mère que les petits ont un attachement très fort. Celle-ci, non seulement les nourrit, mais leur assure également une base sécurisante, d'où ils peuvent entreprendre leur exploration de l'environnement. Une bonne mère nourrit et protège ses petits : auprès d'elle, ils trouvent la chaleur et le lait nécessaires à leur survie. Si, dans le cadre d'une expérience en laboratoire, on présente à de petits macaques rhésus deux leurres distincts, qui leur offrent l'un seulement la nourriture et l'autre seulement le confort, les petits singes résolvent ainsi le dilemme : dans un premier temps, ils

▲ ▼ **Les besoins d'un jeune animal** peuvent être radicalement différents de ceux d'un adulte. Une chenille, par exemple, diffère non seulement de l'adulte par son aspect, mais elle se nourrit de feuilles (ci-dessus), alors que l'adulte aspire le nectar (ci-dessous). Sur ces deux photos, la chenille et l'adulte de la piéride du chou *(Pieris brassicae).*

▶ **Jouer dans l'eau...** Ces deux éléphanteaux africains *(Loxodonta africana)* s'ébrouent dans un point d'eau. Par le jeu, un animal acquiert une expérience sociale qui lui permettra de mieux affronter la concurrence dans sa vie d'adulte.

viennent téter le leurre inconfortable (en fil de fer) représentant leur mère, puis, si on les effraie, ils vont se réfugier auprès du leurre bien rembourré. Cette expérience montre bien que l'attachement des petits envers leur mère ne se limite pas au seul nourrissage.

Si un jeune animal a des frères et sœurs du même âge que lui, dans un premier temps, la relation sociale entre eux sera surtout une rivalité, car celui qui connaîtra la croissance la plus rapide obtiendra de ses parents le plus de soins et d'attentions. Toutefois, même en bas âge, les chatons ont tendance à coopérer en se blottissant les uns contre les autres, de façon à avoir bien chaud. Puis, à mesure que ces chatons grandissent et se meuvent plus facilement, la coopération devient plus énergique. Par le jeu social, un jeune animal peut tirer bénéfice du contact avec ses frères et sœurs ainsi qu'avec ses congénères du même âge.

Chez les chats et les singes, on a pu observer que le jeu social ne se développe ni au même moment, ni de la même façon que

le jeu avec des objets, et selon toute vraisemblance, ce jeu sert exclusivement une fonction sociale. Ces animaux passent plusieurs heures par jour à se poursuivre et à se livrer à des simulacres de combats. Souvent, ces activités ludiques sont annoncées par des signaux très caractéristiques : par exemple, un jeune chiot se couche sur ses pattes de devant en remuant la queue. Ces regains d'activité peuvent être très intenses et s'arrêter aussi brusquement qu'ils ont commencé. Dans un simulacre de combat, il est extrêmement rare qu'un des protagonistes soit blessé, que ce soit par les dents, les griffes ou les cornes de son compagnon de jeu.

Chez les jeunes mammifères, le jeu social est très facile à reconnaître. Quant à savoir si ce type de jeu existe chez tous les représentants du règne animal, c'est une question controversée. De fait, dans la mesure où l'on ne connaît pas exactement la fonction de ce jeu, on ne peut pas savoir si le but à atteindre ne peut l'être que par le jeu, ou bien si c'est un but que seuls les

◄ **Ce lionceau prend son premier repas solide.** Les parents poussent souvent leurs progénitures à absorber une nourriture solide plus tôt que les petits ne le voudraient. De fait, la mère se trouve ainsi soulagée de la tâche de l'allaitement.

► **La « baby-sitter » et le petit.** Les suricates *(Suricata suricatta)* vivent en petits groupes sociaux. Souvent, lorsque la mère part chercher de la nourriture avec le gros du groupe, un autre adulte garde les petits dans la tanière. Ces « baby-sitters » ne sont pas nécessairement des parents des petits.

▼ **Je ne suis pas celle que vous croyez...** Ces oisons suivent ce chien comme s'il était leur mère. N'ayant jamais vu leur mère, ces petits ont cependant appris, par le processus de « l'empreinte », à le traiter comme leur propre mère.

L'empreinte

Lorsque des oiseaux, des canetons par exemple, sortis depuis peu de l'œuf sont élevés de main d'homme pendant quelques jours, ils préfèrent ensuite la compagnie de leur éleveur à celle de leurs propres congénères. Ce processus très particulier qui influe considérablement sur le développement des relations sociales est ce que l'on appelle « l'empreinte ».

Longtemps, on a pensé que ce processus permettait à un animal d'apprendre à connaître son espèce. Mais dans l'état actuel des connaissances, il apparaît que l'empreinte sert en fait une fonction plus subtile en permettant au petit de reconnaître ses parents en tant qu'individu. Les tout jeunes représentants des espèces dites « nidifuges », qui sont emplumés et actifs dès la naissance, doivent apprendre rapidement à reconnaître leurs

parents car lorsqu'ils quittent l'endroit où ils sont nés, ils doivent rester près d'un de leurs parents. S'approchant d'un autre adulte de sa propre espèce, le jeune risque d'être attaqué, voire tué. C'est pourquoi, dès que le jeune animal est capable de reconnaître ses parents, il fuit tout ce qui lui apparaît différent.

La rapidité de l'attachement au premier objet qui se présente après l'éclosion — cet objet étant, dans des conditions naturelles, pratiquement toujours le parent —, ainsi que

la crainte produite par toute innovation une fois l'apprentissage effectué, signifient que le processus d'empreinte intervient généralement à un stade très spécifique et très précoce dans la vie de l'animal, ce stade étant appelé la « période sensible ». Chez les oiseaux dits « nidicoles », comme les hirondelles, qui naissent sans plumes et totalement sans défense, l'apprentissage s'effectue plus tard, et les oisillons ne répondent à leurs parents que de façon sélective une fois qu'ils ont quitté le nid,

environ deux semaines après l'éclosion. L'existence de ce mécanisme permettant l'identification des proches parents fait que, dans des conditions artificielles, on assiste parfois à d'étranges phénomènes. Les expériences montrent en effet que si l'on présente à un oiseau ayant atteint un certain stade de son développement, un objet erroné, par exemple un membre d'une autre espèce, cela peut se solder, au niveau sexuel, par une forte prédilection pour cet objet.

animaux les plus évolués peuvent atteindre. Il semble toutefois que ce type de jeu soit, au bout du compte, bénéfique, puisque les animaux qui le pratiquent y consacrent une énergie considérable. A l'âge où le jeu social est le plus fréquent, les jeunes animaux risquent souvent de se rendre plus repérables par les prédateurs. Ainsi, en jouant, il n'est pas rare que de jeunes guêpards interrompent leur mère dans sa chasse. Par conséquent, il est hautement improbable que de telles dépenses soient sans contrepartie.

En jouant avec ses frères et sœurs ainsi qu'avec ses congénères du même âge, un jeune animal peut acquérir une pratique de la vie sociale et une capacité de concurrence qui lui seront utiles dans sa future vie d'adulte. Il saura ainsi plus facilement comment se comporter lors d'un combat ou au moment de l'accouplement. Il pourra prévoir par avance ce que son vis-à-vis s'apprête à faire et, d'une manière générale, il sera plus vigilant et plus prompt à agir qu'un animal qui n'aurait pas eu l'occasion de s'exercer par des jeux. Toutefois, ceci ne signifie pas pour autant qu'il n'existe pas d'autres moyens d'acquérir cette expérience : de fait, lorsque la période de dépendance vis-à-vis des parents est assez longue, le jeu peut n'être qu'un des éléments qui contribuent à l'élaboration du comportement adulte.

Chez les invertébrés, la coopération entre proches parents atteint son summum chez les insectes sociaux, comme les fourmis et les abeilles. Seuls les proches parents, en effet, sont admis dans le nid, où ils pourront recueillir les bénéfices de la coopération, par exemple lors du partage de la nourriture. L'identification d'un parent nécessite un processus d'apprentissage assez similaire au phénomène d'empreinte.

Les représentants de nombreuses espèces animales donnent naissance, au cours d'une vie, à plusieurs portées, et il en va toujours de l'intérêt de l'espèce, pour sa perpétuation, que chaque progéniture reçoive le plus de soins et d'attentions possible. Par conséquent, lorsqu'une progéniture est capable de veiller sur elle-même, cela ne peut qu'être bénéfique pour les parents, car ils sont ainsi plus libres d'assurer leur propre défense et de s'occuper de la portée suivante. En revanche, pour la progéniture, l'intérêt à long terme est de recevoir le plus de ressources possible de la part de ses parents. Dès lors, les intérêts des progénitures et de leurs parents ne coïncident pas, et il peut en résulter un conflit. Ce conflit est particulièrement marqué chez les mammifères, chez lesquels l'allaitement du petit représente pour sa mère une dépense énergétique considérable. C'est pourquoi il est fréquent qu'une maman mammifère contraigne son petit à passer à une nourriture solide alors que pour sa part, il continuerait volontiers de téter. Ce changement d'attitude de la mère se matérialise par le fait qu'on la voit refuser de plus en plus souvent la tétée à son petit. Plus subtilement, la mère se fait de moins en moins présente pour son petit et celui-ci doit faire de plus en plus d'efforts pour rester à son contact. Chez les macaques rhésus, ce changement s'étale sur une période de plusieurs mois, qui débute bien avant que le jeune singe commence à absorber une nourriture solide, et se poursuit encore sur de longs mois après le sevrage. La mère peut ensuite continuer à assurer la protection et la formation de sa progéniture en pleine croissance, et si cette progéniture est de sexe femelle, elle pourra rester auprès de sa mère même après sa maturité sexuelle. A ce stade, la relation peut se trouver inversée — la fille prenant soin de sa mère. De plus, les progénitures femelles pourront également s'occuper des futures progénitures de leur mère.

Chez la plupart des animaux qui connaissent un « maternage » très développé, il survient un moment où le lien avec le parent se rompt et où la progéniture s'en va. En règle générale, chez les mammifères, les mâles s'éloignent de leurs parents en allant plus

loin que les femelles ; chez les oiseaux, en revanche, ce sont habituellement les femelles qui parcourent les plus grandes distances. Cette dispersion s'observe normalement chez les jeunes immatures. Son brusque déclenchement reflète vraisemblablement les changements qui se produisent chez les individus juvéniles à l'approche de la maturité, plutôt qu'un rejet manifeste de la part des parents. Après leur dispersion, les jeunes peuvent se mettre aussitôt en quête de partenaires. Toutefois, chez les mammifères polygames, comme les chevaux sauvages, les jeunes mâles peuvent former des bandes de célibataires jusqu'au moment où chacun aura acquis la maturité nécessaire pour s'accaparer un harem de femelles. De la même façon, pour reprendre à leurs aînés mâles une troupe de femelles, les jeunes lions agissent généralement en bande. Par la suite, il leur sera plus facile de garder ces femelles sous leur coupe en coopérant avec d'autres mâles.

Sur toute la durée de vie d'un individu, les relations sociales ne sont pas immuables : d'anciens liens se rompent, et d'autres se créent. Quoi qu'il en soit, d'une manière générale, lorsqu'une relation se forme entre deux individus, elle est d'abord le fait, chez un des deux individus, d'une réaction à tel ou tel trait de caractère superficiel chez l'autre, pour devenir peu à peu une interaction beaucoup plus complexe du comportement de ces deux partenaires, assortie d'une communication efficace entre eux. Si elle perdure, la coopération mise en jeu par ce type de relation sera, en termes évolutionnaires, mutuellement bénéfique pour l'un et l'autre partenaires, et chacun aura donc intérêt, dans son interaction avec l'autre, à se montrer le plus efficace possible.

PPGB

LES ASSOCIATIONS ENTRE ESPÈCES

Les parasites — puces, poux et vers... Les fourmis esclavagistes... La symbiose — chenilles et fourmis... Des animaux nettoyeurs sous contrat...

UNE bande de lions ou un essaim d'abeilles — ce ne sont là que deux exemples parmi la multitude de types d'associations existant entre des individus qui appartiennent à une même espèce. Mais on connaît aussi, entre des animaux d'espèces différentes de nombreux types d'associations bénéfiques tantôt aux deux parties, tantôt seulement à l'une des deux : c'est le cas, notamment, de la puce qui vit sur l'échine du chien, de l'anémone de mer qui élit domicile dans un coquillage de bernard-l'ermite, et des bactéries logées dans l'intestin des mammifères.

Dans la plupart des cas, une société animale est constituée uniquement de membres d'une seule espèce, dont chacun tire bénéfice de son association avec un autre individu. Toutefois, on connaît de nombreux exemples dans lesquels des membres de deux espèces différentes vivent ensemble, et l'on peut répartir, en gros, en trois catégories. La première est celle où l'on a affaire à un « parasitisme », dans lequel une espèce est bénéficiaire aux dépens de l'autre ; le parasite élit généralement domicile dans l'organisme de l'hôte ou à la surface de celui-ci. La seconde catégorie est celle du « commensalisme », dans lequel les représentants des deux espèces s'entraident sans pour autant que l'un ou l'autre des deux animaux en pâtisse. Les goélands qui recueillent les rejets d'égouts et les renards ou les ratons laveurs qui fouinent dans les poubelles en sont de bons exemples. Enfin, la troisième catégorie est celle de la « symbiose », ou « mutualisme », bénéfique aux deux parties. Le meilleur exemple est celui des chiens : nous les nourrissons, et en retour, ils nous avertissent de l'approche d'un cambrioleur. De ces trois formes d'associations, le parasitisme et le mutualisme sont les plus communes, car une étude approfondie montre que les hôtes d'animaux commensaux en pâtissent généralement d'une façon ou d'une autre.

Un animal peut être l'hôte de différentes sortes de parasites, qui vivent dans son organisme — par exemple, dans l'intestin, le sang ou le foie —, ou à la surface de son corps, où ces parasites trouvent leur nourriture dans sa peau ou en suçant son sang. En règle générale, un parasite n'inflige à son hôte que peu de dommages, car autrement, ses propres chances de survie se trouveraient compromises en même temps que celles de l'hôte. En revanche, le mode de vie du parasite est étroitement adapté à celui de l'hôte, de sorte que les deux individus peuvent vivre dans une relative harmonie. La puce du lapin, chez laquelle le processus de la reproduction est déclenché par le taux de progestérone (une hormone) dans le sang de l'hôte illustre bien cette adaptation : la présence de cette hormone indique que la lapine est pleine et que donc, il y aura bientôt une nouvelle génération d'hôtes, sur lesquels les jeunes puces pourront élire domicile. Cependant, le passage d'un hôte à un autre peut faire appel à une tactique plus hostile, en particulier chez les parasites qui doivent passer d'une espèce à une autre. Ainsi, en vue du dernier stade de sa croissance, une planaire (un ver), parasite des poissons, doit aller se loger dans l'organisme d'un oiseau. Ce transfert est rendu possible par le fait que les planaires élisent domicile dans les yeux des poissons : or, ceux-ci, ayant par conséquent la vue abîmée, sont obligés d'évoluer plus près de la surface de l'eau — où ils ont toutes chances d'être emportés par les goélands.

Les parasites ayant un comportement bien adapté aux mœurs de l'hôte sont très fréquents chez les insectes sociaux, et l'on voit souvent les représentants d'une espèce vivre dans le nid d'une autre. En règle générale, l'hôte et le parasite sont de proches parents. Chez certaines espèces de fourmis, la reine envahit le nid d'une autre espèce, que ce soit en prenant de vitesse les locataires ou en usant de diverses manœuvres : elle pourra ainsi exploiter ses hôtes pour se procurer de la nourriture, ou, de façon plus brutale, elle pourra exterminer les reines du nid de ses hôtes, obligeant ainsi toute la chaîne de production à se consacrer à l'élevage de ses propres progénitures. Une fourmi peut aussi avoir son propre nid, mais dans ce cas, il lui faut y apporter des réserves de nourriture ou de la main-d'œuvre — des aphis qui lui fourniront de la miellée, ou des ouvrières appartenant à d'autres espèces de fourmis et dont elle fera ses esclaves.

Toutes les fourmis n'ont pas des mœurs barbares, et l'on rencontre également chez elles de bons exemples de symbiose. Ainsi, certains lycénides (des papillons) pondent leurs œufs près des fourmilières, et les fourmis protégeront les chenilles des attaques des prédateurs et des parasites. En retour, ces chenilles produisent des acides aminés : c'est pour une fourmi une substance essentielle car elle lui permet de produire l'acide formique nécessaire à sa défense, or, le nectar dont elle se nourrit n'en comporte pas. La chenille et la fourmi bénéficient de cette coexistence, qui est un bon exemple de relation symbiotique. Ce système d'association dans lequel le représentant d'une espèce

Des nettoyeurs sous contrat

Dans le règne animal, il n'est pas rare de voir les représentants d'une espèce faire la toilette des représentants d'une autre espèce : en échange de ses services, le « nettoyeur » perçoit de la nourriture — celle qu'il recueille sur le corps de son « client ». L'exemple le plus connu est celui du pluvian, un pluvier qui cohabite avec les crocodiles. On dit même que ces oiseaux n'hésitent pas à pénétrer dans la gueule du crocodile lorsque celui-ci fait sa sieste au soleil, et qu'ils en ressortent indemnes : très lestes, ils récupèrent les fragments de nourriture coincés entre les dents du reptile.

De nombreux poissons s'occupent de nettoyer autrui, en éliminant les parasites logés sur la peau de l'animal, ainsi que dans sa bouche et ses branchies. Les poissons nettoyeurs se postent généralement dans un endroit bien précis, de sorte que les poissons qui ont besoin d'un bon nettoyage n'ont qu'à passer devant cet endroit pour être pris en charge. Les poissons nettoyeurs ont généralement une livrée et un comportement qui les rendent très repérables. Par exemple, le labre nettoyeur s'approche des autres poissons avec un mouvement natatoire très caractéristique : l'animal plonge et remonte alternativement, faisant ainsi savoir qu'il est un poisson nettoyeur et qu'il ne faut pas l'attaquer. Le labre nettoie le mérou, et celui-ci ne lui fait aucun mal : lorsque le mérou se sent bien propre, il s'éloigne tranquillement pour que les nettoyeurs cessent de s'occuper de lui. Chez certaines espèces, les poissons clients peuvent produire différents signaux qui leur permettent de faire savoir aux poissons nettoyeurs qu'ils en ont assez et qu'ils s'apprêtent à repartir : par exemple, le client se met à frétiller ou à ouvrir et fermer la bouche rapidement à plusieurs reprises. Les nettoyeurs sortent alors de la bouche ou de sous les opercules branchiaux.

Il n'est pas étonnant qu'averti de l'existence de tels arrangements entre deux espèces, une troisième espèce tente d'en tirer profit. De fait, on connaît deux autres espèces de poissons qui imitent le labre dans son aspect et son comportement, et sont ainsi en mesure d'approcher les poissons que le labre s'occupe habituellement de nettoyer. A cette seule différence que ces poissons sont des prédateurs et qu'une fois près du « client », ils fondent sur lui et lui arrachent un morceau de nageoire.

▲ **Vivre dangereusement...** Ce monstrueux *Plectorhynchus* s'en remet aux soins du petit labre nettoyeur *(Labroides dimidiatus)* pour éliminer les parasites de sa bouche. Sur les récifs coraliens, de nombreux poissons, dont des prédateurs, fréquentent les « stations de nettoyage », tenues par des poissons qui débarrassent la peau des visiteurs de leurs parasites et de leurs écailles endommagées. Les relations entre ces poissons ne sont plus alors les relations habituelles entre un prédateur et sa proie.

gagne une protection et celui de l'autre espèce de la nourriture, est très fréquent dans les cas où deux espèces différentes se trouvent associées. En hiver, par exemple, des oiseaux comme les grives, les pinsons et les mésanges forment souvent des volées où se mêlent plusieurs espèces : les individus se déplacent à la queue leu leu en quête de nourriture, et ils sont également avantagés par le fait qu'une volée comporte beaucoup de paires d'yeux pour repérer les prédateurs.

PJBS

LA « CULTURE » DANS LE MONDE ANIMAL

Qu'est-ce que la « culture » ?... Les informations transmises d'un individu à un autre individu — les éléments acquis... Les mellifères butineuses... Les mésanges qui percent les bouteilles de lait... Ces macaques qui lavent leurs aliments... Comment les oiseaux trouvent un site pour nidifier... Harceler les prédateurs... Animaux apprivoisés et animaux sauvages... Le chant « culturel » des corneilles mantelées... Ce qui distingue les humains des autres animaux... La fabrication d'outils... Le langage... L'altruisme... Le comportement humain et la sélection naturelle...

L E mot « culture » prend un sens différent selon qui l'utilise. Certains anthropologues préfèrent n'appliquer ce terme qu'aux êtres humains, considérant que dans leur extrême richesse, les mœurs et les schèmes comportementaux que l'on rencontre dans les sociétés humaines sont fort éloignés de tout ce que l'on peut observer dans les sociétés animales. D'autres en revanche, dont beaucoup de biologistes, s'efforcent d'établir des liens entre la culture chez l'homme et les schèmes de comportement chez les animaux : selon eux, une meilleure compréhension des animaux sociaux devrait nous éclairer quant aux origines de la culture chez l'homme.

Sans perdre de vue ces différentes approches, on se contentera de définir la culture comme étant la « transmission d'informations par des voies comportementales ». Par cette définition, on place une ligne de démarcation très nette entre la « culture » et le mode de transmission des informations génétiques, dans lequel les informations peuvent être transmises seulement par les parents à leurs progénitures. En revanche, dans le système de transmission comportementale, n'importe quel individu peut transmettre des informations à n'importe quel autre individu. Richard Dawkins a appelé ce qui peut être ainsi échangé, un « élément acquis » (« meme » en anglais). Un élément acquis est une information, relative aussi bien à un fait établi qu'à une rumeur — c'est à dessein que ce mot n'est pas défini avec une trop grande précision, car son usage s'en trouve ainsi facilité, et il devient plus aisé d'effectuer une comparaison avec les gènes.

DES EXEMPLES DE CULTURE

▲ **Sus aux bouteilles de lait !** Ce couple de mésanges bleues *(Parus caeruleus)* déguste, pour son petit déjeuner, la meilleure crème.

◄ **Bien laver les pommes de terre...** Ces macaques japonais *(Macaca fusca)* lavent leurs pommes de terre pour en éliminer le sable.

Ces deux types de comportement se transmettent entre individus par l'apprentissage.

► **La transmission des gènes et des « éléments acquis ».** Les gènes (1) sont uniquement transmis de génération en génération. Les « éléments acquis » (2) peuvent être transmis par l'imitation et l'apprentissage d'un individu auprès d'un autre et ils peuvent remonter à contre-courant, c'est-à-dire être transmis par les progénitures à leurs parents, à condition que les uns et les autres vivent simultanément. Certains individus peuvent ne pas faire l'acquisition de ces éléments. Sur ces deux diagrammes, les individus apparentés sont plus sombres que les individus non apparentés.

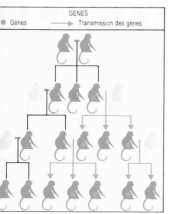

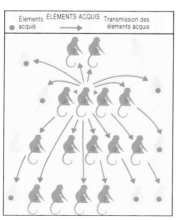

La transmission des éléments acquis est très rapide, leur propagation au sein d'une population est tout aussi rapide, alors que la transmission des gènes est excessivement lente et s'effectue parfois sur plusieurs générations. Des gènes peuvent par ailleurs exister dans des organismes ne connaissant aucune forme d'« acquisition » ou d'apprentissage, comme c'est le cas chez les plantes, alors qu'il ne saurait y avoir d'« éléments acquis » en l'absence de gènes. Les gènes assurent l'élaboration de l'organisme qui sera capable d'échanger des éléments acquis avec ses semblables.

En définissant de façon simplifiée la culture comme un « transfert d'élément acquis », on peut déjà commencer à étudier l'évolution de cette culture : comment est-elle apparue, et comment s'est-elle développée pour devenir aussi sophistiquée chez les humains ? La transmission d'informations comportementales présuppose l'existence d'un système nerveux et de « l'équipement » nécessaire à l'apprentissage et éventuellement, à l'enseignement. Comparant les insectes et les vertébrés, on constate que mis en présence d'un signal, les insectes y répondent par des réactions rigoureusement déterminées, alors que les vertébrés ont un choix plus large.

Parmi les insectes, l'exemple le plus connu d'une transmission d'informations comportementales est celui des mellifères, comme l'a montré Karl von Frisch (voir p. 70).

Chez les vertébrés, en particulier chez les oiseaux et les mammifères, on observe que les schèmes comportementaux transmis par les voies culturelles peuvent être de différents types. En premier lieu, on connaît une foule d'exemples dans lesquels, que ce soit par l'imitation ou par un patient apprentissage, un jeune animal peut apprendre à se procurer une nourriture a priori inaccessible. Les huîtriers-pies, des oiseaux du littoral, ont des sources de nourriture différentes selon l'endroit où ils se trouvent. Chez ceux qui se nourrissent de vers marins et autres invertébrés mous, les oisillons restent auprès de leurs parents six ou sept semaines. En revanche, si les moules sont la seule nourriture disponible, les jeunes restent auprès de leurs parents entre 18 et 26 semaines.

Les deux exemples les plus fameux en matière de transmission des informations comportementales revêtent une importance toute particulière, dans la mesure où ils font intervenir une « innovation » — une invention qui se propage dans toute une communauté. Le premier exemple, observé en Angleterre, est celui de ces mésanges qui découvrirent qu'en perçant la capsule d'une bouteille de lait, elles pouvaient déguster la crème tapissant l'intérieur du goulot. Par l'imitation, cette ruse n'a pas tardé à faire le tour du pays, si bien qu'aujourd'hui, chez nos voisins anglais, il n'est plus une bouteille de lait qui soit en sécurité. Le deuxième exemple est celui d'Imo, une jeune femelle de macaque japonais, qui apprit à laver pour les débarrasser du sable, les patates récoltées sur une plage ; elle parvint ensuite à en faire autant avec des grains de blé qu'elle lançait à la surface de l'eau avant de les récupérer une fois dessablés. Cette fois encore, ces deux innovations ne tardèrent pas à se propager au sein de la bande à laquelle Imo appartenait.

Les informations concernant les prédateurs peuvent elles aussi être transmises par les voies culturelles. Ainsi, on peut souvent voir des oiseaux qui harcèlent un épervier de façon à maintenir ce prédateur sur la défensive et à prévenir toute attaque surprise. Une série d'expériences intéressantes a été effectuée avec deux merles noirs placés dans deux cages séparées. De l'endroit où il se trouvait, l'un pouvait voir un faucon empaillé, et l'autre seulement un inoffensif méliphage australien, naturalisé lui aussi. Le premier merle se mit à harceler le faucon, et son congénère ne tarda pas à l'imiter en harcelant le méliphage. Puis on enleva le premier merle et le faucon, et l'on plaça dans la cage du merle un autre oiseau : bien que n'ayant pas assisté à la première partie de l'expérience, celui-ci, voyant le second merle harceler le méliphage, se mit à l'imiter. Dans la nature, un tel comportement s'explique par le fait que, grâce à la transmission culturelle, l'animal apprend rapidement à identifier un nouvel ennemi — alors que si cette transmission s'était effectuée par les voies génétiques, elle aurait été beaucoup trop lente pour être efficace.

Les relations sociales peuvent être influencées par la transmission culturelle entre des individus ou des groupes dès lors que celle-ci permet la formation de liens. Ainsi, les représentants de nombreuses espèces d'oiseaux perfectionnent leur chant ou leurs appels à l'écoute de leurs frères d'espèce (voir p. 102).

Le chant des corneilles mantelées néo-zélandaises — des oiseaux de la grosseur d'un merle noir — fournit un exemple intéressant de transmission culturelle. Ces corneilles sont devenues très rares, sauf sur deux petites îles situées au large de la Nouvelle-Zélande. Sur l'une de ces deux îles, une nouvelle population a été introduite par les services néo-zélandais de la protection de la nature, et cette population est étudiée depuis de longues années. La population de l'île étant très modeste (entre 28 et 74 couples), tous les oiseaux ont pu être bagués, ce qui permettait de les identifier individuellement par la suite. Ces observations montrent que les corneilles mantelées ont des mœurs territoriales très prononcées et forment des couples extrêmement liés — le chant du mâle ayant manifestement pour effet de renforcer ces liens.

Comme chez les espèces qui apprennent leur chant dans des régions différentes, chaque groupe présente une structure de chant, ou un dialecte, qui lui est propre. Chez certaines espèces, il semble que le « dialecte » soit pour les différentes populations un moyen de garder leurs distances les unes par rapport aux autres et d'éviter de se reproduire par croisement. Or, chez les corneilles mantelées, c'est semble-t-il exactement le contraire qui se passe : le mâle apprend à chanter quand il n'est déjà plus un

Animaux apprivoisés, animaux sauvages

A l'occasion de son expédition aux îles Galapagos en 1835, Charles Darwin fut frappé par la facilité avec laquelle la plupart des animaux, en particulier les oiseaux, se laissaient apprivoiser. Ainsi, il rapporte qu'ils se laissaient approcher suffisamment près pour qu'on puisse les « tuer d'un coup de baguette, voire, comme j'en ai fait moi-même l'expérience, avec un bonnet ou un chapeau ».

La « timidité » se transmet-elle d'un individu à un autre, par un phénomène de transmission culturelle, ou bien faut-il que chaque animal ait peur pour devenir plus méfiant ? Les observations effectuées sur les éléphants par les Douglas-Hamilton, dans la réserve d'Addo, en Afrique du Sud nous fournit un excellent spécimen de transmission culturelle. Ces éléphants causaient d'importants dégâts dans les plantations d'agrumes des environs, si bien qu'en 1919, un célèbre chasseur (un certain Pretorius), fut commandité pour exterminer le troupeau de 140 éléphants. Le chasseur les tua un par un, de sorte que plus il en éliminait, plus les survivants devenaient dangereux dès qu'un homme les approchait. Bientôt, très méfiants, les pachydermes se cachaient toute la journée dans la végétation dense. Tant et si bien que Pretorius dut s'avouer vaincu, et les survivants, entre 16 et 30, furent parqués dans un périmètre d'environ 3 200 ha. Aujourd'hui encore, bien que dans cette région, on ne chasse plus l'éléphant

depuis plus de 50 ans, les survivants de cette terrible traque sont restés les éléphants les plus dangereux d'Afrique. « Dans le meilleur des cas, seuls quelques-uns de ceux qui furent chassés en 1919 sont encore vivants aujourd'hui. Par conséquent, il semble que leur comportement défensif se soit transmis à leurs progénitures, désormais adultes, et même aux petits des troisième et quatrième générations, dont aucun n'a subi les attaques de l'homme », en concluent les Douglas-Hamilton.

▶ **Ils n'ont pas peur des hommes.** Ces otaries (*Zalophus californianus*) s'ébrouent joyeusement dans l'eau en compagnie d'une baigneuse, aux îles Galapagos. Les animaux de ces îles sont souvent peu farouches, car les prédateurs y sont rares.

◀ **Les kookaburrahs** (*Dacelo novaeguineae*), dévorent oisillons, serpents et lézards. Il semble que les petits oiseaux se transmettent par les voies culturelles leur technique de harcèlement.

oisillon. Fait remarquable également, on observe que les jeunes mâles tendent à quitter leur territoire natal pour gagner un autre territoire, où le dialecte est différent. Ayant rejoint son nouveau groupe, le jeune mâle ne tarde pas à apprendre le chant local. C'est pourquoi, dans un cas comme celui-ci, les différents dialectes ne semblent pas favoriser l'isolement reproductif entre les groupes.

Une étude à long terme a permis d'effectuer une autre observation fort intéressante. On s'aperçoit en effet que de temps en temps, un jeune mâle commet une erreur dans l'apprentissage du chant et que par la suite, il persiste à répéter cette erreur. Les congénères de cet oiseau ne tardent pas à imiter son chant « mutant », de sorte qu'une nouvelle version du chant apparaît : c'est ce que l'on appellera une « mutation culturelle ». Les nouveaux « dialectes » nés de ce processus se perpétueront par la transmission culturelle, un processus qui évoque de nombreuses mutations culturelles chez l'homme.

La découverte d'une aire de nidification à l'issue d'une longue migration est considérée par certains auteurs comme une trans-mission culturelle dans laquelle les jeunes suivent leurs parents pour effectuer leur première migration annuelle. Les études effectuées sur des oies des neiges baguées confirment cette hypothèse du moins dans le cas de certaines espèces d'oiseaux.

Au vu de ces différentes illustrations de la « culture animale », il faut se demander si elle présente quelque avantage sur la transmission génétique. Ce qui est certain c'est que la transmission « culturelle » permet une modification plus rapide du comportement, comme c'est le cas dans le processus du harcèlement. De plus, des informations très élaborées peuvent ainsi être transmises, comme celles relatives à l'itinéraire de migration ou au chant d'un oiseau. Ce genre de message, en revanche, ne pourrait guère être véhiculé par une transmission génétique : la transmission d'« éléments acquis » est beaucoup plus souple. C'est cette souplesse qui, aux premières heures de l'évolution de l'homme, devait rendre possible le développement de nos propres modèles culturels, d'une richesse et d'une diversité si extraordinaires...

JTB

L'homme est-il différent ?

Le comportement humain comparé au comportement animal

Avant la publication par Darwin de son fameux ouvrage *De l'origine des espèces,* il était encore possible de considérer que l'homme différait radicalement de l'animal et que le comportement humain n'avait absolument aucun rapport avec le comportement animal. Mais la théorie de Darwin devait bouleverser ces idées en montrant clairement que les humains sont un produit de l'évolution au même titre que n'importe quel autre animal. Malgré cela, la controverse subsiste quant à savoir si les observations effectuées dans le domaine du comportement animal peuvent s'appliquer au comportement humain, et dans quelle mesure les différences de comportement entre l'homme et les autres animaux seraient des différences de genre plutôt que de degré. A bien des égards, le comportement humain est à l'évidence beaucoup plus sophistiqué que celui des autres animaux : c'est le cas, pour ne citer que ces exemples, de l'aptitude au langage, de l'élaboration d'une culture, de l'aptitude à fabriquer des outils et à les utiliser, ainsi que des relations sociales. On admet généralement qu'en soi, ces caractéristiques placent déjà l'homme à part. Pour certains auteurs, l'homme faisant preuve d'une agressivité incomparablement plus grande que les autres animaux, il faut d'emblée le considérer comme étranger à ceux-ci.

L'homme a commencé à fabriquer et employer des outils il y a plus de deux millions d'années, et l'on considère quelquefois que c'est avec cette innovation que l'homme devint humain. De nos jours, les outils grâce auxquels l'homme assure sa survie sont innombrables, et lorsque nos ancêtres de l'âge de pierre commencèrent à fabriquer des poinçons et des racloirs, ce n'était que le tout premier pas de ce progrès vertigineux qui devait donner naissance, à notre époque, aux voitures, aux cuisinières électriques et aux ordinateurs. Ce premier pas a son équivalent chez les animaux. En effet, les observations effectuées sur nombre d'espèces animales qui vivent dans la nature montrent que ces animaux utilisent des outils. Un exemple bien connu est celui du pic des Galapagos, qui se sert d'une épine de cactus pour extirper les asticots de leurs trous dans les arbres. De même, on a déjà vu des chimpanzés jeter des branches, en guise de lances, contre un ennemi, et utiliser des paquets de feuilles pour essuyer leur pelage souillé. Dans ces différents cas, il s'agit d'objets disponibles en l'état dans la nature, et non d'outils fabriqués spécialement. Cependant, on connaît également des exemples d'animaux qui ont recours à une technique très rudimentaire de fabrication d'outils. Dans la plupart des cas, ces observations ont été faites chez les singes : ainsi, un chimpanzé peut casser une branche d'arbre et l'écorcer afin de s'en servir pour extraire les larves des fourmilières ; ce même chimpanzé peut également fabriquer avec un paquet de feuilles une sorte d'éponge avec laquelle il pompera dans un trou l'eau à laquelle il n'a pas accès directement avec sa bouche.

De même, chez certains animaux, on rencontre parfois des rudiments de langage — même s'il existe un vrai gouffre entre les aptitudes de ces animaux et celles de l'homme. Les cris émis par certains animaux ressemblent un peu à des mots ; c'est par exemple le cas du cri d'alarme produit par un merle noir à l'approche d'un épervier : les congénères du merle noir rappliquent pour le défendre, comme s'il avait bel et bien prononcé le mot « épervier ! ». Les aptitudes remarquables dont font preuve les chimpanzés et les gorilles auxquels on enseigne des langages par signes ainsi que des rudiments de techniques d'interaction par ordinateur, montrent que ces animaux sont capables de formes de communication très complexes. De fait, il est difficile d'établir une ligne de démarcation nette et immuable entre ces singes et nous-mêmes. Qui plus est, on s'aperçoit que certaines caractéristiques du langage chez l'homme, que l'on croirait pourtant bien distinctes de n'importe quel type de signal produit par un animal, ont pourtant leurs équivalents chez des animaux apparemment très primitifs. Par exemple, une de nos capacités les plus évoluées est celle qui nous permet de communiquer à propos de choses distantes à la fois dans le temps et dans l'espace. Or, les abeilles en font autant, puisque par leur langage dansé, elles indiquent à leurs congénères l'emplacement d'une source de nourriture qu'elles ont visitée à un moment ou à un autre et que, de surcroît, elles s'expriment elles aussi par un langage symbolique...

L'altruisme consiste à coopérer avec un autre individu et à l'aider sans pour antant en tirer soi-même bénéfice. Certes, l'homme est plus coutumier de ce type de comportement : aider son prochain est un comportement répandu dans les sociétés humaines. Mais ce comportement a son équivalent chez les animaux — par exemple, chez les oiseaux et les babouins mâles, qui s'entraident pour évincer un autre mâle, de façon que l'un d'eux puisse s'accoupler avec une femelle. Chez les animaux, cette aide n'est fournie qu'à des parents ou à des individus dont on sait qu'ils rendront la pareille, ce qui est assez logique en regard de la théorie de l'évolution ; mais c'est probablement tout aussi vrai dans la grande majorité des cas chez l'homme. Par conséquent, ici non plus on ne peut pas dire que l'homme se distingue radicalement de l'animal.

Les animaux se battent beaucoup, et un éthologiste qui passe de longues heures à les observer sur le terrain voit souvent un animal en tuer un autre — beaucoup plus souvent, en tout cas, que s'il observait durant un même laps de temps le même nombre d'hommes. De fait, dans leurs relations avec leurs congénères, les hommes sont relativement pacifiques. Le seul moment où les hommes tuent massivement leurs congénères, c'est lorsqu'ils font la guerre. Mais la guerre n'est pas l'« agression » au sens animal du terme, lorsque plusieurs animaux se menacent ou s'affrontent

▶ **Une grive à son enclume...**
L'homme n'est pas seul à utiliser des outils. Ici, cette grive musicienne *(Turdus philomelos)* se sert d'un caillou pour briser la coquille d'un escargot. Passant beaucoup de temps à son « enclume », la grive laisse derrière elle un amoncellement de coquilles vides.

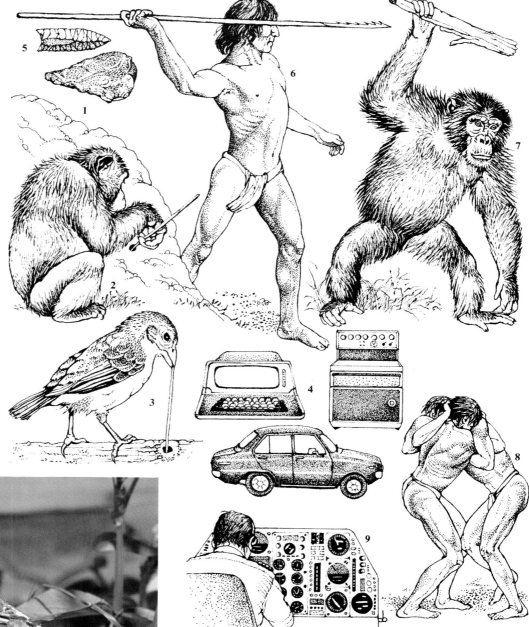

► **Une comparaison des outils utilisés par l'homme et les autres animaux.** (**1**) La hache de pierre fut sans doute le premier outil employé par nos lointains ancêtres, il y a 500 000 ans. Certains animaux utilisent eux aussi des outils. (**2**) Les chimpanzés s'aident de brindilles pour extraire les termites de leur termitière, et (**3**) le pic des Galapagos sonde les trous des arbres avec des épines de cactus. Mais l'homme a continué de développer sa technologie de fabrication des outils, grâce à laquelle nous disposons aujourd'hui de toutes sortes d'équipements ultra-modernes (**4**).

(**5**) Cette pointe de flèche utilisée par les peuples chasseurs d'Amérique du Nord il y a 37 000 à 10 000 ans, marqua une grande étape vers la fabrication des lances (**6**) et des harpons. Chez les animaux, on sait que les chimpanzés (**7**) parviennent à chasser leurs ennemis en leur lançant des branches. (**8**) Naguère, l'homme luttait au « corps à corps » ; mais aujourd'hui, la technologie moderne permet de livrer bataille à distance, en recourant à des machines de guerre hautement sophistiquées (**9**).

pour s'emparer d'une source de nourriture ou d'un territoire. Les mœurs guerrières sont apparues à partir du moment où l'homme a pris ses distances par rapport au monde auquel la sélection naturelle l'avait adapté ; c'est pourquoi, comme nombre de schèmes comportementaux chez l'homme, le comportement guerrier s'est développé au cours des quelques millénaires passés et il n'a pas d'équivalent biologique. Nombre de phénomènes du comportement humain — comme l'adoption d'enfants non apparentés, l'usage de la contraception, le suicide, le génocide ou la possibilité d'appuyer sur un bouton pour déclencher l'holocauste nucléaire —, ne sont pas le fruit de la sélection naturelle. Cela n'a pas empêché l'homme d'entreprendre de modifier son univers, tantôt de façon constructive, tantôt de façon destructive — et la sélection naturelle n'y est effectivement pour rien.

En un court laps de temps, nous avons totalement modifié notre monde, et il nous appartient d'adapter notre comportement à ce nouvel univers que nous avons façonné — car notre évolution biologique ne saurait progresser aussi rapidement...

COLLABORATEURS

PPGB	P.P.G. Bateson University of Cambridge Madingley GB	IJHD	Ian J.H. Duncan Poultry Research Center Midlothian GB	IN	Ian Newton Monks Wood Experimental Station GB
MB	Marc Bekoff University of Colorado Colorado USA	ME/JE	Malcolm and Janet Edmunds Lancashire Polytechnic Preston GB	LPa	Linda Partridge University of Edinburgh Edinburgh GB
JTB	John T. Bonner Princeton University New Jersey USA	JBF	John B. Free Rothamsted Experimental Station Harpenden GB	TJR	Tim J. Roper University of Sussex Brighton GB
DMB	D.M. Broom University of Reading Reading GB	JLG	James L. Gould Princeton University New Jersey USA	DFS	David F. Sherry University of Toronto Toronto Canada
JKB	J.K. Burras Botanic Garden Oxford GB	PG	Paul Greenwood University of Durham Durham GB	PJBS	Peter J.B. Slater University of St Andrews Fife GB
NRC	Neil R. Chalmers The Open University Milton Keynes GB	TRH	Tim R. Halliday The Open University Milton Keynes GB	PKS	Peter K. Smith University of Sheffield Sheffield GB
MD	Martin Daly McMaster University Ontario Canada	MHH	M.H. Hansell University of Glasgow Glasgow GB	CWt	Charles Walcott Cornell University New York USA
RIMD	Robin I.M. Dunbar Cambridge GB	BH	Bernd Heinrich The University of Vermont Vermont USA	WW	W. Wiltschko J.W. Goethe-Universität Frankfurt RFA

CONSEILLERS D'ÉDITION

Professeur Marc Bekoff
Université du Colorado
USA

Professeur K. Immelmann
Université de Bielefeld
RFA

GLOSSAIRE

Adaptation. Une capacité qui augmente les chances de survie d'un organisme dans son environnement, comparé aux chances qu'aurait ce même organisme s'il était dépourvu de cette capacité.

Agression. Un terme controversé, qui sert à répertorier le comportement d'attaque et de menace, mais qui est souvent utilisé pour une gamme d'activités beaucoup plus vaste. Un chat qui attaque une souris (**agression prédatrice**), un oiseau qui chante pour repousser ses rivaux, un homme qui s'exprime sur un ton très péremptoire, font chacun à sa façon preuve d'agressivité. Mais il existe des différences considérables entre chacun de ces comportements ; tous ne sont pas un véritable affrontement au sein d'une même espèce. Il est donc préférable d'éviter une trop large généralisation de ce terme.

Altruisme. Un comportement dans lequel un individu (l'altruiste) sacrifie son propre intérêt au bénéfice d'un autre individu. Chez les animaux, l'altruisme se manifeste principalement pour ce qui est de l'obtention de la nourriture et de l'émission d'appels d'alarme en cas de danger. L'individu altruiste a cependant intérêt à faire profiter de ce comportement des individus qui lui sont apparentés ou qui appartiennent au même groupe social que lui, car il a ainsi plus de chances que ceux-ci lui rendent la pareille ultérieurement.

Ambulacres. Longs appendices creux des échinodermes. Reliés au système aquifère de l'animal, ils peuvent être pourvus de ventouses, faire office d'échasses utiles à la locomotion, ou être ciliés et servir ainsi à diriger vers la bouche les particules nutritives.

Apaisement. Un comportement qui inhibe l'attaque dans les situations où l'animal ne peut pas prendre la fuite ou, comme lors de la parade nuptiale, lorsqu'il n'est pas avantageux pour lui de se dérober. Tant par la forme que par le message véhiculé, l'apaisement est souvent à l'opposé du comportement de menace.

Appel de contact. Les sons émis par certains animaux, membres d'un couple ou d'un groupe social, pour se maintenir en contact les uns avec les autres. Dans leurs déplacements, les animaux ont recours aux appels de contact surtout lorsque la visibilité est mauvaise.

Aptère. Se dit d'un animal dépourvu d'ailes.

Attention. État dans lequel un animal est réceptif à tel ou tel aspect de son environnement plutôt qu'à tel autre. L'expérience montre qu'un animal peut se concentrer et assimiler des informations sur un aspect donné d'une situation tout en ignorant les autres aspects, de moindre importance pour lui.

Béhaviourisme (De l'anglais « Behaviour », qui signifie « comportement ».) Théorie d'ensemble de la psychologie, représentée par J.B. Watson et B.F. Skinner et dont l'objectif est, en mettant l'accent sur l'observation, de promouvoir la psychologie comme science objective. En matière de comportement, le béhaviourisme fait largement appel aux expériences en laboratoire pour étudier l'apprentissage.

Bioluminescence. Production de lumière par des plantes et des animaux. La bioluminescence peut être utile dans diverses parades visuelles. Elle permet également à certains poissons des grands fonds de repérer leur nourriture dans l'obscurité ambiante.

Camouflage. Présence, sur la livrée de l'animal, de couleurs ou motifs qui se confondent avec l'environnement. Ils permettent aux proies de ne pas être repérées par les prédateurs mais permettent à ces derniers d'approcher de la proie sans être vus.

Cannibalisme. Habitude, chez l'animal mais aussi chez l'homme, qui consiste à manger ses semblables. Le cannibalisme est assez fréquent chez des espèces en surpopulation.

Carnassiers. Mammifères terrestres pourvus de griffes ou de crocs et qui se nourrissent surtout de proies animales. Les carnassiers forment un ordre comprenant notamment le chien, le chat ou l'ours...

Carnivore. Se dit d'un animal qui se nourrit de chair.

Caste. Au sein d'une même espèce, groupe formé de plusieurs individus affectés à une tâche donnée, en raison de leur constitution physique et de leur comportement. Les castes d'insectes sociaux, comme les abeilles mellifères et les termites, figurent parmi les plus connues.

Commensalisme. Relation entre les membres d'espèces différentes au bénéfice d'une de ces espèces, qui peut ainsi se procurer sa nourriture. Cette relation, en revanche, n'est ni bénéfique ni préjudiciable aux membres de l'autre espèce. Les animaux nécrophages et les poissons prédateurs qui s'infiltrent dans les bancs d'autres poissons inoffensifs sont un exemple de commensalisme : ce type de camouflage leur permet d'attaquer leurs proies par surprise.

Compétence globale. Elle mesure l'aptitude d'un individu à se reproduire et l'aide qu'il apporte à ses proches en ce domaine. On considère que par son comportement, un animal tend toujours à optimaliser sa compétence globale.

Conditionnement. Mode d'apprentissage par association. Dans le conditionnement classique, deux stimuli sont associés, afin que le second déclenche une réaction, que seul le premier stimulus déclenchait précédemment. Dans le **conditionnement instrumental**, l'expérimentateur peut augmenter ou diminuer le taux de réaction (ou « réponse ») en lui associant un **renforcement**.

Conflit. On dit d'un animal qui se trouve confronté, dans son comportement, à deux tendances de forces sensiblement égales, qu'il éprouve un conflit **motivationnel**. Lorsqu'un animal affamé par exemple voit, près de sa nourriture, un objet qui lui fait peur, cet animal doit surmonter un conflit dans lequel il a à choisir entre l'approche et l'évitement. Souvent, l'animal opte alors pour une troisième attitude, n'ayant apparemment aucun rapport avec la situation (voir à **déplacement**).

Coopération. Mode de comportement dans lequel des animaux s'entraident pour en tirer un bénéfice partagé. Ainsi, des animaux en groupe peuvent coopérer pour repérer les prédateurs. Chassant en coopération, ils peuvent capturer des proies plus grosses, comme c'est le cas chez les hyènes.

Coprophagie. Désigne les animaux qui se nourrissent d'excréments.

Crépusculaire. Se dit d'animaux actifs à l'aube et/ou au coucher du soleil. Les animaux du désert sont souvent crépusculaires, car il y fait trop chaud et trop sec le jour, trop froid et trop sombre la nuit.

Cryptique (coloration). Coloration ayant pour effet de dissimuler un animal lorsqu'il est dans son milieu naturel.

Culture. Ensemble de comportements qui se répètent de génération en génération par le biais de l'apprentissage. Le terme désigne également les produits de ces comportements, comme les outils et, chez l'homme, les œuvres d'art (voir **tradition**).

Déplacement (activité de). Comportement, non adapté en apparence à une situation donnée, qui consiste par exemple à faire sa toilette ou à se mettre à construire un nid, alors que l'instant d'avant, l'animal faisait sa parade nuptiale ou était en plein combat. On considère que certains types de parades étaient à l'origine des activités de déplacement qui, par la suite, ont évolué et sont devenues plus complexes.

Dialecte. La variation, d'une région à une autre, des signaux sociaux au sein d'une même espèce. On parle de dialecte dans le cas par exemple des vocalisations des oiseaux, des grenouilles et crapauds, ainsi que de la danse frétillante des abeilles mellifères.

Dimorphisme. Existence de deux morphes distinctes. L'expression « dimorphisme sexuel » s'emploie dans le cas où la femelle et le mâle d'une espèce sont nettement différents par la taille, la forme, la couleur et les ornements.

Discrimination. Aptitude d'un animal à faire la distinction entre deux stimuli. Ainsi, si un goéland préfère couver un leurre imitant un œuf brun, plutôt qu'un leurre rouge, cela signifie que cet oiseau sait faire la distinction entre l'un et l'autre. Un apprentissage permet d'exercer ces animaux à acquérir ce pouvoir de discrimination.

Distraction. Parade par laquelle une mère oiseau feint d'être blessée afin d'éloigner un prédateur loin du nid où se trouvent ses petits.

Domination. La hiérarchie dans laquelle un animal s'impose, souvent par le combat, pour s'emparer de la nourriture ou des partenaires sexuelles. Les mâles dominants sont souvent les plus gros et les plus forts mais la rencontre avec d'autres individus ne se solde pas nécessairement par un combat, car ceux-ci préfèrent souvent se soumettre.

Echolocation. Système d'orientation fondé sur l'émission de signaux haute fréquence : la position des objets est indiquée par la façon dont ils réfléchissent ces signaux. Les chauves-souris et les dauphins disposent d'un tel système de navigation.

Empreinte (ou **imprégnation**). Processus par lequel un animal apprend à reconnaître les caractéristiques d'un autre individu, généralement un parent, très tôt dans sa vie.

Épouillage. Littéralement, l'« élimination des poux ». Fréquent chez les primates et les oiseaux, il consiste pour deux animaux à se faire mutuellement leur toilette. En règle générale, on l'observe chez les membres d'une même famille, ou d'un même groupe, et l'on peut dire qu'il remplit une fonction sociale, en consolidant les liens entre les individus.

Essai et **erreur.** Forme d'apprentissage, également appelée **conditionnement instrumental**, par laquelle l'animal apprend à associer un comportement à ses conséquences. Une réponse qui vaut à l'animal une gratification sera ainsi plus souvent répétée par la suite.

Estivation. État d'engourdissement de certains animaux en été. L'équivalent de l'*hibernation* à la saison froide. Les espèces qui estivent sont surtout celles vivant dans des contrées, comme les déserts, où les grandes sécheresses et la canicule rendent l'environnement très hostile. Se réfugiant dans un état de torpeur au fond de leur terrier clos et humide, ces animaux préservent leur eau et leur énergie.

Éthologie. Étude scientifique du comportement animal dans le milieu naturel.

Fonction. La fonction d'un attribut, par exemple un comportement donné, c'est l'avantage qu'il procure en termes de sélection. Dans la mesure où une fonction apporte à celui qui la possède de meilleures chances de survie et de reproduction, elle se perpétue au sein de la population.

Fourragement optimal. Un concept selon lequel un animal doit faire preuve d'une efficacité aussi grande que possible quand il cherche sa nourriture. L'animal doit optimaliser le rapport entre l'énergie consacrée à la recherche de nourriture et celle apportée par cette nourriture. L'expérience montre que beaucoup d'animaux parviennent très près de cette optimalisation.

Gène. Unité de base de l'hérédité, une partie de l'ADN codifiée, transmise de génération en génération. Les gènes « programment » la reproduction des protéines à l'intérieur des cellules. Ce sont eux qui donnent ses caractéristiques à l'organisme concerné. L'évolution et la reproduction sont donc étroitement liées.

Habitat. L'environnement dans lequel évolue une espèce et auquel elle est adaptée. Un habitat se définit entre autres par sa végétation, son climat et son altitude.

Habituation. Forme simple d'apprentissage, par laquelle un animal cesse de réagir (ou « répondre ») à un stimulus qui lui est présenté de façon répétitive, mais qui ne lui est ni bénéfique ni nuisible.

Harcèlement. La technique par laquelle certains animaux, en particulier les petits oiseaux, réagissent à l'approche d'un prédateur — une chouette, par exemple. Les oiseaux se mettent à voltiger autour du prédateur en piaillant bruyamment. Ce comportement permet de repousser le prédateur ou d'avertir les congénères de l'approche du danger.

Harem. Groupe social composé d'un seul mâle adulte, d'au moins deux femelles adultes et d'immatures. C'est une structure sociale commune chez les mammifères.

Herbivore. Animal qui se nourrit surtout de plantes ou de parties de plantes.

Hibernation. État d'engourdissement dans lequel certains animaux se réfugient en hiver : le rythme cardiaque et la température interne baissent, afin que l'animal consomme le moins d'énergie possible.

Hiérarchie du becquetage. Chez les oiseaux, c'est l'équivalent de la hiérarchie de **domination** chez les autres animaux.

« Homing ». Ce mot anglais désigne l'aptitude de certains animaux, comme les pigeons voyageurs et les saumons, à regagner un site

donné après s'en être éloignés, que ce soit dans le cadre de leur vie normale ou à l'issue d'une expérience de déplacement.

Imitation. Permet à un animal de « copier » sur un congénère un comportement donné, afin d'avoir ensuite le même comportement que ce congénère. Certains comportements sont transmis de génération en génération par imitation. Elle permet également à une nouvelle forme de comportement de se propager très vite au sein d'une population.

Inné (comportement). Littéralement « qui existe dès la naissance ». Souvent mal employé, le terme est quelque peu tombé en désuétude. Certains auteurs considéraient comme « inné » un comportement apparu sans aucun apprentissage ni imitation, et d'autres estimaient même que le développement d'un tel comportement ne subissait pas l'influence de l'environnement. Cette seconde hypothèse fut la plus controversée.

Instinct. Pour le psychologue, c'est l'équivalent de la **pulsion** et, pour l'éthologiste, le déterminant héréditaire du comportement propre à une espèce donnée.

Intelligence. Capacité qui permet à un individu d'apprendre à effectuer différentes tâches, de raisonner et de résoudre des problèmes. Si, chez l'homme, cette aptitude est facile à évaluer, chez l'animal, en revanche, cette évaluation est beaucoup plus difficile. Dans certains cas, en effet, l'animal peut effectuer facilement des tâches pourtant difficiles, parce qu'il est bien adapté à ces tâches, alors que dans d'autres cas, une tâche considérée comme facile lui posera de grosses difficultés.

Intuition. Apprentissage qui fait appel à l'appréciation de relations complexes et qui, à son niveau le plus sophistiqué, peut faire intervenir la pensée et le raisonnement. L'intuition est difficile à distinguer des autres types d'apprentissage (on ignore même son importance chez les animaux).

Investissement parental. Un parent « investit » dans sa progéniture pour accroître ses chances de survie. Comme cet investissement se fait au détriment de l'aptitude du parent à investir dans une autre progéniture, il ne doit pas consacrer trop de temps et d'énergie à une seule progéniture, afin d'optimaliser également les chances de survie de ses autres progénitures.

Langage. Chez l'homme, ce terme s'applique à la communication verbale. Chez l'animal, en revanche, il peut s'appliquer à différents modes de communication.

Lek. Site d'accouplement communautaire, fréquent chez les oiseaux et certains mammifères. Les mâles se regroupent, formant une « arène » et ils défendront ce territoire contre les intrus. Ce type de territoire a, semble-t-il, pour seule fonction d'attirer les femelles qui viennent s'y accoupler.

Marquage du territoire. Un animal « marque son territoire » par l'odeur de son urine ou de ses excréments. Ce marquage sert vraisemblablement à véhiculer diverses informations, mais elles demeurent mal connues.

Menace. Comportement par lequel un animal dominant met en garde son rival. Celui-ci peut battre en retraite, ou se trouver en conflit entre deux attitudes différentes : attaquer ou battre en retraite. L'animal menacé peut, enfin, résoudre ce conflit en

adoptant à son tour un comportement menaçant.

Message. Informations concernant l'« émetteur », qui se présentent sous la forme d'un signal codé. La parade nuptiale effectuée par un mâle véhicule par exemple un message que l'on pourrait transcrire par : « je suis un mâle sans partenaire et prêt à l'accouplement ».

Métabolisme. Ensemble des transformations chimiques et biologiques qui s'accomplissent dans l'organisme.

Migration. Mouvement, habituellement saisonnier, d'une région ou d'un climat vers un autre, qui permettra à l'animal de se nourrir ou de se reproduire.

Mimétisme. Moyen par lequel un animal se met à ressembler à un autre, que ce soit par son comportement ou son aspect physique. Le mimétisme peut être bénéfique à l'un des deux animaux, ou aux deux. On distingue notamment le mimétisme de Bateson et le mimétisme de Müller.

Motivation. Ensemble des facteurs internes qui poussent un animal à adopter, face à une même situation, des comportements différents dans des conditions différentes. Un animal ne mange pas nécessairement dès qu'il trouve de la nourriture par exemple, de même qu'il ne s'accouple pas automatiquement dès qu'il rencontre un ou une partenaire. Tout dépend du contexte, et l'étude des motivations vise à comprendre les mécanismes qui influent sur la variabilité du comportement.

Mutualisme. Le fait, pour des représentants d'espèces différentes, de s'associer de façon bénéfique pour chacun (voir également à **symbiose**).

Navigation. Moyen par lequel des animaux parviennent à trouver le chemin d'un objectif donné, quel que soit leur point de départ (voir **« Homing »**). Pour ce faire, l'animal a besoin non seulement d'un système d'orientation — l'équivalent d'une « boussole » —, mais également d'une « carte » qui réunit des informations topographiques.

Niche écologique. Rôle d'une espèce à l'intérieur d'une communauté, défini en fonction de tous les aspects de son style de vie (nourriture, compétition, prédation et autres).

Nidicole. Se dit des animaux dont les progénitures, trop faibles et vulnérables, restent au nid pendant un certain temps après la naissance (dans le cas contraire, l'animal est dit **nidifuge**).

Œstrus. Période de rut chez les animaux.

Omnivore. Dont le régime alimentaire est varié comprenant de la chair et des végétaux.

Orientation. La façon dont un animal se déplace par rapport à son environnement. Cet animal peut par exemple s'orienter par rapport à différents repères du terrain ou à un but donné dont il connaît la direction. A un niveau plus complexe, certains animaux peuvent s'orienter en fonction du soleil, des étoiles ou du champ magnétique terrestre.

Parade. Ensemble de mouvements servant à la communication. Ces mouvements sont souvent très démonstratifs, stéréotypés et propres à l'espèce, en particulier lorsqu'il s'agit d'une parade nuptiale ou d'un comportement agressif.

Parasite. Un animal qui se nourrit des tissus d'un autre animal, l'hôte, sans cependant le tuer. L'hôte ne tire aucun bénéfice de cette forme d'association.

Période sensible. Lors du développement d'un animal, période durant laquelle il répondra plus particulièrement à certains types de stimuli. C'est le cas, en particulier, du processus d'**empreinte** (ou d'« imprégnation ») chez l'oisillon, durant les tous premiers jours qu'il passe auprès de sa mère.

Phéromone. Substance chimique qui, émise à dose infime par un individu dans son environnement, provoque chez un congénère des réactions comportementales spécifiques.

Polygamie. Mode de reproduction dans lequel le mâle s'accouple avec plusieurs femelles pendant la saison de reproduction (le contraire est la *polyandrie*, et, dans un ordre d'idées différent, la *monogamie*).

Pseudopode. Chez certains protozoaires, une expansion du protoplasme (ensemble du cytoplasme, du noyau et des autres éléments actifs qui constituent la cellule), servant d'appareil locomoteur ou préhenseur.

Pulsion. Terme qui, en psychologie, désigne une force à mi-chemin entre le psychique et l'organique et qui pousse le sujet à accomplir une action donnée pour canaliser une tension (on parle notamment de « pulsion sexuelle »).

Réflexe. Cette réponse automatique et involontaire est la forme la plus simple de réaction à un stimulus extérieur. Ainsi, lorsque son flanc est irrité, un chien se gratte, et la pupille de son œil se rétracte lorsqu'il regarde une lampe.

Régurgitation. Retour dans la bouche des matières contenues dans l'estomac. Beaucoup d'insectes sociaux échangent ainsi leur nourriture et cette technique permet à certains oiseaux, comme les goélands, de nourrir leurs petits.

Renforcement. Moyen utilisé pour augmenter ou abaisser la probabilité d'une réponse donnée. On apprend à un rat à appuyer sur un levier pour obtenir de la nourriture (renforcement positif) ou pour éviter de recevoir une décharge électrique (renforcement négatif). Dans les deux cas, l'animal obtient une « gratification ».

Rythme circadien. Rythme équivalent à la durée du jour, soit 24 heures, que l'on retrouve dans maint aspect de la physiologie et du comportement. On dit aussi « rythme jour-nuit ».

Ritualisation. Le processus par lequel, au fil de l'évolution, les signaux produits par les animaux deviennent plus stéréotypés et plus marqués, rendant leur interprétation plus claire.

Rut. Chez les mammifères, état physiologique qui les fait rechercher l'accouplement.

Schème d'action fixe. Toute action stéréotypée que l'on retrouve sensiblement identique chez les membres d'une espèce donnée, du moins chez ceux du même sexe et environ du même âge. Cette « fixité » facilite le travail du scientifique pour ce qui est de la classification des espèces et de l'analyse du comportement.

Sélection naturelle. Processus par lequel les individus les mieux adaptés survivent et produisent une progéniture plus abondante. Les caractères les plus favorables deviennent transmissibles génétiquement et sont finalement communs à toute la population.

Signal gradué. Signal dont la fréquence ou l'intensité varie selon l'état de l'individu — un homme par exemple crie d'autant plus fort qu'il est en colère. Chez les animaux, chaque signal a généralement son intensité typique, indépendante de la motivation du sujet qui produit ce signal.

Sociobiologie. Science qui s'intéresse au comportement social des animaux, à son écologie et son évolution.

Sollicitation. Se dit, par exemple, de la posture adoptée par une femelle pour inviter un mâle à s'accoupler avec elle.

Spectrogramme des sons. Diagramme fréquence/temps permettant de visualiser, par exemple, le chant d'un oiseau.

Stéréotypie. Répétition automatique d'attitudes ou de mouvements, comme on l'observe, par exemple dans un zoo, chez les ours et les lions qui arpentent sans arrêt leur cage.

Stimulus. Agent qui provoque, dans des conditions données, la réponse d'un organisme vivant.

Stratégie. Mode de comportement adopté par un animal, de préférence à un autre mode de comportement, possible lui aussi. Une stratégie dite « stable » est une stratégie qui, une fois adoptée par une population, reste immuable et ne peut être améliorée par les « immigrants » qui viennent se joindre à cette population.

Symbiose. Mode d'association, duquel les deux espèces associées tirent bénéfice (voir **mutualisme**).

Territoire. Zone défendue contre les intrus par un individu ou un groupe.

Tradition. Ensemble de comportements communs aux membres d'une population et que les individus se transmettent de génération en génération par le biais de l'apprentissage.

Ultrason. Son de fréquence trop élevée (à partir de 20 000 Hz) pour pouvoir être capté par l'oreille humaine. De nombreuses espèces animales communiquent au moyen des ultrasons. La façon dont ces sons sont réfléchis par les objets a permis à certains animaux, comme les chauves-souris, de se doter d'un système d'**écholocation**.

Vigilance. État dans lequel un animal se maintient pour surveiller son environnement — par exemple, pour détecter l'approche d'un prédateur. Ainsi, les animaux venus s'abreuver à un point d'eau restent généralement très vigilants.

Viviparité. Mode de reproduction des animaux vivipares, c'est-à-dire, chez lesquels les petits naissent déjà pleinement développés.

INDEX DES NOMS COMMUNS

INDEX DES NOMS LATINS

Crédit Photographique

Abréviations : h haut, b bas, c centre, g gauche, d droite, A Ardea, AN Agence Nature, ANT Australasian Nature Transparencies, BCL Bruce Coleman Ltd, FL Frank Lane Agency, NHPA Natural History Photographic Agency, OSF Oxford Scientific Films, P Premaphotos Wildlife/K. Preston Mafham, PEP Planet Earth Pictures/Seaphot, SAL Survival Anglia Ltd.

1 P. 2 M. Fogden. 3h A. 3b PEP. 4 A. 5-SAL. 6g BBC Hulton Picture Library, 6d Mansell Collection, 7h NHPA, 7b Associated Press. 8 Swift Picture Library. 9AN. 11 BCL. 12-13 P. 14 Jacana. 15h PEP. 15b P. 18-19 OSF. 20 P. 21h M. Fogden. 21b OSF. 24-25 BCL. 25b P.26-27 Eric and David Hosking. 28-29 BCL. 31 P. 32 A. 33h BCL. 33b, 34-35 P. 36b BCL. 36h, 36-37 M. Fogden. 38 P. 39 M. Fogden. 41 P. 42 M. Fogden. 43 NHPA. 44 BCL. 44-45 ANT. 47 Eric and David Hosking. 48-49, 50-51 SAL. 52 A. 52-53 Biofotos/Heather Angel. 56-57 Frans Lanting. 57h BCL. 60-61 Nature Photographers. 62h, 62c P. 62b A. 63 BCL. 64 Prince & Pearson. 65, 66 Jacana. 67h Fogden. 67b David Hosking. 68-69 BCL. 69b FL. 71 OSF. 72-73 G. Frame. 76-77 BCL. 78h N. Bonner 78b Dwight R. Kuhn. 79b FL. 80-81 BCL. 84 R. Pellew. 85 P. 87 BCL. 88 M. Fogden. 89 NHPA. 92-93 M. Fogden. 93b NHPA. 94-95 BCL. 97 OSF. 98, 99hg, 99cl, 99bg T. Roper. 99r Frans Lanting. 100 BCL. 100-101 PEP. 102 Dwight R. Kuhn. 104 Eric and David Hosking. 106-107 M. Fogden. 108-109 BCL. 111g OSF. 111d C.A. Henley. 112-113 BCL. 113 Fred Bruemmer. 114 PEP. 115 A. 116-117 Biofotos/Heather Angel. 118 P. 118-119 A. 120-121, 122 NHPA. 123 P. 126-127 SAL. 127b Frans lanting. 128-129 PEP. 130h SAL. 130-131 Tom Owen Edmunds, 131 J.B. Davidson. 132h, 132c, P. 132-133 NHPA. 134h PEP. 135 D.W. Macdonald. 137 PEP. 138b, 138-139 BCL. 140, 140-141 SAL. 142-143 OSF.

Dessins

Tous les dessins sont d'Oxford Illustrators Limited, sauf ceux mentionnés ci-dessous :
Abréviations : PB (C) Priscilla Barrett, SD Simon Driver, RG Robert Gillmor, RL Richard Lewington, DO Denys Ovenden.
4 RG, 9 SD. 10 PB. 15 SD. 16, 17, 22, 23 DO. 24, 28, 29 PB. 30 RL. 38, 40, 43, 44, 46, 49, 52 SD. 54, 55h Ian Willis, 55c, 57, 58b, 59b, SD. 58h, 59h, Mick Loates, 64, 68 PB, 70h, 71 RL. 70b SD. 73, 74, 75, 79 PB, 82, 83 DO. 86 PB. 88 RL. 89 SD. 90, 91, 96, 97 PB. 103 SD. 104, 105h RG. 105c SD. 108 RG. 110 SD. 111RG. 113 SD. 114 RG. 119, 120 RL. 123 SD. 124, 125 PB. 127, 139 SD. 143 PB.

Photocomposition : P.F.C. - Dole

Achevé d'imprimer sur les presses de l'imprimerie Mohndruck à GÜTERSLOH R.F.A. en Décembre 1988
Dépôt légal : 2e trimestre 1989